Stefan Chwin
HANEMANN

Stefan Chwin
HANEMANN

WYDAWNICTWO
TYTUŁ

Fragmenty listów Heinricha Kleista i Adolfiny Henrietty Vogel
oraz *Zeznania Stimminga* w przekładzie Wandy Markowskiej
(wg H. von Kleist, *Listy* Warszawa 1983)
Okładka: Według projektu Tomasza Bogusławskiego przygotowała do druku Anita Wasik
Reprodukcja na pierwszej stronie okładki: Caspar David Friedrich *Wschód księżyca nad morzem*
(*Mondaufgang am Meer*) BPK Bildarchiv/BE@W
Fotografia na stronie przedtytułowej: Danuta Węgiel
Fotografia na czwartej stronie okładki: Jan Ledóchowski
Alfabet piórkiem narysował: Stefan Chwin
Klucz do miejsc opracowała: Krystyna Chwin
Wykorzystane źródła:
C. Oknińska, *Ostatnie 13 dni życia Stanisława Ignacego Witkiewicza*, [w:] „Kierunki" 1976 nr 13
J. Z. Brudnicki, *Ostatnia droga Witkacego*, [w:] „Przegląd Humanistyczny" 1977 nr 10
J. Siedlecka, *Witkacowa*, [w:] *Mahatma Witkac*, Warszawa 1992

Wydawnictwo „TYTUŁ"
ul. Straganiarska 22, Gdańsk 80-837
Biblioteka TYTUŁU pod redakcją Krystyny Chwin
Seria: Proza Współczesna

Skład i łamanie: Wojciech Pogorzelski

Druk i oprawa:
Drukarnia Wydawnictwa „Bernardinum" Sp. z o.o.
ul. Biskupa Dominika 11, 83-130 Pelplin
tel. 058 536 17 57; fax 058 536 17 26
e-mail: bernardinum@bernardinum.com.pl

Książki Wydawnictwa „TYTUŁ":
S. Chwin *Hanemann*, S. Chwin *Esther*, S. Chwin *Złoty pelikan*,
S. Chwin, K. Lars *Wspólna kąpiel*, K. Lars *Umieranki*, S. Chwin *Kartki z dziennika*,
S. Chwin *Żona prezydenta*, S. Chwin *Dolina Radości*, S. Chwin *Krótka historia pewnego żartu*
oraz S. Chwin *Dziennik dla dorosłych*

Dystrybucja: L&L Firma Dystrybucyjno-Wydawnicza
80-298 Gdańsk, ul. Budowlanych 64F
tel. +48 58 520 35 57, fax: +48 58 344 13 38

ISBN 978-83-89859-03-7 (oprawa twarda)
ISBN 978-83-89859-11-2 (oprawa miękka)

Czternasty sierpnia

O tym, co stało się czternastego sierpnia, dowiedziałem się bardzo późno, ale nawet Mama nie była pewna, czy wszystko się zdarzyło tak, jak o tym mówiono u Steinów. Pan Kohl, który pracował w budynku Anatomii od chwili założenia Instytutu, mówił o samej sprawie niechętnie; jego szacunek dla ludzi w białych uniformach narzuconych na ubranie z dobrej angielskiej wełny, którzy jedwabną chusteczką z monogramem przecierali okulary w złotej oprawce, był doprawdy zbyt wielki, by...

Szkła od Zeissa, przecierane spokojnym, nieśpiesznym

ruchem w westybulu portierni... W letnie dni osiadał na nich żółty pył lip kwitnących w Delbrück-Allee obok budynku Anatomii, gdzie chłodne powietrze z cienistego cmentarza ewangelickiego mieszało się z suchym sosnowym powiewem od strony morenowych wzgórz. O ósmej czarny daimler-benz zatrzymywał się przed wejściem do Instytutu, potem z tramwaju nadjeżdżającego od strony Langfuhr wysypywał się tłum ubranych na ciemno dziewcząt, które po kilku minutach marszu wzdłuż cmentarnego muru i dojściu na portiernię, a potem do bloku E, przywdziewały niebieski fartuch z ramiączkami skrzyżowanymi na plecach i biały czepek... Więc nawet pan Kohl nie ufał temu, co usłyszał od Alfreda Rotke, posługacza z Anatomii, który – ze swoją brązowawą cerą podobny do eleuzyjskiego cienia – przemykał się podziemnymi korytarzami w gumowym fartuchu, szukając zawsze czegoś wśród miedzianych wanien, w których moczyły się białe prześcieradła, potrzebne do okrywania stołu z marmurowym blatem, długiego stołu na kółkach – prostokątnego, zimnego w dotyku i zawsze jakby trochę wilgotnego stołu, który ustawiono pod wielką okrągłą lampą z pięcioma mlecznymi żarówkami w sali IX na parterze budynku przy Delbrück-Allee 12.

I chociaż pani Stein gotowa była przysiąc, że wszystko zdarzyło się dokładnie tak, jak o tym mówiono, pan Kohl, lekko unosząc głowę i mrużąc oczy, w których co kilka chwil skrzyły się ogniki ironii, patrzył tylko na nią z wyrazem wyższości, którym – rzecz jasna – nie pragnął jej obrazić, cóż jednak mógł na to poradzić, że jako wtajemniczony wiedział więcej, pani Stein zaś i tak niczym nie dałoby się przekonać? Czubek białej parasolki postukiwał na ścieżce, gdy pani Stein schodząc z pomostu mola w Glettkau na deptak koło gasthausu, mówiła do pana Kohla:

„Przecież nie mogło się zdarzyć inaczej. On musiał to zrobić. To było silniejsze od niego. Trzeba mu wybaczyć..."

„Musiał?" – pan Kohl unosił brwi. Bo nawet jeśli rzeczywiście zdarzyło się to, o czym mówili, atmosfera gmachu Anatomii z rzędem oszklonych drzwi, w których pobrzękiwały kryształowe szybki o tęczowopawim połysku, a emaliowane tabliczki z nazwami sal miały solenność gotyckich sarkofagów, cisza, w której gumowe podeszwy posługaczy miękko pluskały na zielonym linoleum, a dobiegające z podziemia odgłosy przesuwania niklowanych kotłów i blaszanych kuwet niosły się niczym muzyka wielkiej kuchni – wszystko to budziło wystarczający niepokój, by pan Kohl chciał go jeszcze potęgować czymś, co niezrozumiałe i w najwyższym stopniu wątpliwe. I jeśli nawet prawdą było to, co usłyszał od Alfreda, gdy pod koniec września spotkali się przypadkiem u Kaufmanna na Długim Pobrzeżu, pan Kohl za najlepsze wyjście uznał mądre milczenie, bo w zdarzeniu, o którym mówili, kryło się coś, czego nie rozumiał, chociaż widział w życiu niejedno, choćby podczas odwrotu spod Metzu, a potem podczas oskrzydlającego marszu na Strasburg, gdy ludzie, których – zdawało się – dobrze znał i o których nigdy by nie powiedział złego słowa, zmieniali się nagle, jakby z ich twarzy zeszła skóra, odsłaniając wilgotne połyskliwe zęby. Więc że można się zmienić, wiedział aż nadto dobrze, ale przecież nie do tego stopnia i nie tu, w gmachu przy Delbrück-Allee 12!

Gdyby to przydarzyło się któremuś ze studentów albo na przykład asystentowi Martinowi Retzowi, tak, gdyby coś takiego przytrafiło się właśnie Retzowi, pan Kohl ze zrozumieniem pokiwałby tylko głową nad kruchością ludzkiej natury i słabością nerwów – ale Hanemann? Zapewne i w nim kryły się tajemnice, których nawet najprzenikliwsze oko doktorów przejętych ideami Bleulera nie potrafiłoby wyśledzić (cóż zaś dopiero oko portiera, który zza mlecznej szyby widział tylko ciemną sylwetkę i jasne włosy, a potem rękę oddającą klucz do sali IX), ale przecież przemiana dusz miała swoje granice i to, co mogło się zdarzyć młodzieńcom, którzy wiedzeni pasją zgłębiania sekretów anatomii przybywali tu z Thorn, Elbing, a nawet z Allenstein, nie mogło zdarzyć się komuś, kto bywał tu od lat, a i wcześniej – jak mówiono – doświadczył niejednego w szpitalu koło Moabitu, gdzie ponoć odbywał praktykę u samego Ansena.

Więc czternastego nic niczego nie zapowiadało. Studenci schodzili się powoli, bez pośpiechu zajmując miejsca w dębowych ławach przed drzwiami z gotyckim „A". Syn Ernesta Mehla, właściciela składu żelaznego w Marienwerder, w nienagannie skrojonej marynarce z gładkiego kortu, z cwikierem w palcach, w butach z żółtej skóry, przyszedł już kilka minut po drugiej razem z Günterem Henecke, synem właściciela składu bawełny i towarów kolonialnych na Wyspie Spichrzów, potem dołączyli do nich inni – Alfred Rotke nie potrafił sobie, niestety, przypomnieć ich nazwisk. Mówili ściszonymi głosami, choć czuło się, że śmiechem, gasnącym, gdy spoglądali na drzwi gabinetu Hanemanna (za którymi jednak wciąż nie było nikogo), że tym ściszonym, nerwowym śmiechem, chcą w sobie stłumić niepokój, mimo że nikt z nich nie był tu po raz pierwszy.

Więc nie mówiono zbyt głośno – raczej szepty, milknące okrzyki – i asystent Martin Retz, ilekroć przechodził w głębi korytarza, przenosząc potrzebne instrumenty do sali IX, słyszał tylko pojedyncze łacińskie słowa splatane z wulgarną niemczyzną i frazami z operetek (zespół Heinricha Mollersa z Hamburga odwiedził miasto przed tygodniem, pozostawiając miłe wspomnienia). Przed drzwiami z emaliowaną tabliczką, na której czernił się rząd gotyckich liter, robiło się coraz tłoczniej. Laski z białymi i mosiężnymi gałkami, wstawione do stojaka zwieńczonego żelazną lilią, połyskiwały w ciemnym kącie za dębową barierką, a na czarnym wieszaku, nad seledynową lamperią, imitującą żyłkowanie zielonego marmuru, stygły płaszcze z kropelkami mgły na kołnierzach. Pod półkolistym sklepieniem drżało nerwowe echo głośniejszych śmiechów, cichnące w chwilach, gdy z podziemi dobiegał łomot przesuwanych miedzianych wanien, dudnienie śliskich blach i brzęk niklowanych narzędzi.

Hanemann – mówiła pani Stein – pokazał się na schodach parę minut przed trzecią. Studenci, powstawszy, odpowiedzieli z szacunkiem na powitanie. W chwilę później na korytarzu pojawił się asystent Martin Retz w swojej trochę zbyt luźnej marynarce z kościanymi guzikami, pachnący wodą kolońską Riedlitza i choć szedł z równą powagą jak Hanemann, nie było w nim nic, co by skłaniało do pochylenia głowy.

Martin Retz... Ileż to razy pani Stein widywała go na końcu mola w Zoppot, jak z twarzą zwróconą ku morzu stał przy balustradzie zdając się nie dostrzegać nikogo, choć przecież w letnie, a nawet jesienne popołudnia spacerowiczów nie brakowało ani na promenadzie koło Kasyna, ani na pomostach. Zapewne tę melancholię musiały rodzić w jego sercu żywe wciąż myśli o matce, która z oczami wpatrzonymi w sufit umierała przez wiele tygodni w szpitalu na Łąkowej, nie słysząc pytań syna, który odwiedzał ją co parę dni zawsze z bukietem kwiatów, ale przecież mężczyzna nie powinien tak łatwo poddawać się losowi! Pani Stein, która nawet w chłodne popołudnia zwykła przychodzić z córkami na molo koło czwartej, by mogły zażyć powietrznej kąpieli, gdy tylko zbliżała się do ostrogi, na moment przerywała zachwyty nad życiodajnymi zaletami jodu, po czym odpowiadając na pytające spojrzenie dziewcząt, zaniepokojonych wyglądem smukłego pana w ciemnej marynarce z kościanymi guzikami, który stał na końcu pomostu i nie zważając na wiatr, targający mu włosy, patrzył na ciemną linię horyzontu, mówiła: „Moje drogie, pan Retz jest melancholikiem" – co brzmiało jak ostrzeżenie i przestroga.

Więc Martin Retz był „melancholikiem" i to, co mówił o Hanemannie, musiało być nieuchronnie przeniknięte melancholią, która – pani Stein nie miała wątpliwości – nadaje zawsze fałszywą barwę wszystkiemu, o czym myślimy. Był „melancholikiem" – Hilda Wirth, u której Retz mieszkał na Am Johannisberg i która budziła go co rano ostrożnym pukaniem w oszklone drzwi, z pewnością potwierdziłaby taką opinię. Bo przecież któż inny woziłby ze sobą w czarnym neseserze, otuloną w skrawek króliczego futerka, tę małą gipsową twarz nieznanej dziewczyny, którą pani Wirth ujrzała któregoś popołudnia w pokoju Retza, małą gipsową twarz podobną do perłowej muszli, ustawioną na półce mahoniowego kredensu? Dlaczego ktoś tak zrównoważony i stanowczy, aż do przesady dbający, by spinka do krawata pasowała do spinek od mankietów, ustawił na kredensie tę białą gipsową twarz, w której nie było przecież niczego nadzwyczajnego – ot, gipsowy odlew twarzy nieznajomej dziewczyny, która mogła być jego młodszą siostrą, choć z pewnością nią nie była? (Czyż jednak można winić panią Wirth – którą trudno było posądzać o brak znajomości życia – że nie wiedziała, iż podobne gipsowe twarze ozdabiają salony i sypialnie w tysiącach domów w Alzacji, Lotaryngii i Dolnej Saksonii, nie mówiąc już o środkowej Francji?)

Czternastego sierpnia, parę minut po trzeciej, gdy prześcieradło zostało zsunięte z twarzy dziewczyny, którą przed godziną przywieziono do gmachu Anatomii, Martin Retz nie mógł powstrzymać się od westchnienia: ta twarz była tak podobna do tamtej… A jeśli on ujrzał to, co ujrzał, czy było możliwe, by Hanemann nie ujrzał tego samego? Tak, Martin Retz gotów był przysiąc, że w chwili, w której płótno zsunęło się z twarzy dziewczyny, oczy Hanemanna utraciły blask. Czyż mogło stać się zresztą inaczej? Czy ktoś, kto chociaż raz w życiu widział twarz Nieznajomej z Sekwany, senną twarz ze śnieżnego gipsu, mógłby pozostać obojętnym?

„Ten Retz zupełnie oszalał" – pani Stein nie potrafiła ukryć zniecierpliwienia, gdy Maria, jej siostrzenica z Thorn, powtarzała słowo po słowie to, co Retz mówił o czternastym sierpnia. Czyż nie wiedziała od Alfreda Rotke, jak rzeczy miały się naprawdę? Jeśli Hanemann cofnął rękę w chwili, gdy płótno zsunęło się z białej twarzy dziewczyny ułożonej na marmurowym stole, to przecież nie dlatego, że ta twarz przypominała jakąś gipsową twarz, budzącą w Retzu uczucie głębokiej melancholii!

Posługacz Alfred Rotke, który zapamiętał bardzo dobrze tamten dzień – bo przecież trudno nie zapamiętać czegoś, co zdarza się nagle i burzy w nas wszystko, co dotąd wiedzieliśmy o delikatnej pajęczynie związków między tym, co rzeczywiste i tym, co możliwe – nie zapamiętał jednak jak wyglądała twarz Hanemanna w tamtej chwili. Pochłonięty własnym zdziwieniem patrzył tylko na to, co pojawiło się na marmurowym stole parę minut po przyjeździe karetki, z której policjanci wynieśli zawinięty w gumowy pokrowiec kształt, skórzanymi paskami przytwierdzony do noszy. Zielona sanitarka zajeżdżała na podjazd przed gmachem Anatomii parę razy. Trzaskanie drzwi, szybkie kroki, nawoływania. Ściągnięto posługaczy z budynku E. Wkrótce cała Akademia wiedziała, że koło dziewiątej przy molo w Glettkau zatonął mały spacerowy statek „Stern", kursujący na trasie Neufahrwasser – Zoppot. Ów nieszczęśliwy wypadek (nie pierwszy zresztą na tej linii, bo 12 sierpnia 1921 roku „Urania", należąca do Towarzystwa Wioślarzy, zderzyła się obok przystani w Glettkau z holownikiem z Neufahrwasser), przyciągnął uwagę komisarza Wittberga z posterunku w Zoppot, gdy bowiem przy pomocy dźwigu pływającego braci Himmel wydobyto kadłub „Sterna", w mesie znaleziono zwłoki mężczyzny, którego nazwisko figurowało w policyjnych kartotekach.

W takich sprawach, w których pojawiał się choćby cień wątpliwości, sprowadzano zwykle do Instytutu Hanemanna. Czarny daimler-benz zajeżdżał wtedy na Lessingstrasse 17. Hanemann, na odgłos wozu zatrzymującego się przed bramą, sięgał po swój ciemny płaszcz, szybkim krokiem schodził przed dom, gdzie w samochodzie czekał już asystent Retz – wyświeżony, z białą chusteczką w kieszonce marynarki; szofer otwierał drzwi i już w chwilę później czarne auto wjeżdżało w Kronprinzenallee, by za kolejowym wiaduktem skręcić w stronę Langfuhr. Do podobnych spraw wzywano go już parę razy, więc i tamtego dnia Hanemann przyjął rzecz bez zdziwienia, bo przecież choć zdarzenie było sensacyjne (jeszcze tego samego wieczoru w specjalnym dodatku „Volksstimme" podano bulwersujące szczegóły), to jednak z perspektywy Instytutu Anatomii było jednym z wielu zdarzeń, z jakimi mieli do czynienia na co dzień. Nawet asystent Retz, którego wrażliwość niejeden już raz była wystawiana na ciężką próbę, zapewne w głębi duszy poruszony wiadomością o zatonięciu „Sterna", nie okazał przecież niepokoju, gdy jechali aleją w stronę śródmieścia, mijając domy Langfuhr, wiadukt kolejowy na Magdeburger Strasse, potem ujeżdżalnię koni, on zaś swoim dźwięcznym głosem referował sprawę, której rozwikłanie zostało im powierzone.

Podobno – mówił Retz – wśród ofiar wypadku znaleziono kogoś, kto – jak na to wskazywały pewne fakty – zginął nieco wcześniej, przed zatonięciem „Sterna" (z tej sugestii, która pojawiła się w spekulacjach naocznych świadków, obserwujących wydobywanie zwłok z napełnionego wodą kadłuba, niektórzy dziennikarze wyprowadzili nazbyt pospieszny wniosek, że zatonięcie „Sterna" nie było przypadkiem, lecz miało zatrzeć ślady czegoś znacznie poważniejszego, sprawca jednak omylił się w swych rachubach i zginął razem z ofiarami). Więc sprawa, którą Hanemann miał rozwikłać, nie odbiegała od spraw, które mu zwykle powierzano, i komisarz Wittberg z posterunku w Zoppot, podobnie jak komisarze z Głównego Miasta, z którymi Hanemann dotąd współpracował, mógł być spokojny, że wszystko zostanie wyjaśnione, a wątpliwości – jeśli pojawią się jakieś wątpliwości – nie zostaną utajone w gładkiej diagnozie, pozorującej pewność ustaleń.

A gdy daimler-benz zbliżał się już do gmachu Anatomii, gdy wysokie lipy ocieniające cmentarz ewangelicki szybko znikały za szybą po lewej stronie samochodu, posługacz Alfred Rotke powoli wtaczał do sali IX długi stół z marmurowym blatem, na którym leżał owinięty w gumowane płótno kształt, wtaczał ostrożnie, tak by stół nie podskoczył na mosiężnym progu oddzielającym lodownię od sali. Białe gumowe fartuchy z metalowymi klamrami już czekały na wieszaku przy drzwiach, stół podjeżdżał pod okrągłą lampę z pięcioma żarówkami, w blaszanych kuwetach pod oknem spoczywały niklowane narzędzia i gdy posługacz Rotke zapalał światło (zawsze mrużył przy tym oczy), na schodach od strony drzwi słychać już było kroki. Pierwszy szedł Martin Retz, za nim, zdejmując swój ciemny płaszcz, schodził po granitowych stopniach Hanemann. Retz podał mu fartuch, Hanemann zapiął metalową klamrę, wygładził białą gumę na piersiach, mruknięciem powitał posługacza Rotke i kiedy wszyscy podeszli do stołu, nakazał obniżenie lampy, tak by skupione światło pięciu żarówek oświetliło to, co spoczywało na marmurowym blacie.

A potem – posługacz Rotke dobrze zapamiętał tę chwilę – Hanemann kilkoma pociągnięciami rozsupłał węzełki rzemyków oplątujących płótno i rozsunął osłonę, ale posługacz Rotke dobrze zapamiętał tylko dłonie Hanemanna, tylko ich spokojny, cierpliwy i zręczny ruch, kiedy rzemyki puściły i osłona rozchyliła się, nie zapamiętał jednak, jak wyglądała w tamtej chwili twarz Hanemanna, zapamiętał tylko oświetlone jaskrawym mlecznym blaskiem pięciu żarówek dłonie, które cofnęły się, gdy gumowane płótno rozchyliło się i pod uniesioną osłoną zobaczył twarz Luizy Berger. Na szyi, tuż pod podbródkiem, ciemniała cieniutka smużka podbiegła różowawym fioletem. Włosy były mokre.

Więc czternastego sierpnia – pani Stein nie potrafiła ukryć wzburzenia – czternastego sierpnia stało się to, co się stało i żadne melancholiczne nastroje asystenta Retza (którego smukła sylwetka stanowiła zagrożenie dla każdej rodziny, cieszącej się posiadaniem córek) nie powinny nikogo mylić, bo przyczyna – jawna i szarpiąco bolesna – kryła się właśnie tutaj. Posługacz Rotke, którego słowa, wedle niektórych, należało pominąć milczeniem (czy zawsze słowa człowieka prostego muszą być przyjmowane tym wyniosłym wzruszeniem ramion, jakim witamy wiarę w świat uczuć mocnych i czystych?), widział przecież wszystko.

Studenci, którzy milczącym kręgiem otaczali stół z marmurowym blatem, nie pojmowali, dlaczego Hanemann przerwał oględziny, więc patrzyli tylko po sobie, ale twarz asystenta Retza nie wyrażała niczego, co mogłoby potwierdzić najbardziej nawet ostrożne domniemania. Stali więc w milczeniu w swoich fartuchach z gumy podklejonej płótnem, czekając na jakiś gest, który rozproszyłby niepokój, i gdy zdawało się już, że napięcie spadnie, bo Hanemann skinął dłonią, by asystent Retz czynił, co do niego należy, a Retz ręką w gumowej rękawiczce sięgnął do kuwety po błyszczące narzędzie, potem watą umoczoną w różowym płynie przetarł brzuch leżącej dziewczyny – od mostka do pępka (pępka, w którym wciąż szkliła się kropla wody) i przyłożonym do skóry ostrzem przeciągnął powolutku w dół, wtedy Hanemann odwrócił się i nie zdejmując fartucha wyszedł z sali. Asystent Retz prowadził uważnie narzędzie, odsłaniając w otwierającym się ciele ciemnoczerwone wzgórza oplecione fioletowymi żyłkami, posługacz Rotke wpatrzony w drzwi wsłuchiwał się w cichnące kroki Hanemanna na schodach, dopiero jednak gdy klamry zostały założone i nadszedł czas na słowa Hanemanna, który zwykle po takim przygotowaniu brał do ręki szklaną pałeczkę, by wskazywać w głębi otwartego ciała miejsca przedstawione na wielkich planszach rozwieszonych w sali IX i asystent Retz, przerywając na moment pracę, rzucił do Alfreda Rotke: „Proszę powiedzieć profesorowi Hanemannowi, że klamry założone", dopiero wtedy zrozumiano, że Hanemanna nie ma już w gmachu Anatomii.

Nawet widok ciemnego płaszcza wiszącego przy drzwiach nie mógł rozproszyć tej pewności.

Okno

Po powrocie na Lessingstrasse ułożył fotografie na brązowej paterze i rzucił zapałkę. Płomyki były żółte, przeskakiwały ze zdjęcia na zdjęcie. Gdy powiało od okna, zakołysały się leciutko. Sczerniałe płatki przysypały dno patery. Patrzył na skręcający się w ogniu lśniący papier.

Ale już po chwili otwartą dłonią zdusił ogień i szybko wyciągnął z popiołu nadpalone kawałki. Na przydymionym skrawku mignął czubek bucika. Kraniec koronkowej sukni. Biała dłoń trzymająca parasolkę z rogową rączką. Rondo ciemnego kapelusza otoczone wiankiem róż utkanych z gazy.

Dopiero teraz uświadomił sobie, co zrobił. Zamknął oczy. Potem zaczął pośpiesznie układać nadpalone kawałki, ale z przydymionych strzępków nie dawało się już nic złożyć. Popiół. Czarne czubki palców. Zapach spalonego celofanu. Otworzył szufladę. Na dnie – paszportowa fotografia o zielonawym odcieniu. Ptasie piórko. Siwa moneta. Stalówka. Tylko tyle.

Twarz na fotografii wydała mu się obca.

To ona? Nie mógł zebrać myśli. Teraz wszystko zaczęło się układać w całość. Wszystkie linie zdążały w jedną stronę – tam, na przystań, nad ciemną wodę. Jak mógł tego nie widzieć? Obrazy zbiegły się jak opiłki magnesu – w lodowato przejrzysty wzór.

Przecież spotkali się trzy dni temu na piętrze w gasthausie w Glettkau. Molo z przystanią, do której o trzeciej przypływał tamten statek, mieli za oknem.

Trzy dni…

Stała wtedy przy oknie. Upinała włosy. Sięgnęła po długie szpilki z kościaną główką rozsypane na blacie, przytrzymała luźny pukiel, którego połysk zawsze go zachwycał, i zręcznie podsunęła palce pod ciemny kosmyk. Ale przecież (teraz był tego pewien) zrobiła to wolniej niż zwykle, ruch ręki – jak mógł tego nie dostrzec? Stała przy oknie, profil odbity w szybie, za którą błękitniało morze, profil tak bliski, że tylko sięgnąć dłonią, ale przecież czuł, że coś pojawiło się między nimi jak zasłona, ledwie widoczna, a jednak nadająca twarzy jaśniejszą niż zwykle barwę – może chłodniejszą, może bielszą. Odcień skóry? Chłód? Księżycowa biel? Przecież musiał to dostrzec wtedy, gdy stanęła przy oknie, mrużąc oczy od słońca. Wczesne przedpołudnie, ciepłe światło kładło się żółtymi plamami na ścianie koło framugi. Za oknem przy molo stał biały spacerowy „Ariel" z Neufahrwasser. Kilku chłopców szło plażą w stronę pomostu. Czerwona piłka. Niebo. Jasny piasek. Krzyk mew odpędzanych leniwie przez rybaka, wyłuskującego z sieci żywe jeszcze ryby o zaróżowionych skrzelach. Gładkie morze, prawie bez fal...

Stała przy oknie, zamyślona, chyba trochę zła, ale przecież to nie było takie zamyślenie, jakie dostrzegał czasami na twarzach kobiet w kawiarni Kauffmanna albo w gasthausie, gdy piękna pani o włosach spiętych w rzymski węzeł, skubiąca srebrną łyżeczką kawałek wiedeńskiego tortu, patrzyła gdzieś przed siebie, nieobecna, może zanurzona we wspomnieniach miłosnej nocy, milcząca, chociaż jej towarzysz, starannie ogolony oficer z koszar przy Hochstriess, mówił coś do niej z ożywieniem, wybierając metalowymi szczypcami kraby z błyszczącej misy.

Nie, przecież wtedy, gdy stanęła przy oknie, to było coś innego, coś, co napełniło go lękiem, lecz zlekceważył ten odruch spłoszonego serca.

Już kiedyś dostrzegł to?... Stała w wannie, patrzył zza uchylonych drzwi, jasne ciało na tle ciemnozielonych ścian łazienki, włosy upięte wysoko, oświetlone blaskiem lampy nad zamglonym lustrem. Widział jej profil, białą linię piersi. Sunęła po ramieniu grecką gąbką, ślad piany na złotawej skórze, rąbek włosów na karku wilgotny, powolne ruchy dłoni, tak jakby nic nie czuła pod palcami...

Kiedy tak patrzył na nią wtedy, gdy grecką gąbką sunęła po ramieniu, przeniknął go nagły strach, krótki jak błysk słońca w pękającym lustrze. Nagle ujrzał zupełną samotność tego ciała dotykanego palcami. Nie, to nie był lęk. To była pewność, że ona jest tylko ze sobą, że nigdy jej nie dosięgnie.

Teraz mógł siebie tylko oskarżać. Przecież mogli wyjechać do Königsbergu przedwczoraj. Wszystko było już gotowe. Bilety na pociąg z przesiadką w Marienburgu. Ale ona nalegała, by odłożyć to na niedzielę, bo z matką nie jest dobrze, więc zaczekajmy, to tylko parę dni... Przecież wystarczyło jedno stanowcze słowo...

Teraz czas spędzony w gmachu Anatomii wydał mu się pustą ciemnością. Chciał poznać tajemnicę, otwierał ciała, które trafiały na marmurowy stół, by wyśledzić to, co odgradza nas od śmierci. Ale teraz jaki sens miały godziny spędzone w podziemiach przy Delbrück-Allee, skoro nie potrafił usłyszeć tego, co mówiło jej żywe ciało, co było – wiedział to teraz – widoczne w każdym jej ruchu… Bo teraz miał pewność, że wtedy, stojąc przy oknie w pokoju na piętrze gasthausu, ona czuła, że to się zbliża. A jednak patrzył na jej ramiona, szyję, włosy tak, jakby był ślepy i głuchy. Mógł ją powstrzymać jednym słowem, ale wtedy, gdy stała tak przy oknie, za którym błękitniało morze, zapytał tylko: „Co ci jest?" Przestała rozczesywać włosy zielonym grzebieniem: „Nie wiem".

Pamiętał wszystko. Każdy gest. Z bolesną wyrazistością. Oderwane obrazy tamtej chwili. Przecież wystarczyło jedno słowo…

I to leciutkie rozdrażnienie, gdy odwróciła się od okna. Szybki ruch palców wyskubujących ze szczotki jasne pasemko. Na parapecie muszelka. Pierścionki. Medalion z różową kameą. Broszka przypięta pod kołnierzykiem. Potem ruch ręki poprawiającej włosy na karku. Palce zapinające suknię. Żółty sznurowany trzewik na dywanie. Szybkie kroki. Plusk wody w umywalni. Miękki stuk odkładanego mydła. Ciepłe ślady bosych stóp na posadzce. Minęła go, podchodząc do lustra. Ledwie wyczuwalne sztywnienie ramion, gdy chciał ją objąć. Uwolniła się z uścisku miękkim przegięciem. Zaśmiała się, ale śmiech był płytki i zgasł natychmiast. Sięgnęła po kapelusz. Wygładzenie wstążki. Poprawienie róż upiętych wokół ronda. Szelest jedwabiu. Jasnoróżowe paznokcie. Wsunięcie pierścionka na palec serdeczny. Oglądanie wyciągniętej dłoni: malachitowe oczko w srebrze. Parasolka z czarną rączką rzucona na fotel. Skrzypnięcie otwieranej szafy. Błyśnięcie lustra w drzwiach. Jasny płaszcz. Włochaty materiał z perłowymi guzikami. Ciepło sukni znikającej pod płaszczem.

Dotknął palcami jej policzka. Przycisnęła twarz do dłoni, ale patrzyła gdzieś w bok. Przymknięte powieki. „Więc w niedzielę o czwartej w Langfuhr. Nie zapomnisz?" Głupie, śmieszne pytanie, przecież to on kupił bilety. „Tylko się nie spóźnij. I nie bierz bagażu. Ja wezmę wszystko". Chcieli wsiąść do osobnych wagonów, tak było zabawniej. Potem, niczym nieznajomi jadący ze Stettin albo z Köslin, spotkaliby się w restauracyjnej salonce, gdzieś między Dirschau a Marienburgiem, na wielkim moście przerzuconym nad rzeką Weichsel, po którym jedzie się i jedzie, a w dole woda, ciemna od wirów.

Lecz gdy ona tak stała przy oknie, za którym błękitniało morze, już czekał na nią tamten biały statek z przystani w Neufahrwasser, już czekała na nią biała letnia suknia, parasolka, biała torebka... Chciała odwiedzić siostrę w Zoppot? Lecz dlaczego nie pojechała pociągiem, dlaczego właśnie musiała wsiąść na ten mały statek, którego pochylony komin wyglądał jak ścięta kolumna z greckiego marmuru ozdobiona literą „W", znakiem kompanii przewozowej Westermannów? Siostra? Ta dziewczyna o ciemnorudych włosach i oczach jak dojrzałe winogrona? W czerwonej sukience? Czekała na molo w Glettkau? Widziała wszystko?

Wstał szybko z fotela. Przecież musi natychmiast jechać na Steffensweg, by o wszystkim jej opowiedzieć!

Jej?

Nagle zdał sobie sprawę, że chce o tym, co się zdarzyło w Glettkau, opowiedzieć tej, której już nie ma. Opowiadał jej zawsze o tym, co się zdarzyło ważnego i ciekawego w Danzig, Dirschau, Zoppot, a nawet w Marienwerder, więc teraz też chciał jej opowiedzieć...

Ocknął się. Boże...

Jak to mówił Retz? „Kiedy cierpimy, Bóg dotyka nas gołą ręką"? Biedny Retz... Cóż za filozoficzne pompatyczności plótł ten melancholijny młodzieniec o palcach tak zręcznych, że bez wahania można mu już powierzyć każdą, najtrudniejszą nawet operację. Dotknięcie Boga? Teraz Hanemann czuł tylko nagi ból, że jej już nie ma ani na Steffensweg, ani nigdzie...

Żadnej łzy. Tylko policzki napięte do bólu i ściśnięte gardło. Nie potrafił zrozumieć. Skąd ta kara? Lecz jeśli nawet on miał zostać dotknięty – dlaczego ona? Na ścianie obok lustra w brązowej ramce czernił się *Krzyż w górach* Caspara Davida Friedricha, ale koronkowy rysunek świerków, otaczających czarną figurę Boga, zamazał się nagle. Hanemann zamknął oczy. Poczuł, że wstrząsa nim płacz.

Wyrzucony

A w kilka dni później – jak opowiadała pani Stein – zjawiła się na Lessingstrasse 17 Anna, siostrzenica Hanemanna, piękna, wysoka, w sukni w białożółte kwiaty, w kapeluszu z dużym rondem, już na kamiennej ścieżce wołając: „To przecież niemożliwe, co one o tobie opowiadają... Już one zawsze wymyślą coś, co potem trzeba przez rok odkręcać!" Hanemann z uśmiechem podchodził do szeroko otwartych oszklonych drzwi werandy, brał ją pod rękę i prowadził do ciemnego salonu, w którym plamki słonecznego światła sypały się na podłogę złotą gonitwą, przesiane przez listowie wielkiej brzozy, rosnącej w kącie ogrodu.

Piękna Anna! Sadzał ją w wiklinowym fotelu twarzą do okna – lubił patrzeć, jak mrużyła oczy, gdy wypytywał o nowiny z miasta. A potem, kiedy słońce w ogrodzie nabierało ciepłej barwy późnego popołudnia i rozmowa przygasała, Anna długo przypatrywała mu się z uwagą: „Nie możesz o niej zapomnieć?..." Hanemann odwracał twarz, jakby jego policzka dotknął płomień. Anna nie spuszczała zeń oczu: „Przecież ten człowiek, którego z nią znaleziono, to mógł być ktoś zupełnie inny... Przestań o tym myśleć... A jeśli nawet coś się zdarzyło między nimi... przecież to nieważne... jej już nie ma..." Głaskał dłoń w nicianej rękawiczce prędkim ostrożnym ruchem, jakby to właśnie on chciał ją uspokoić, a nie ona jego: „Zostaw..." Przez chwilę milczała, ale gdy tylko ciszę w salonie napełniał szmer liści dolatujący z ogrodu, w jej oczach zapalały się kłujące ogniki: „Musisz wrócić do Instytutu, to nie ma sensu..."

Po co jednak Hanemann miałby tam wracać? Dom przy Lessingstrasse dawał wystarczające dochody – więc czemu nalegała? Wedle pani Stein, tylko powrót Hanemanna na Delbrück-Allee mógł rozproszyć złą aurę, która powoli zaczynała otaczać rodzinę. „Hanemann, Hanemann... – kręciła głową Anna. – Otrząśnij się wreszcie... Przyjdź do nas w niedzielę, porozmawiasz z matką... Tak dłużej nie można żyć..." Pewnie miała rację, on jednak mimo zaproszeń, które ponawiała, nie zachodził już na Steffensweg, do tego pięknego białego domu z czarnym pruskim belkowaniem, którego fasada ginęła wśród ciemnolistnych bluszczy, nie wspinał się po stromych schodkach na trawiasty taras, gdzie pod srebrnym świerkiem, za strumykiem spływającym tu z Lasu Gutenberga, siadywali dawniej przy okrągłym stole na żelaznych ogrodowych krzesłach.

„Ach, te panie z Dolnej Saksonii..." – wzdychał z ironią

Franz Zimermann, gdy wiele lat później w jego małym mieszkaniu przy Vita Lilians Vag 65 w Sztokholmie powtarzałem mu to, co Mama usłyszała od pani Stein. „Ach, ten ciemny smutek Dolnej Saksonii, którego nie potrafi rozproszyć nawet słońce najpiękniejszych dni lata. Zawsze wszystko musi mieć barwę splątanych bluszczy, w których toną ogrody Bremy, wszystko musi skrzyć się tęsknotą rosy na świeżych liściach drzew w Worpswede, wszystko musi zanurzać się w cieniu bolesnych uczuć, które – choć maskowane – drążą dolnoniemieckie serce. Przecież pani Stein była z tamtych stron, zapominać o tym, to bujać na nietoperzych skrzydłach marzenia!

Bo Hanemann wcale nie rzucił Instytutu! Oczywiście, coś tam było między nim a tą Luizą Berger, lecz przecież nie egzagerujmy! On wcale nie zrezygnował, to oni go wyrzucili po tym, jak w gasthausie pod Karlsbergiem zbyt wiele mówił o rzeczach, o których należało milczeć. Pan zna sprawę Wiechmanna? W gasthausie pod Karlsbergiem, gdzie z okazji urodzin rektora Akademii Medycznej, profesora Hansa Ungera, spotkali się oficjele z Senatu, urzędów i Szkoły Technicznej, Hanemann pozwolił sobie na parę uwag na temat śpiewania pieśni masowych i maszerowania z pochodniami, co zabrzmiało nader niestosownie tu, w oliwskiej gospodzie, parę ulic od domu, przy którym tydzień wcześniej «nieznani sprawcy» wciągnęli do samochodu Hansa Wiechmanna, którego ciało – wyłowione po dwóch czy trzech dniach z kanału portowego w Elbing – trafiło na marmurowy stół w sali IX. Podobno, jak usłyszałem od paru osób – mówił dalej Zimermann – wśród gości w gasthausie pod Karlsbergiem był młodzieniec o pięknym aryjskim nazwisku Forster. Pewnie mówi coś panu to nazwisko?"

Więc Franz Zimermann z Zentrumpartei, siwowłosy mężczyzna o brązowawej cerze i przejrzystych piwnych oczach, który jeszcze w trzydziestym siódmym zdołał przez Königsberg i Kłajpedę przedostać się do Szwecji, Franz Zimermann, siedzący przede mną w skórzanym fotelu i mieszający kolumbijską kawę w niebieskiej filiżance, kręcił tylko głową nad dolnoniemiecką poetycznością pani Stein, powtarzając bez pośpiechu: „Cóż ona naopowiadała pańskiej matce…" – chociaż pani Stein już dawno nie było, tak jak nie było już Miasta. I tylko z ciemnych fotografii, które wisiały nad stolikiem ze szkła, przy którym piliśmy kawę, fotografii z atelier samego Ballerstaedta, płynęła ku nam miękka ciemność ulic biegnących ku Motławie, połysk drobnego bruku na Mariackiej i mleczne światło latarń na Szerokiej, które co wieczór zapalał Hans Lempke, sąsiad pana Zimermanna z Osieku, podjeżdżający do każdego słupa na starym rowerze „Urania", by z drabinki sięgnąć płomykiem pod klosz.

Bo przecież on, Hanemann, już wtedy obracał się w wątpliwym towarzystwie! – pan Zimermann w swoim sztokholmskim mieszkaniu odstawiał niebieską filiżankę i sięgał po album z fotografiami. – Przecież on zachodził niejeden raz do tego niedobrego domu na Długim Pobrzeżu, gdzie spotykali się ludzie z „Danziger Volksstimme". To było gdzieś niedaleko Krantor, parę kroków od sklepu Hermanna Kagana, obok miała sklep Valentine Reimann – pan Zimermann zamyślał się – a dalej, tuż za sklepem Kagana, Robert Süss sprzedawał chyba broń. Pod jakim numerem to było? Chyba pod dziewiątką, bo Kagan miał swój sklep pod dziesiątką. Nad sklepem Süssa matka Josta Hirschfelda wystawiła palmę w drewnianej doniczce, gołębie pokryły ją wkrótce białym lukrem. Ale co było nad sklepem Valentine Reimann? Żelazna barierka – to Franz Zimermann zapamiętał bardzo dobrze – a za barierką? Co to było? Coś białego, okrągłego, opartego o ścianę? U Cohna pod jedenastką żaluzje z listewek były zawsze opuszczone do połowy wielkiego półokrągłego okna, na czerwonym tynku żółte litery, ale co tam było napisane? I co Cohn wywieszał na małych tabliczkach? Ofertę sprzedaży? Tak niewielką? To na pewno było na Lange Brücke 11 – Franz Zimermann, który przechodził tamtędy wiele razy, prawie zawsze potykając się o płytę lekko wystającą z chodnika, zapamiętał nawet zapach bijący z małych okienek piwnicy sklepu korzennego. – Za sklepem Emila Białkowskiego, którego syn w trzydziestym piątym zawiesił nad drzwiami płótno z napisem: „Nasz Kochany Wodzu opiekuj się nami. Znamy obowiązek Polaka. Głosujmy wszyscy na listę 7", pod numerem 22 miał sklep chyba drugi Cohn, złotawe litery „Cigarren", wymalowane na wąskiej fasadzie, znikały co kilka chwil pod pofurkującą na wietrze ciężką markizą w granatowo-białe pasy.

Więc Hanemanna widziano tam parę razy – Franz Zimermann nie był pewien ile, ale na pewno twarz Hanemanna pojawiała się tam, na górze, w pokoju na piętrze, pod zieloną umbrą, gdzie na ścianach wisiały obrazy Emila Noldego i rysunki Oskara Kokoschki. Kto tam jeszcze bywał? – Heinsdorff? Erich Brost? Richard Teclav czy może Ernst Loops, którego później pobito tak dotkliwie, że został okaleczony na całe życie? To pewne, że nie bywał tam nikt z „Danziger Vorposten", ale twarze, twarze tych, którzy przychodzili tam na Długie Pobrzeże, te twarze tonęły we mgle i tylko na moment wynurzały się z niepamięci, by ukazać swój jasny owal, podobny do widma na szklanej fotograficznej płytce.

Franz Zimermann przewracał kartki albumu.

Gustaw Petsch? Olbrzym w ciemnym surducie, w koszuli z zagiętymi rożkami kołnierzyka, we wzorzystym krawacie zawiązanym w gruby podłużny węzeł, wygolony gładko, starannie uczesany, przedziałek z lewej strony, wąsy czarne, ciężkie, o uniesionych końcach, kombatant, warczący na pętaków, którzy z bębnami wkraczali na Langer Markt od strony Hotelu du Nord, witani przez kobiety rzymskim gestem wyrzuconej w górę dłoni? Czy to nie z nim właśnie widywano Hanemanna w restauracji Schneidera?

Albert Posack? Czy to nie z nim widziano go w trzydziestym piątym na molo w Zoppot?

„A zresztą – Franz Zimermann pocierał otwartą dłonią tył głowy pokrytej srebrnym meszkiem – a zresztą może... Bo, wie pan, on trzymał się też z Rauschningiem. No, może to za mocne słowo «trzymał się», ale parę razy bywał w tym jego majątku w Warnowie (gdzie pewnie rozmawiali o muzyce, o kościelnych kapelach w Marienkirche...), a przecież Rauschning, pan pewnie wie, był już w trzydziestym drugim u Hitlera w Obersalzen. Co tam był! Miał poparcie Hitlera w wyborach do senatu Danzig i chociaż później się zmienił, w «Neues Tagebuch» zawsze o nim pisali niedobrze. Że on się wypiął na Greisera i Forstera tylko dlatego, że go chcieli odstawić na bok. Bo gdyby się wybił w partii, to by nigdy nie napisał tej swojej *Die Revolution des Nihilismus. A jeszcze mniej Gespräche mit Hitler!* Gdyby zrobił karierę, byłby z nimi!"

Ale pani Stein, nawet gdyby mogła usłyszeć te słowa, wypowiadane z ironią w małym sztokholmskim mieszkaniu, nawet gdyby dostała do rąk zbrązowiałe fotografie, które lustrzankami Leitzy robili ludzie Greisera każdemu, kto kręcił się koło domu pod numerem 21 przy Krantor, nawet gdyby na tych zdjęciach ujrzała Hanemanna w jasnym garniturze, idącego obok Alberta Posacka, najpewniej by tylko wzruszyła ramionami z wybaczającym politowaniem.

Bo przecież tamtego czerwcowego wieczoru, gdy z przyjaciółmi zaszła do gasthausu w Glettkau, gdy usiadła na tarasie otoczonym białą balustradą, przy której stały drzewka pomarańczowe, gdy spojrzała w głąb tarasu, zobaczyła tam, na tarasie, gdzie paliła się lampka z herbacianym abażurem, jak Hanemann całował dłonie Luizy Berger i z jakim oddaniem Luiza odwzajemniała te dotknięcia. Każdy, kto by widział tych dwoje wtedy, na tarasie gasthausu w Glettkau, gdy w szybach restauracji połyskiwało wieczorne morze, a fale szumiały za wydmami porośniętymi rokitnikiem, każdy, kto by to widział, nie miałby żadnych wątpliwości, dlaczego czternastego sierpnia stało się to, co się stało.

Pani Stein przymykała oczy. Ciemne sylwetki – czarny profil mężczyzny i czarny profil kobiety na srebrnym tle migoczącego morza – ten obraz, który – mogłaby przysiąc – ujrzała tamtego czerwcowego wieczoru w gasthausie w Glettkau, miał w sobie słodką moc, od której miękło nie tylko jej serce, lecz przecież serce każdego. I kiedy myśli pani Stein powracały do tamtego wieczoru, przeszłość umarłego miasta stawała się podobna do młodziutkiej narzeczonej, która o zmierzchu, z rumieńcem wstydu, w pościeli pachnącej różami, po raz pierwszy odsłania swoją nagość przed stęsknionym kochankiem.

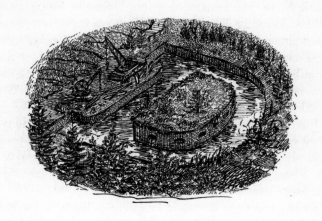

Rzeczy

O sprawie Hanemanna mówiono na Langer Markt, w biurach Hersena, na Wyspie Spichrzów, u Kauffmanna na Długim Pobrzeżu, ale tak naprawdę miasto nie chciało o tym słyszeć, zajęte inną pracą, innym czuwaniem. W szufladach, szafach i kredensach, na dnie skrzyń, kufrów i blaszanych pudełek, w schowkach i na strychach, na półkach i na etażerkach, w piwniczkach, w spiżarniach, na stołach i na parapetach rzeczy trzymane na wszelki wypadek i rzeczy używane z codzienną zaciekłością do szycia, przybijania, krojenia, polerowania, przecinania, obierania i pisania, wszystkie te rzeczy czułe i szydercze, płynące w nieruchomej arce miasta razem z panią Stein, Hanemannem, panią Walmann, Anną, panem Kohlem, Alfredem Rotke, Stellą, Albertem Forsterem, panem Zimermannem, Albertem Posackiem, Hansem Wiechmannem, Greiserem, panią Bierenstein, Emilem Białkowskim, małżeństwem Schultzów, profesorem Ungerem, asystentem Retzem, Hermannem Rauschningiem, panem Lempke, Hildą Wirth, wszystkie te rzeczy szykowały się już do drogi.

Już teraz, w ciszy napełniającej miasto, odbywał się ostateczny sąd – zajmowanie dogodnych miejsc, miękkie podsuwanie się pod dłoń, by być zawsze na widoku i zdążyć na czas. Rzeczy, bez których nie można żyć, oddzielały się od tych, które pójdą na zatracenie.

Białe zastawy w kształcie łabędzi i pelikanów, czułe cukiernice ze srebra w kształcie dzikich kaczek z turkusowym oczkiem, łódeczki na konfiturę gruszkową – wszystkie te kształty przestraszone swoją formą wymyślną i nieporęczną marzyły o surowej płaszczyźnie blach, łatwych do wsunięcia pod podłogę albo między belki stodół i opuszczonych młynów. Jeszcze się pyszniły migotem blasków na niedzielnych obrusach w mieszkaniach przy Breitgasse, Frauengasse, Jäschkentaler Weg, jeszcze żartobliwie pobrzękiwały w spotkaniu ze srebrną łyżeczką, a już na dnie, niczym ciemną śniedź, snuły pewność, że są małymi sarkofagami. Liselotte Peltz filcową szmatką polerowała grzbiet garnuszka do kawy, który nocą śnił, że jest naczyniem śmierci. Lichtarze i odblaśnice przykute wysoko na ścianie w Dworze Artusa udawały radość lśnienia, jeszcze puszyły się iglicami świec; ale już w ich karbunkułowych złoceniach kryła się żarliwa pewność, że kiedy nadejdzie czas, stopią się w ogniu w grube sople stygnącej miedzi. Siedmioramienne świeczniki z synagogi przy Karrenwall, drżąc płomykami w godzinę szabasu, już pochylały się swoim srebrnym połyskiem w stronę Erfurtu, by ozdobić szlachetnym metalem paradną szablę sturmbannführera

Greutze. Któż z nas w letnie popołudnia, pełne słońca, krzyku mew i skwiru jaskółek, pomyślałby, że złote zęby Anny Janowskiej z Brösener Weg 63 stopią się w wielką kilogramową bryłę złota z obrączkami kobiet z Theresinstadtu i monetami Żydów z Salonik?

Szafy u Mitznerów, Jabłonowskich, Hasenvellerów pełne bielizny ułożonej na półkach niczym bezpieczne warstwy miocenu, dębowe łóżka z rzeźbionym oparciem u Greutzów, Schultzów, Rostkowskich, stoły u Kleinów, Goldsteinów, Rosenkranzów, drzemiące pod osłoną kap szydełkowanych w gwiaździsty wzór, cegły murów na Podwalu, sztukaterie w sieniach na Hundegasse, żelazne kraty na Jopengasse, portale ze złoceniami na Langer Markt, granitowe kule przedproży na Frauengasse, miedziane rynny, ramy okienne, futryny drzwi, posągi, dachówki – wszystko to płynęło w ogień, lżejsze niż puch dmuchawca.

W pokoju na parterze przy Ahornweg 14 siostrzenica pani Stein uważnie rozkładała na desce do prasowania swoją nową sukienkę z westfalskiego płótna, którą dostała od ciotki w dniu urodzin, nabierała do ust wody z filiżanki malowanej w jarzębinowe listki, wydymając wargi prószyła kropelkami na białe płótno, potem poślinionym palcem sprawdzała, czy żelazko nie jest za gorące, lecz gdy – uspokojona, że materiał nie ściemniał brązowym śladem – zaczynała płynnie prowadzić żelazko po parującej bieli, każdy splot cieniutkiego płótna haftowanego w mereżkowy wzór rwał się już ku płomieniom, które miały siwym popiołem zgasić świeżość marszczeń i koronek.

Wachlarz podobny do białego liścia z purpurowym obrzeżem, piękny wachlarz pani Kohl spleciony z japońskiego sitowia, żarzył się już w palcach, gdy pani Kohl oparta o framugę okna przy Breitgasse 8, w zamyśleniu patrząc na dom Reimitzów po drugiej stronie ulicy, chłodziła ramiona kołyszącymi powiewami. Wieczne pióro pana Kohla, leżące na blacie stołu w głębi salonu, pióro ze złotą nakrętką, na której świecił malutki napis „Dresden", swoją lśniącą nieruchomością udawało spokój, ale i ono płynęło w gniazdo żaru razem ze złoconym lustrem, mahoniową szafą i bordowymi portierami. A przecież ile jeszcze miało do napisania! W kałamarzu z żółtego jaspisu wzbierały całe morza słów, gdy wieczorami na błękitnym papierze ze znakiem wodnym kotwicy pan Kohl pisał do ukochanej córki, Heidi, która w weimarskim gimnazjum czekała niecierpliwie na każdy list ze znaczkiem „Freie Stadt Danzig", płonącym na liliowej kopercie lakową czerwienią.

Günter Schultz biegł do szkoły po bruku ułożonym w rybią łuskę, Bierensteinowie idąc do teatru potykali się o szyny tramwaju jadącego przez Langer Markt, syn pani Peltz cienkim pędzelkiem malował na wystawowej szybie kawiarni przy Breitgasse 13 złoty napis „Caffe", lecz szkło drwiło z każdego ruchu jego ręki szyderczymi odbłyskami słońca, bo wiedziało już, że gdy nadejdzie czas, przeźroczysta tafla rozpryśnie się w tysiące iskier niczym kruchy lód.

Tylko przedmioty drobne i łatwe do chwycenia w chwili ucieczki nabierały wzgardliwej pewności siebie. Pędzel do golenia, brzytwa w skórzanej pochewce, ałun, okrągłe mydło, pudełko blaszane z proszkiem do zębów „Vera", butelka wody kolońskiej Amielsa. Puszyste ręczniki, trudne do zwinięcia, wstydliwie gasły w kącie łazienek, ich miejsce zajmowała chłodna uroda płóciennych płacht, które łatwo się darło na długie pasma dobre do tamowania krwi.

Zielony płaszcz z grubej wełny, zapomniany na dnie szafy w dużym pokoju przy Hundegasse 12, złożony we czworo, niemodny, pogardzany płaszcz, przed którego włożeniem Anneliese Leimann wzbraniała się tyle razy, bo ją postarzał, budził się już w swoim schowku, obiecując ocalenie w chwili, gdy w wyważonych drzwiach do mieszkania staną mężczyźni w mundurach ciemnych od kurzu i sadzy. Lecz jeszcze nikt z nas nie mówił: „Anneliese, nie marudź, dobrze jest mieć taki płaszcz, z takimi plamami nafty, zbyt szeroki w ramionach, zbyt długi, brudny, stary płaszcz, w którym wyglądasz paskudnie, który dodaje ci z dziesięć lat, a może i więcej. Głowa do góry, Anneliese, nie marudź, ten płaszcz czuwa nad tobą, troszczy się o ciebie, a ty – niewdzięczna – pragniesz jego pohańbienia na stosie szmat w furgonie Johanna Lietza, który czasem zajeżdża na Hundegasse 12 po to, by zabrać stare ubrania dla firmy papierniczej w Marienwerder. Jak możesz, Anneliese!"

Prawdziwy spokój zachowywały tylko monety z grubego złota, obrączki, pierścionki, łańcuszki, krzyżyki, złote dolarówki, rublowe świnki, polskie srebrnozłotówki, gdańskie guldeny, medale wybite przez miasto z okazji wizyt królów. Wiedziały, że ocali je kołnierz, w którym zostaną zaszyte, że owinięte w watę (by nie brzęknęły, w chwili gdy zbliży się śmierć) prześpią setki kilometrów w wydrążonym obcasie. Bambusowa laska pana Rotke drzemała w stojaku koło drzwi przy Jopengasse 4, pewna, że, gdy nadejdzie chwila, utoną w niej ruloniki monet, przybite pakułowym stemplem.

Kuchenne noże, obojętne na wszystko, z pustą rezygnacją postukiwały na dębowych stolnicach. Te o szpiczastych końcach czekała przyszłość niepewna (kto je miał przy sobie, był bliżej śmierci), te o końcach zaokrąglonych, którymi nie można było zadać ciosu, miały przed sobą długie lata rozmów z warzywami. Głuchym snem na dnie szuflad spały blaszane łyżki i widelce, gotowe bez sprzeciwu maszerować wiele mroźnych dni i nocy w byle cholewie. Blaszane talerze, przez lata spychane w kąt kuchni, skrzeczącym brzękiem drwiły sobie w zlewie u Mertenbachów na Breitgasse 29 z miśnieńskiej porcelany, która zza kryształowych szybek kredensu odpowiadała na zniewagę pogardliwym lśnieniem kobaltu i złota.

Słońce, które co rano wynurzało się z morza za półwyspem i co wieczór osuwało się – wyczerpane do cna upływem światła – za morenowe wzgórza, za Karlsberg, za wieże Katedry, było tylko słońcem, niczym więcej, choć na obrazie Memlinga, na którym archanioł Michał oddzielał ocalonych od przeznaczonych na zatracenie, paliły się już jasne obłoki. Któż z nas czuł, że miasto wolno podąża w stronę blasku, w stronę skwierczącego ognia, w stronę dymu płonącej smoły, w stronę pyłu pokruszonej cegły, w stronę okruchów strzaskanego kamienia, zwęglonego płótna, spalonego jedwabiu, porwanego papieru, pękającego drewna, rozsypującego się marmuru, topniejącej miedzi. Pani Bierenstein brała w palce błękitny bilet do Teatru Miejskiego, by sprawdzić, jaki ma numer miejsca, pan Kohl naciągał na dłonie miękkie rękawiczki z żółtego zamszu i wychodząc z domu poprawiał spinki przy mankietach, Günter Henecke przeglądał zawartość pugilaresu, w którym połyskiwały fotografie pięknych statystek z przedstawienia Lohengrina, służąca Alberta Forstera polerowała niebieską kredą naczynia z ciemnego srebra, Hanemann układał książki na dolnej półce szafy z kryształowymi szybkami, Alfred Rotke z westchnieniem ulgi spalał weksle nad płomykiem zapalniczki z herbem Berlina, Martin Retz składał swój podpis na formularzu policyjnym, zaś w niedzielę, około trzeciej, piaszczystą ścieżką wypłukaną przez deszcze, córki Walmannów, Ewa i Maria, w białych sukniach z koronką, machając zwiniętymi parasolkami i przytrzymując na głowach kapelusze, które przechylał słony wiatr od zatoki, wspinały się z matką na trawiaste stoki Bischofsbergu, by zobaczyć miasto.

A miasto rozpościerało się w dole, ciemnobrązowe, strzelające odblaskami z otwieranych okien, snujące wiotką pajęczynę dymów nad wysokimi kominami z poczerniałej cegły. Kafar firmy Lehra z Dresden powoli posapywał w głębi wykopu dawnej fosy, nad Bramą Wyżynną przelatywało stadko gołębi, a kiedy przysłoniwszy oczy wpatrywaliśmy się w daleki horyzont poprzecinany wieżami św. Katarzyny, małego i dużego Rathausu, kopułą synagogi i zębatym konturem św. Trójcy, widzieliśmy za mgiełką ciemną smugę morza, ciągnącą się od mierzei do urwisk Orłowa, i wiedzieliśmy, że miasto stać będzie wiecznie.

Flanele, płótna, jedwab

„Pani Walmann! – Liselotte Peltz, drobna, krucha, w różowym turbanie związanym nad czołem, wołała niespokojnie
pod oknem. – Co należy wziąć ze sobą, czy mówili, co należy
wziąć ze sobą?" Jej radio już od kilku dni stało na etażerce
jak głuchy ebonitowy sarkofag obok suchych astrów wetkniętych do niebieskiego flakonu i fotografii męża w mundurze
Luftwaffe. A Elsa Walmann odpowiadała zza uchylonego
okna: „Tylko to, co niezbędne, pani Peltz, tylko to, nic więcej, niech pani nie bierze rzeczy niepotrzebnych" – i widząc,
że pani Peltz zawraca ku drzwiom przy Lessingstrasse 14,

gdzie oprócz niej mieszkali Schultzowie i Bierensteinowie, wchodziła do pokoju stołowego. Przy oknie pan Walmann dociskał kolanem walizę ze świńskiej skóry, z której wysuwały się rękawy flanelowych koszul. Na otomanie wyszywanej w chińskie wzory leżały jedwabne bluzki z koronkami, swetry z tyrolskim ornamentem i grube podkolanówki z białej owczej wełny. „Przecież tak nie można" – wzdychała pani Walmann, lecz nie było wiadomo, czy ma na myśli bezskuteczną walkę męża z żółtą walizą, czy raczej nieporządek w pokoju, gdzie zwykle przyjmowała gości przy stole z ciemnego orzecha, na którym zawsze stał kryształowy wazon z bladoczerwoną różą z bibułki.

Za oknem, po drugiej stronie jezdni, szli Hardenbergowie z małym Erwinem, potem zza drzew wypadł na niebo czarny cień, przywarli do ziemi tuż pod ogrodzeniem z żelaznych prętów, wózek z czerwoną kołdrą okręconą sznurkiem przewrócił się w śnieg, cień z łoskotem przeleciał nad dachami w stronę Zoppot, dalekie odgłosy wybuchów były stłumione, jakby ktoś ręką w miękkiej rękawicy uderzał w wielki pusty słój, podbiegli znów do wózka i gdy pan Hardenberg zarzucił na ramię parcianą taśmę, przytwierdzoną do podwozia, mocną, szeroką taśmę, którą dostał wczoraj od stryja Kolwitza, ze stolarni, Erwin podparł chwiejący się pakunek. Ruszyli powoli w stronę Kronprinzenallee.

Odwróciła się od okna.

Pan Walmann obwiązywał walizkę paskiem: „Zobacz, co z Hanemannem". Gdy otworzyła drzwi na piętrze, Hanemann kiwnął tylko głową. Nie było już zbyt wiele czasu. Syn Bierensteinów, który rano zaszedł na chwilę do matki, mówił, że Rosjanie są prawie pod dawną polską granicą i pewnie ruszą wzdłuż morza na Zoppot, grupy Volkssturmu cofnęły się w stronę Langfuhr ze skraju Lasu Gutenberga, Müggau i Pietzkendorf, całe szczęście, że Adolf Hitlerstrasse jest jeszcze przejezdna, można pójść Kronprinzenallee wzdłuż torów tramwajowych, potem na wiadukt nad bocznicą i prosto Ost-seestrasse do Neufahrwasser, przy falochronie są transportowce z Wilhelmshaven, może uda się wejść na pokład...

Pani Walmann słuchała tego wszystkiego ze spokojem, chociaż młody Axer Bierenstein miał na mundurze plamy wapna i patrzył na matkę z lękiem. Szyby w oknach, które – wbrew służącej – tyle razy myła własnymi rękami, drżały echem wybuchów i już nie było wiadomo, w której stronie miasta nasila się natarczywe grzechotanie – czy w okolicach Schidlitz, czy bliżej – i dlaczego co jakiś czas przez mętne dudnienie powietrza przedziera się ciężki łoskot salwy (Axer mówił, że to chyba „Prinz Eugen", osłaniający Gotenhafen, ostrzeliwuje wzgórza z zatoki). Co parę minut, zupełnie nisko, tuż nad wielką brzozą przelatywały – po trzy, po sześć – samoloty z białymi numerami na kadłubie, ludzie idący w stronę Kronprinzenallee chowali się wtedy za pnie drzew i ceglane słupy ogrodzenia, ale strzały – długie serie z broni pokładowej – trzaskały gdzieś dalej, chyba za Osową, tam, gdzie dudnienie zdawało się rosnąć najszybciej, choć na niebie – kiedy się spojrzało w stronę Katedry – nie było widać dymu, tylko czasem nad parkiem wzlatywały ledwie widoczne w słońcu zielone flary wystrzeliwane z okolic pętli.

Więc pani Walmann patrzyła na wszystko ze spokojem (chociaż serce jej zamierało przy każdym wybuchu), bo przecież wiedziała, że dzięki bratu (Franz Erhardt pracował przez rok w biurze Senatu) dostaną na pewno „białą kartę" na transportowiec „Friedrich Bernhoff". Muszą być w Neufahrwasser najpóźniej koło szóstej...

„Panie Hanemann – mówiła z ręką na klamce – niech się pan pośpieszy. I niech pan weźmie ten ciepły płaszcz, wie pan, ten z barankowym kołnierzem, dobrze panu radzę". Hanemann na moment podnosił głowę znad otwartego nesesera, w którym obok butelki wody kolońskiej, bandaży, grubego swetra z golfem i ręcznika leżała mała paczka zawinięta w woskowany papier: „Niech pani już idzie na dół, dzieci się niepokoją".

Ach, dzieci! Ileż to razy prosiła, by nie wychodziły przed dom. Jak jednak mogła upilnować te dwie niespokojne dziewczynki w mysich płaszczykach, które goniąc się po schodach w sieni, co kilka chwil wybiegały do ogrodu, a potem wracały zgrzane, z białym obłoczkiem wokół twarzy: „Mutti, nam jest gorąco". „Ale! – odpowiadała ze zniecierpliwieniem. – To po co biegacie, macie siedzieć na dole, w pralni, możecie przecież bawić się wełną. Albo lepiej pozamiatajcie korytarz". Lecz one nie chciały o tym słyszeć. Wciąż podbiegały do ogrodzenia z prętów i wołały do dzieci idących obok wózków zapchanych pościelą: „Gerda, Fritz, już idziecie?", po czym dodawały z dumą: „My też zaraz pójdziemy" – i kręciły się po podwórku, rzucając śnieżkami w burego kota pani Peltz, który nie zamierzał zejść z daszku werandy i tylko łapą strącał białe kule z ośnieżonej spadzizny na ścieżkę.

Śmiech Marii i Ewy… Nawet wezwania ojca nie mogły zapędzić dziewczynek pod dach. Gdy samolot z białymi cyframi na kadłubie przelatywał nad domem, niemal zahaczając brzuchem o szczyt ogromnej brzozy rosnącej w kącie podwórza, a ludzie na ulicy przywierali w śmiesznych pozach do ścian, by ukryć się pod kamiennymi gzymsami, Maria i Ewa przerywały tylko na moment zabawę za szpalerem tui i z zadartą głową patrzyły na ciemny kształt znikający za dachami, bo jak długo można się bać, a samoloty przecież nikomu nie robiły nic złego. „Wracajcie natychmiast!" – wołała, gdy tylko umilkł jazgot przelatującej maszyny, ale one – czując w jej głosie, coś dziwnie miękkiego – udawały, że nie słyszą i tylko, przyczajone za kolczastymi gałęziami, śmiały się bezgłośnie z kawału zrobionego Mutti. „Ach – kręciła głową – może lepiej zamknąć je w drugim pokoju?" Ale zaraz pojmowała, że chce zrobić głupstwo, bo przecież wszystkie drzwi muszą być dziś otwarte, tak by każdy – jeśli coś się stanie – mógł natychmiast wybiec na podwórze. „Mutti, my się zgrzałyśmy. Może zdejmiemy płaszcze" – wołały dziewczynki spod ogrodzenia. „Ani mi się ważcie! Wracajcie do domu!" – odpowiadała zza szyby, bo kazała im dziś włożyć swetry z owczej wełny, letnie płaszczyki z niebieskiej gabardyny, a na to wszystko zimowe płaszcze z króliczym futerkiem na kołnierzu. Morska mgła, szczególnie teraz, jest przecież – mówił Franz – bardzo groźna, wystarczy tylko stracić ciepło... Więc ta wełna, gabardyna i sukno mysiego koloru... Gorzej było z butami, nawet te na futerku, w których dziewczynki teraz biegały po ogrodzie, nie były dobre na dłuższą drogę, a botki z żółtej skórki z zatrzaskami, wyklejone grubym filcem, sięgające nad kostkę, zostały u szewca Biersta – gdzież ich teraz szukać? – bo przecież ciężarówkę Volkssturmu, którą Bierst wczoraj jechał z synem, na zakręcie Friedrich-Allee trafił pocisk moździerza i potem wszyscy na Lessingstrasse mówili o tym, co się stało.

Uspokoiła się trochę, gdy dziewczynki przyczaiły się w korytarzu szepcząc coś i chichocząc. Chciała teraz być sama, nadeszło to najgorsze, drażniła ją nawet obecność Alfreda. Więc tylko powiedziała cicho: „Może przeniesiesz się do kuchni?" Wyszedł z otwartą tekturową walizką, ostrożnie zamykając za sobą drzwi.

Stanęła pośrodku pokoju przed szafą z lustrem, którą parę dni po ślubie kupili w składzie Müllera na Breitgasse, i na widok swojej poszarzałej twarzy prędkim ruchem otworzyła wszystkie troje drzwi. Odbicie z błyskiem znikło pod orzechową ramą.

W szafie, po lewej, na półkach z ciemnego drzewa, leżały białe i błękitne ręczniki, niżej prześcieradła i poszwy, jeszcze niżej złożone w kostkę bluzki z płótna, kretonu i bawełny równiutkimi warstwami ciasno wypełniały wnętrze pachnące krochmalem i suchym drewnem. A w kącie pokoju, na podłodze pod oknem, czekała już rozpostarta czerwona poszwa z mocnego drobnoziarnistego materiału, podwójna, z blaszanymi guzikami obciągniętymi płótnem, wielka czerwona poszwa, do której należało teraz włożyć to, co najpotrzebniejsze, a potem cztery rogi związać w węzeł. Pani Walmann z uciskiem w piersiach zanurzyła dłoń między chłodne białe płótna, kruche kwieciste kretony, miękkie flanele, luźne bawełny, odnajdując pod palcami delikatne różnice, których dotąd nie wyczuwała, bo teraz, kiedy tak przyklękła przed najniższą półką, zdawało się jej, że nawet z zamkniętymi oczami po rodzaju miękkości, po ziarnistości splotów, po gładkości nitek, potrafi nieomylnie rozpoznać, która bluzka należy do Ewy, a która do Marii, które prześcieradła są z ich małżeńskiego łóżka, a które z łóżek dziewczynek. Unosząc palcami sztywne, wykrochmalone brzegi, wsuwała rękę aż po przegub między prześcieradła i wtedy, na uniesionej krawędzi białego materiału, w rogu, ukazywał się, wyszyty jeszcze przez babkę Annę, rodzinny monogram Walmannów: duże „W", podobne do śladu kurzej łapki umoczonej w fioletowym atramencie.

A wszystko pachniało suchym jodłowym drewnem, bo szafa, choć wyglądała na orzechową, orzechową wcale nie była, jej ściany zostały tylko oklejone orzechowym fornirem o żółtobrązowych słojach w Brombergu, w warsztacie Johanna Kneippa (czarna nazwa firmy widniała na wewnętrznej stronie drzwi). Prześcieradła pachniały tą łagodną, suchą jodłową wonią, i pani Walmann, z trudem powstrzymując łzy, pogłaskała uginające się pod dłonią płótno, trochę już sprane, na brzegach w kilku miejscach strzępiące się włochatymi niteczkami.

Ale teraz nie było już czasu na poprawianie ułożenia poszewek, wygładzanie dłonią nakrochmalonych prześcieradeł, teraz trzeba było z tych równiutkich spiętrzeń wyciągnąć to, co najpotrzebniejsze, i rzucić na czerwoną poszwę rozpostartą pod oknem. A palce, sunące po krawędziach poszew i bluzek, wciąż się wahały… Więc pani Walmann, aby odwlec jeszcze na moment tę straszną chwilę, sięgnęła do drugiej części szafy, tam, gdzie na drewnianych wieszakach z drucianym haczykiem wisiały jej sukienki i płaszcze oraz płaszcze i garnitury męża. „Brać tylko to, co najpotrzebniejsze…" Pewnie, wiedziała, że tak być musi. Co jednak zrobią, jeśli w Hamburgu, tam, gdzie stoi dom ciotki Heidi i wuja Siegfrieda, u których mieli się zatrzymać w drodze do Hanoweru, zastaną tylko zasypane śniegiem gruzy? (bo przecież Hamburg też był bombardowany). Alfred powinien założyć swój pocztowy, długi płaszcz z metalowymi guzikami, wiadomo, w mundurze zawsze łatwiej. Ale ona? Sięgnęła po swój bordowy płaszcz z rudym futerkiem na kołnierzu, ten, który kupili u Hartmanna na Langgasse, sięgnęła po ten płaszcz, chociaż ten drugi, granatowy z perłowymi guzikami, który wisiał obok, był znacznie cieplejszy, ale ten granatowy wyglądał dużo gorzej. Lecz naraz pomyślała z przerażeniem o czołgach, które podeszły już pod Dirschau, o tym, co tamci robią z kobietami, więc prędko sięgnęła po najstarsze brudnoszare palto, to po babce Henrietcie, zniszczone i za luźne palto z grubego sukna, które przez lata trzymali na dnie szafy – tak, to wytarte palto z pocerowanymi rękawami, takie, jakich nikt już od dawna nie nosi, będzie najlepsze… Wstrząsnęła głową: „Boże, co ja robię? Po co ten strach! Przecież już dziś wieczór będziemy daleko od Danzig, na morzu, Franz mówił, że do Hamburga jest tylko parę dni…"

Mocnym szarpnięciem wyciągnęła spod prześcieradeł koszulę Marii z ciepłej flaneli i rzuciła na czerwoną płachtę.

Trzciny

O piątej szli szybko wiaduktem obok dworca w Langfuhr, pochylając głowę, gdy wysoko, z szarpiącym świstem,
na ciemnym niebie ponad kratownicą mostu przelatywały
w stronę lotniska pociski wystrzeliwane z Emaus albo Schidlitz, gdzie stała już – jak rano mówił Axer Bierenstein –
rosyjska bateria, bijąca w zachodnie krańce dzielnicy. Chcieli
przejść pod mostem na Schwarzer Weg, potem Marienstrasse na Max-Halbe-Platz i dalej do torów tramwajowych na
Ostseestrasse, ale teraz czy miało to jakiś sens? Domy
w okolicach rynku paliły się białym jaskrawym ogniem, pra-

wie bez dymu, wiatr wzbijał nad dachami migotliwe strzępy – może płonące firanki, wyrwane przeciągiem z okien, może płachty papieru latające w wirach iskier. Pani Walmann, w rozpiętym płaszczu, w futrzanej czapeczce przypiętej z tyłu do włosów srebrną szpilką, z plecakiem na ramionach, prowadziła Ewę i Marię; parę kroków przed nimi pan Walmann z tobołem na plecach popychał żelazny wózek poskrzypujący zardzewiałymi osiami. Ilekroć tylko koła podskakiwały na nierównościach oblodzonego chodnika, waliza z żółtej skóry, przypięta do podwozia skórzanymi paskami, przechylała się to na jeden, to na drugi bok. Po prawej, w dole, za barierką wiaduktu, na pustej przestrzeni koło stacji połyskiwały różowawo tory biegnące z Danzig do Zoppot. Przy rampie, obok czarnego leja, sterczało z ziemi kilka zerwanych szyn. Parę kroków dalej na peronie bocznicy dopalała się mętnym, żarzącym się światłem ciężarówka „Todta”.

Hanemann obejrzał się, ale ludzie, których dostrzegł w głębi wiaduktu, nie byli jeszcze tamtymi – objuczeni paczkami i walizkami szli szybko, potykając się na grudach śniegu. Dziewczynki Walmannów, idące w milczeniu, odpowiadały burknięciami na rzucane szeptem pytania matki, która niepokoiła się o ich nogi w poskrzypujących, jeszcze nie rozchodzonych bucikach i już trzeci czy czwarty raz, gdy zatrzymywali się dla złapania oddechu, poprawiała im pod szyją wełniane szaliki. „Ależ nam jest gorąco!” – wykrzykiwała Maria. Dopiero jednak za wiaduktem, gdy weszły między domy Magdeburger Strasse i ogień nad śródmieściem Langfuhr zniknął za ciemnymi masywami nienaruszonych domów, przerażone widokiem łuny falującej nad dachami jak ciężka, wilgotna pajęczyna, przycisnęły się do matki – i wtedy pani Walmann rozpłakała się.

Szła z przytulonymi do niej dziewczynkami, a łzy płynęły jej po policzkach. Dobrze chociaż, że Alfred nie oglądał się, pochłonięty wymijaniem stert śniegu, zawalających chodnik.

Widziała jego pochylone plecy, kołyszący się czarny tobół, przytwierdzony do ramion parcianymi pasami ze starego plecaka, pamiętającego jeszcze Wielką Wojnę i walki nad Sommą. W głębi ciemnej ulicy, pod falującą łuną, która nie rzucała cieni – tak była mętna, pełzająca po wschodniej stronie nieba bladą, chorą różowością – pod czarnymi ścianami domów, w których nie paliło się światło (tylko w kilku piwnicznych okienkach żarzyły się lampy naftowe), szły ciemne postacie objuczone plecakami, ciągnące za sobą na żelaznych sankach paczki okręcone sznurkiem i drutem, a wszystko to ciągnęło w milczeniu pod falującym niebem w stronę Brösen i Neufahrwasser, tam, gdzie przy falochronie miały czekać transportowce. Ale gdy wyszli na aleję z tramwajowymi torami, która biegła prosto ku morzu, otworzył się przed nimi widok na jaskrawą kolumnę ognia, bijącą w niebo, aż zatrzymali się w zdeptanym śniegu i Hanemann podszedł do pana Walmanna: „Elewatory?" Pan Walmann pokręcił głową, bo dobrze znał tę okolicę, gdzie niedaleko wieży ciśnień mieszkał jego brat, więc tylko poprawiając na ramionach pasy, mruknął: „To chyba magazyny w Neufahrwasser" – co znaczyło, że dzieje się coś dużo gorszego, niż gdyby paliły się elewatory, bo teraz nabrzeże przy ujściu kanału do morza jest oświetlone żywym płomieniem i obserwatorzy artyleryjscy ze wzgórz Müggau mają już jak na dłoni zachodnią część portu i tylko czekać, jak przeniosą ogień z bocznic koło Weichselmünde i wyspy Holm na wschodnie krańce Brösen, na las i potem na Westerplatte.

Ale tego ani pan Walmann, ani Hanemann nie powiedzieli głośno, bo nie było o czym mówić; trzeba było dostać się do portu jak najszybciej, nawet jeśliby rozpoczęło się najgorsze; nie było o czym mówić, tym bardziej że dziewczynki na widok dalekiego ognia, który stał nad dachami Neufahrwasser, otrząsnęły się z lęku, tak jakby widok jasnej smugi, podpierającej niebo brunatnym żarem, wydał im się znacznie mniej groźny niż widok czarnych ulic w okolicach wiaduktu, gdzie domy, w których nie jaśniało żadne okno, zamykały przestrzeń ze wszystkich stron.

Ruszyli więc po oblodzonej jezdni, patrząc bardziej pod nogi niż na to niedobre światło nad portem, a w głębi alei, dalej i bliżej, za nimi i przed nimi, sunęły w stronę Brösen czarne grupki takich samych jak oni wędrowców, ostrożnie stawiających nogi na śliskim śniegu, podpierających się laskami, parasolami, bambusowymi kijkami od nart, listwami pośpiesznie przysposobionymi do drogi, a nad nimi, w górze, wysoko, wysoko, ciemność powtarzała monotonnie świst przelatujących pocisków, które spadały na białe od śniegu pola lotniska, zamknięte od północy lasem w Glettkau. Nad równiną między Langfuhr i Oliwą stał wielki dym, podświetlony od dołu dalekimi pożarami, jakby płonęły już nie wschodnie krańce Zoppot, lecz samo Gotenhafen.

Za skrzyżowaniem, obok wodociągów, panu Walmannowi udało się zatrzymać jedną z ciężarówek, jadących ku morzu z warsztatów „Hinz & Weber" przy Hochstriess, i teraz Hanemann, stojąc za szoferką wielkiego merzbacha, patrzył przez szparę w furkoczącej plandece na coraz bliższe falowanie ognia nad portem. Pani Walmann, wtulona w kąt auta, głaskała po włosach Marię. Pan Walmann, ledwie widoczny w ciemności, przyciskał do siebie Ewę. Stary merzbach podskakiwał na zamarzniętych koleinach, co chwila musieli chwytać się żelaznych prętów pod furkoczącą brezentową osłoną. A potem nagle wjechali w ulicę rozświetloną jaskrawym migotem ognia, ruchliwe cienie bezlistnych drzew przepłynęły po oblodzonej jezdni, po prawej stronie płomienie biły w górę z rozłamanego wybuchem dachu.

Te blaski – ruchliwe i drażniące – sprawiły, że Hanemann nie potrafił rozpoznać miejsca, do którego dojechali. Jakaś długa neogotycka budowla przesunęła się za drzewami, mignęły szyby lśniące czerwonymi odblaskami ognia, za rogiem dostrzegli nieruchomą bryłę wypalonego czołgu z otwartą klapą na wieżyczce. Wóz ostro przyhamował, wymijając rozrzucone na jezdni drewniane skrzynki, potem pod kołami brzęknęły mosiężne gilzy, wjechali w tłum, który wolno rozstępował się przed maską samochodu, ale gdy podjechali do szeroko otwartej bramy z żelaznych prętów, ugrzęźli wśród tobołów, walizek, blaszanych pudeł zasypujących jezdnię. Objuczeni ludzie wypełniali niemal cały plac przy wejściu do portu i chociaż w paru miejscach błyskały nasadzone na lufy karabinów bagnety żandarmerii, nawet żółty formularz z pieczątkami, którym szofer wymachiwał przed twarzą oficera w długim płaszczu, z blachą na piersiach, nie robił na nikim wrażenia, bo nikt nie mógł się ruszyć z miejsca, taki był tłok między ceglanym murem a ścianą magazynu, w którego półkolistym dachu z mlecznego szkła czerniały gwiaździste dziury po uderzeniach odłamków.

Hanemann spodziewał się zresztą czegoś dużo gorszego – paniki, wrzasku dzieci, krzyków kobiet – ale na razie tłum, widziany przez szparę w plandece, był nieruchomy i milczący. I gdzieś tam dalej musiało być pewnie nabrzeże, Hanemann nie mógł jednak wypatrzyć nigdzie zarysów „Bernhoffa".

Szofer wychylił się z szoferki: „Muszę się cofnąć!" – więc zeskoczyli na śnieg, by pomóc pani Walmann, która podała im z góry dziewczynki, przestraszone bardziej widokiem tłumu niż kołysaniem ognia, tańczącego iskrowatymi rozbłyskami nad połamanym dachem po drugiej stronie ulicy. Zapach palącej się nafty, zmieszany z wonią sadzy, drażniący i mdły, sprawił, że natychmiast palcami w wełnianych rękawiczkach zatkały sobie nos. „Trzymajcie się mnie! – krzyknęła pani Walmann. – Nie możemy się zgubić", więc przywarły do niej, chwytając za płaszcz. „Alfred, dowiedz się, jak długo będziemy tu czekać". Pan Walmann ruszył ku bramie, Hanemann jednak powstrzymał go: „Niech pan z nimi zostanie". Przepchał się przez zziębnięty tłum do oficera z blachą na piersiach, lecz dowiedział się tylko, że „Bernhoff" dzisiaj na pewno nie wpłynie do portu (ewakuowani będą przewożeni na pokład transportowca holownikami). Mimo woli mruknął: „Ależ to potrwa godziny!" Oficer nawet na niego nie spojrzał: „Co pan chce, przecież gdyby «Bernhoff» wpłynął tu do kanału..." Więc to mogło potrwać godziny? Pani Walmann przeraziła się. Dobrze chociaż, że dziewczynki były ciepło ubrane, ale stać tutaj godzinami na mrozie, w rozdeptanym śniegu oblepiającym buty?

Jedno co mogli zrobić, to znaleźć sobie miejsce na rampie przy magazynie, pod blaszanym daszkiem, tam, gdzie na betonowej posadzce nie było śniegu, więc usadowili się pomiędzy ludźmi owiniętymi w koce i futra, tak, by dziewczynki mogły usiąść na walizce i plecy oprzeć o tobół. Ale szept kobiety w rudym futerku, która zaczęła modlić się obok nich, szeroko otwartymi oczami wpatrzona w ogień po drugiej stronie ulicy, spłoszył Ewę i Marię tak bardzo, że przytuliły się do siebie jak dwa drżące z zimna wróble. Dopiero teraz, w mroźnym powietrzu, które szczypało policzki i dymiło z ust białym obłoczkiem, zaczęły się bać. Pani Walmann objęła je ramieniem, lecz cóż mogła poradzić na to wszystko. Pan Walmann pogładził ją po plecach, a potem – chociaż nikt nie był jeszcze głodny – wyjął z kieszeni dwie kromki zawinięte w żółty pergamin i dziewczynki zaczęły żuć gorzkawą razową masę, powoli dochodząc do siebie. Pani Walmann pogładziła dłoń męża za to, że mu to przyszło do głowy.

Hanemann zaś przecisnął się wśród ludzi siedzących pod ścianą, i wymijając tekturowe walizki, plecaki, paczki z pościelą, toboły, skrzynki z dorobioną żelazną rączką, doszedł do końca rampy. Widać stąd było czarną smugę drugiego brzegu kanału, lecz gdy usiłował wypatrzyć, czy coś się nie rusza w ciemności za falochronem, powietrze zadrżało i huk pękającego szrapnela zmieszał się z jazgotem pryskających szyb. Tłum na placu zakołysał się, bardziej chyba przerażony wrzaskiem zranionej kobiety, niż łoskotem wybuchów, które długą serią rozsypały się nad kanałem. Deszcz odłamków zaszeleścił po wodzie i zabrzęczał po szklanym dachu magazynu. Dziewczynki krzyczały przeraźliwie, widząc na śniegu, parę kroków od rampy, czarny rozmazany ślad, który ciągnął się za nogą kobiety wleczonej przez matkę wołającą o pomoc. Pani Walmann zagarnęła je ramionami, ojciec osłonił tobołem, ale one, wtulone w płaszcz matki, wciąż krzyczały, ogłuszone hukiem, świstem wirującego żelaza, pękaniem blachy rwanej odłamkami. Szrapnele, jeden po drugim, rozbłyskiwały nad wieżą kapitanatu.

Jeszcze przenosiło, jeszcze nie trafiały, ale już w lornetach obserwatorów na wzgórzach Müggau te drobne rozbłyski, zapalające się na linii podziałki między cyfrą 5 a cyfrą 10, te rozbłyski, zakwitające bezgłośnie nad budynkami magazynów i kratownicami dźwigów w Neufahrwasser (echo wybuchów dolatywało na wzgórza dopiero po paru chwilach), zmieniały się w komendę; celowniki haubic ustawionych na Zigankenbergu przesuwano o jeden, dwa milimetry w lewo, tak, by następne pociski podawane przez amunicyjnych, poszybowały prosto na dachy po prawej stronie ognia.

Ludzie na placu między ceglaną ścianą a rampą wpełzali pod blaszane wagoniki, kryli się pod żelaznymi słupami suwnicy, tratując leżących biegli w stronę bramy, ale co chwilę czyjś bolesny wrzask przedzierał się przez huk wybuchów i czyjeś ciało, wleczone po śniegu, zostawiało za sobą czarny ślad. A pośrodku placu, obok szyn, tam, gdzie zrobiło się zupełnie pusto, wokół porzuconej otwartej walizy, z której podmuch wywiał muślinowe strzępy nocnych koszul – podskakiwały grudy śniegu siekane odłamkami. Potem nagle zapadła cisza. Ktoś ukryty za słupem suwnicy zachłystywał się łkaniem, ściskając dziwnie skręconą nogę, ktoś wołał ostrożnie: „Günter! Günter! Gdzie jesteś? Chodź tutaj do mnie, już nie mogę, zabierz mnie stąd..." Ale czarne skulone postacie przywierały wciąż do śniegu, nikt nie wierzył, że już się skończyło, choć wyglądało, że ci z Zigankenbergu przerwali na razie swoją robotę – może przesuwali teraz celownik z celu 102 na wstrzelany już cel 104 w Neu Schottland – więc zrobiło się zupełnie cicho, tylko od strony ulicy huczał ogień w dziesiątkach okien neogotyckiego budynku. Potem w tej kruchej ciszy – nawoływania, głosy, szepty, kobiecy głos: „Panie Hanemann, nic się panu nie stało?" A kiedy z końca rampy dobiegła odpowiedź: „Wszystko w porządku, pani Walmann" – matka Marii i Ewy, skulonych wciąż pod osłoną kłębu ubrań, odetchnęła z ulgą: „Niech pan tu do nas wraca, niechże pan tam tak już nie stoi". Było w tych słowach karcące, nie znoszące sprzeciwu ciepło, aż Hanemann mimo woli uśmiechnął się, otrzepując śnieg z ubrania, ale gdy ruszył już przez opustoszałą, zasypaną porzuconymi walizkami i skrzynkami rampę w stronę Walmannów, coś poruszyło się w ciemności nad wodą, coś tam, po lewej, za pływającym dźwigiem, zamajaczyło w pobliżu toru wodnego, jakiś kształt ciemniejszy od nieba, przesunął się za latarnią falochronu i Hanemann zrozumiał, że to któryś z holowników wraca od „Bernhoffa"...

Więc zeskakując z rampy zawołał w stronę żelaznych drzwi: „Pani Walmann, szybko!", a ona usłyszawszy jego zmieniony głos pojęła natychmiast, że nie ma chwili do stracenia, że trzeba, ciągnąc za sobą przerażone dziewczynki, popędzając męża dźwigającego walizę i tobół, biec w stronę nabrzeża, bo w głosie Hanemanna nie tylko ona jedna wyczuła ten nakaz, który zwiastował nadzieję, bo w tym zmienionym głosie, który zabrzmiał na opustoszałym placu między ceglanym murem a ścianą magazynu, wyczuli ten nakaz także inni i teraz, wychodząc zza żelaznych słupów, wypełzając spod wagoników, wybiegając zza betonowych podestów, czarne postacie obciążone tobołami ruszyły biegiem w stronę nabrzeża. Pani Walmann była jednak szybsza, już dobiegała do drewnianego pomostu, już wspinała się na drewniane schody, już przywierała razem z dziewczynkami do drewnianego słupa, by nie dać się zepchnąć do wody, a Walmann dołączał do niej, przerzucał przez barierkę tobół, wślizgiwał się pod belką na drewnianą podłogę, pachnącą zdeptanym śniegiem, smołą i wilgotnymi strzępami lin.

Po chwili na pomost wbiegali już inni, ale oficer z blachą na piersiach uniósł pistolet i napierający tłum cofnął się na odgłos strzałów oddanych w powietrze. „Niech pan weźmie swoje rzeczy! – wołała z pomostu pani Walmann, uświadomiwszy sobie, że w biegu zapomniała o neseserze Hanemanna. – Jeszcze pan zdąży!" Więc Hanemann, machinalnie, pchnięty ciepłą siłą tego głosu, ruszył ku rampie, podszedł do schodków...

Gdy postawił nogę na stopniu, po lewej, nad wysokim dźwigiem błysnęło i eksplozja artyleryjskiego pocisku rozdarła powietrze, siejąc odłamkami po czarnej wodzie przystani. Kawałki żelaza zabrzęczały po blaszanym daszku nad rampą i po dachu hali. Sypnęło szkło. Hanemann schylił głowę uskakując pod mur. Holownik dopływał już do pomostu. Na drugim brzegu kanału zapaliła się cysterna. Ogień, wybuchający purpurową jasnością, odbił się w wodzie rtęciowym migotem i ciepłe powietrze pachnące naftą przepłynęło po twarzy. Wokół hali zrobiło się jasno jak w dzień. Płomienie z drugiego brzegu oświetliły teraz część nabrzeża za magazynem. Hanemann zmrużył oczy. Szyny kolejowe? Zwrotnice? Trzciny? Rusztowania? Na nabrzeżu porośniętym trzcinami ujrzał wrak małego statku podparty rusztowaniem z belek. Jasność po drugiej stronie wody wspięła się wysoko na niebo, rudawe kity trzcin obrastających kadłub rozjaśniły się czerwienią ognia...

I wtedy na rdzewiejącej burcie, którą oświetliły płomienie, Hanemann zobaczył zatarty napis „Stern". Poczuł w sercu ukłucie – nie było to nic wielkiego, lekkie dotknięcie lodową igiełką, ale to leciutkie, zimne dotknięcie rozlało się w piersiach duszącą falą gorąca. „Panie Hanemann, co pan robi, na Boga, niech się pan pośpieszy!" – wołała pani Walmann z pomostu. Chwycił swój neseser, ale szedł powoli, krok za krokiem, wciąż czując w sobie to leciutkie dotknięcie chłodu, które rozlewało się w piersiach parzącą, bolesną falą. Tłum na pomoście, podświetlone łuną kłęby dymu z komina holownika, krzyki, płacz... Zostało jeszcze trzydzieści kroków, dwadzieścia... „Panie Hanemann, szybciej! – wołała pani Walmann. – Na Boga, szybciej! Zaraz odpływamy!" Lecz gdy Hanemann doszedł już prawie do pomostu, po lewej stronie, gdzieś zupełnie blisko, nad dachem magazynu – błysk...

Gdy otworzył oczy, miał tuż przy twarzy czyjąś rękę oblepioną śniegiem, sztywną, dziwnie wykręconą, w oczach wirowało, więc tylko obrócił się na wznak i patrzył spod przymkniętych powiek na czarne głębokie niebo, pełne poszarpanych chmur, które przechylało się raz na zachód, raz na wschód. Powoli uniósł się na łokciu i przemagając ból spojrzał w stronę pomostu. Ale pomost był już pusty. Nie było też widać holownika. Wodę kanału zmarszczył powiew. Czarne suwnice, szyny, przewrócony wagonik. Tylko daleko, po drugiej stronie kanału, wciąż żarzyła się trafiona cysterna. Nad dźwigami powoli płynęły prószące flary na spadochronach. Migot. Bezgłośna czerwień. Zygzakowate cienie na śniegu. Szum ognia. Dalekie wystrzały. Skąd? Z Müggau? Echo? Wiatr potoczył po śniegu dziecięcą czapkę z króliczego futerka.

A potem do nabrzeża podpływały następne holowniki, tłum wypełzał ze swoich ukryć pod suwnicą i wdzierał się na pomost, ale Hanemann siedział na rampie, oparty plecami o ścianę magazynu i patrzył na wszystko jak przez szybę z mlecznego szkła. Nie czuł nawet zimna, które z wolna obejmowało plecy, bo wciąż w piersiach to budziła się, to przygasała ta dziwna, dotkliwa fala gorąca zmieszanego z lodowatym drżeniem.

Około dziesiątej znalazł go tak pod ścianą porucznik Remetz z koszar przy Hochstriess, który swoim służbowym benzem przywiózł na przystań żonę z córką, by mogły na pokład „Bernhoffa" dostać się motorówką straży portowej. Miały dobrą „białą kartę" podpisaną przez samego pułkownika Vossa. Ale Hanemann nie wsiadł z nimi do łodzi, choć Remetz bardzo go zachęcał. Ciało zastygało w ciepłym odrętwieniu, bóle powoli ustępowały. Przypomniał sobie o neseserze, z małej walizeczki zostało jednak tylko parę strzępów nadpalonej żółtej skóry. Na całym placu leżały poprute toboły, pakunki, skrzynki, porozrzucane kłęby ubrań, nadpalone płachty mokrego papieru.

O jedenastej czarne auto z numerami wojskowymi odwiozło go na Lessingstrasse 17. Porucznik Remetz sądził, że wracają po coś cennego, czego Hanemann nie zdążył zabrać z mieszkania i zapewne nazajutrz zechce raz jeszcze spróbować dostać się na pokład któregoś z transportowców. Kiedy zajechali przed bramę, w domach po obu stronach jezdni nie paliło się już żadne światło. Tylko nad Langfuhr sunęły chmury jaśniejsze od nieba. Płonęło śródmieście i chyba okolice dworca.

Remetz obiecał, że zajedzie rano, najpóźniej o ósmej, ale czarne auto z numerami rejestracyjnymi koszar przy Hochstriess już nigdy nie zatrzymało się przed domem na Lessingstrasse 17.

Kruche

Gdy minął bramę, wydało mu się, że w jednym z okien u Bierensteinów mignęło światło. Skręcił za szpalerem tui i popchnął ciężkie drzwi.

Z płonącą zapałką, która sparzyła palce, wszedł do sieni, machinalnie otrzepując nogi ze śniegu na żelaznej kratce, lecz kiedy zimna ciemność zdmuchnęła żółty płomyk, pomyślał, że przyszedł tu tylko po to, by uspokoić serce czymś, co już nie miało żadnego sensu.

Światło?

Chciał cofnąć się na podwórze, by ścieżką między szpalerami tui wrócić do siebie, na Lessingstrasse 17, i byłby tak zrobił, gdyby nie wspomnienie białego placu między magazynem a ceglaną ścianą w Neufahrwasser. Strzępy papieru, czarne ślady na śniegu, pomost, walizki, tłum, kłęby ubrań, krzyki, miękki głos pani Walmann... Ten obraz zatrzymał go tu, na schodach, w ciemnej sieni, pod owalnym oknem, którego kolorowe szybki połyskiwały słabym światłem łuny znad Langfuhr. Mieszkanie Schultzów? Po prawej?

Potarł znów wilgotną zapałką o siarkowy brzeg pudełka, światło zabłysło, osłonił je różową muszlą dłoni i uniesionym płomykiem oświetlił brązową lamperię. Ciemne lakierowane drzwi. Po kwietnym ornamencie dębowych framug przepłynęły lśnienia i połyski. W górze, z ukośnych cieni, kołyszących się na ścianie, wypłynęła stiukowa płaskorzeźba Panny siedzącej z Dzieckiem wśród liści oliwnego drzewa.

Lecz to, co ujrzał... Na drzwiach Schultzów, tuż przy framudze – głęboko odszczepione drzazgi, zamek z wielką klamką, błysnęła odłamana blacha, świeże jasnozłote rysy, czarne ślady uderzeń, jakby ktoś nożem próbował przebić mosiądz. Więc już są, już tu byli, więc gdy on stał tam, na nabrzeżu w Neufahrwasser, już byli tu, już odłamywali, klnąc cicho, mosiężne wzmocnienia framug, już podważali metalowe okucia pod klamką, a potem, uderzając ramieniem w drzwi, wwalili się do środka, z trudem łapiąc równowagę na śliskim linoleum w biało-żółtą szachownicę. Chciał cofnąć się, by nie widzieć otwartych szaf, z których wywleczono skłębioną bieliznę, szuflad kredensu wyrzuconych na środek pokoju, by nie patrzeć na błoto rozgniecione na dywanie, kawałki topniejącego śniegu.

Ale myśl o Schultzach... Wyszli stąd w południe, widział, jak skręcali w Kronprinzenallee za kasztanami. Mały plecak na ramionach Güntera. Wózek. Drewniana walizka. Czerwony kapelusz pani Schultz. Odwróciła się. Krótkie spojrzenie na dom. Położył rękę na klamce: drzwi ugięły się miękko pod dłonią. Przedpokój. Ciemnoczerwona portiera. Herbaciana tapeta na ścianach. Cienie. Zapałka zgasła, ruszył po omacku w stronę kuchni, coś chrzęściło pod podeszwami, gdy w głębi ciemnego wnętrza dostrzegł jaśniejszy prostokąt okna, przekreślony cieniutkim krzyżem ramy, znów sięgnął po zapałkę.

Żółty płomyk zachwiał się dotknięty mgiełką oddechu, cienie, które wypełzły z załamań mebli, zakołysały się i dopiero po chwili, gdy smużka ognia wspięła się wyżej, ujrzał przed sobą kuchnię Schultzów, w której nigdy nie był, lecz którą mimo to dobrze znał, bo przecież tyle razy, przechodząc przez ogród, widział w oknie na parterze Lessingstrasse 14 białe wnętrze, a w nim Rosę Schultz, mówiącą coś do męża albo bezgłośnie krzyczącą na Güntera, chłopca o ciepłym spojrzeniu, który patrzył na nią posłusznie, choć pewnie cały czas myślał tylko o tym, jak by tu – nie robiąc jej przykrości – wymknąć się z kuchni do swego pokoju, gdzie – Hanemann widział to parę razy – pod sufitem wisiała na nitkach tekturowa sylwetka Heinckela 111. Stojąc teraz w drzwiach kuchni, patrzył na stół okryty ceratą, prostokątny kuchenny stół okryty zielonobrązową ceratą, ceratą pociętą gwałtownymi szarpnięciami, strzępy gumowanego materiału zwisały na podłogę zasypaną białymi skorupami talerzy, filiżanek, spodków, półmisków, salaterek…

Jak kawałki pokruszonego lodu…

Lecz jeśli przed chwilą czuł odrazę i nienawiść do tych, którzy wyważali drzwi, wywlekali z szaf bieliznę, przetrząsali pościel, pruli obicia mebli w poszukiwaniu zaszytego złota, teraz dosięgnęło go uczucie gorsze, bardziej bolesne. Jakieś słowa i gesty, których dawniej nie chciał dostrzegać, nagle złożyły się w odpychającą całość. Nie mógł uwierzyć…

Bo przecież po co by tamci, którzy szukali w opuszczonych domach złota, pierścionków, krzyżyków, łańcuszków, broszek, wisiorków, srebrnych łyżek, cukiernic, monet, maszyn do pisania, maszyn do szycia, maszyn do liczenia, wiecznych piór, po co mieliby rozbijać to lustro w dębowej ramie, po co mieliby zrywać tę portierę z jasnymi frędzlami, dziurawić nożem tę herbacianą tapetę? Zapalił świecę, którą znalazł na parapecie, ale wszędzie – w kuchni, w przedpokoju, w dużym pokoju – widział rozdarte zasłony, blaty stołów porysowane czymś ostrym, stłuczone kryształowe szybki w komodzie, poprute kapy, rozdarte poduszki, pocięte kołdry, zdeptane ręczniki, zalane naftą prześcieradła, przewrócone wazony, poszarpane firanki. Nie miało to żadnego sensu. Może ci, którzy wyważyli drzwi, mścili się za to, że nie znaleźli tu złota, może z zemsty roztrzaskiwali naczynia wyrzucone z kredensu – ale wanna? umywalka? potłuczone kafelki nad zlewem w kuchni? rozbite żyrandole? Ta furia wymagała cierpliwej zaciekłości, zajadłego starania... Więc po co?

Uniósł poszarpaną portierę i wszedł do dużego pokoju. Pod stopą coś brzęknęło, pochylił świecę. Na pociętym dywanie błysnął bagnet Ericha Schultza, paradny bagnet z orlą główką, długi bagnet jeszcze z czasów Wielkiej Wojny – ale złamana ząbkowana klinga leżała osobno obok rękojeści. Podniósł... Więc to nie oni? Więc to nie ci, którzy w porzuconych domach szukali porcelany, sreber, platerów, więc to on, Erich Schultz, to jego ręka tłukła pryskającą porcelanę, to jego obcasy rozbijały kruche szkło?...

Hanemann stał w drzwiach, patrząc na porysowane meble, na pocięte tapety, i z każdego zranienia odczytywał to, co tu się stało przed paroma godzinami: bagnet strącał rzędy kieliszków z półki w kredensie, Erich Schultz otwierał szafkę pod oknem, wywalał na podłogę talerzyki i salaterki, obcasem rozgniatał kruchy fajans, ale nie! jeszcze mu było mało, więc przewracał krzesła, ciął oparcia foteli – świst rozdzieranego adamaszku, brzęk sprężyn, rwące się płótno. Rosa Schultz chwytała go za rękę: „Przecież tu jeszcze wrócimy! Nie rób tego!" – ale on tylko otrząsał się z jej uścisku i ukośnymi uderzeniami kruszył mahoniowe ornamenty nad szybką kredensu, tłukł kryształowe zdobienia etażerki, łamał kolumienki na fasadzie komody. Pani Schultz, tuląc Güntera, stanęła w drzwiach i przerażonym wzrokiem wodziła za skaczącymi błyskami bagnetu, ale on nie widział jej łez, wyszedł do przedpokoju i spokojnie, raz za razem, metalową główką rękojeści bił w taflę lustra, aż pękła gwiaździstymi liniami. Potem zdarł portierę i otworzył drzwi do łazienki. Pani Schultz próbowała go odciągnąć, ale tylko wyszeptał z przyciskiem: „Nie dostaną niczego, rozumiesz? Czy ty myślisz, że ja mógłbym mieszkać w domu, w którym żyłoby to wschodnie bydło? Przecież nie weszłabyś nigdy do wanny, w której kąpałby się przed tobą jakiś świński Polak ze swoją zawszawioną żoną. Zobaczysz – zniżył głos – oni zawszawią wszystko, wszy będą wszędzie. Przecież nie będziesz jeść z talerzy, z których oni będą żreć. Niczego im nie zostawimy, niczego!" – i deptał po swoich koszulach z białego płótna, rozwleczonych koło bieliźniarki, jakby chciał rozgnieść niewidzialne robactwo, które już – widział to – pleniło się w szwach mankietów i kołnierzyków.

A Hanemann, brodząc w potłuczonym szkle, przechodząc z pokoju do pokoju, zaglądając do łazienki, otwierając drzwi na werandę, słyszał ten szept, to trzaskanie szkła, widział to pryskanie białej glazury pod ciężkim ostrzem, słyszał brzęk klingi łamiącej się na krawędzi wanny, a potem – zniechęcony i pełen odrazy – odwrócił się, wyszedł na podwórze i minąwszy szpaler tui wrócił na Lessingstrasse 17. Świeża biel śniegu przyprószyła jego ślady na ścieżce.

W mieszkaniu Schultzów przeciąg unosił pierze z rozprutych poduszek. Wirujące piórka. Bezszelestne prószenie śniegu przez rozbitą szybę. Szron. Na ścianach pokoju Güntera jaśniały prostokąty po zdjętych fotografiach. W kuchennym piecu przesypywał się popiół spalonych zdjęć. Rozerwana firanka falowała jak wodorosty na dnie rzeki. Żyrandol podzwaniał w mroku kryształowymi szkiełkami. W pękniętym lustrze to gasły, to zapalały się światła łuny znad Langfuhr.

Stella

Tamtego dnia, pod oknami, tuż za szpalerem tui, krok od ogrodzenia z żelaznych prętów... Heinrich Mertenbach zapewniał, że on tam był, tam, w mieszkaniu na piętrze, był na pewno, był cały czas...

O świcie szli od strony Langfuhr, słońce żarzyło się nisko nad hangarami lotniska, wypalony tramwaj leżał w poprzek Kronprinzenallee, czarny, podobny do zwęglonej klatki na lisy, szli po torach w zupełnej ciszy, bo grzmot nad Danzig przygasł przed wschodem słońca, jakby obie strony – znużone ładowaniem, celowaniem, odpalaniem, czyszczeniem luf, smarowaniem zamków – odłożyły żelazo i czekały, aż dzień oświetli dymiącą równinę. Szli od strony Langfuhr, oni – Heinrich Mertenbach i August Walberg, i ona – Stella Lipschutz, wszyscy w mundurach „Todta" poplamionych naftą i smarami, szli potykając się o podkłady, zataczając się od szyny do szyny, padając w śnieg i powstając, szli bez żadnego bagażu, z torbami na maski gazowe, w których nie było masek, tylko butelki z grubego szkła pełne medycznego spirytusu, ściągnięte w ostatniej chwili z półek w gabinecie doktora Darnhoffa przy Brösener Weg 12, kiedy ogień podchodził już pod same okna i trzeba było uciekać. Więc uciekli – oni, Heinrich i August – najpierw Magdeburger Strasse, potem wiaduktem nad bocznicą towarową Langfuhr, potem prosto, pustą Adolf-Hitler-Strasse, bo ci, którzy chcieli wydostać się z miasta, wyszli już w nocy, więc teraz uciekali sami i dopiero na zakręcie Friedrich-Allee dołączyła do nich Stella wysoka, o rudomiedzianych włosach, wciśniętych pod czarną furażerkę.

Wiedzieli, że jeśli samoloty znów zaczną, to właśnie lotnisko zostanie ostrzelane najpierw, więc okrężną drogą cofnęli się na wiadukt, a potem skręcili w Kronprinzenallee, wyczuwając, że trzeba trzymać się willowych przedmieść między linią tramwajową do Glettkau a Pelonker Strasse, właśnie wyczuwając, bo przecież wszystko wirowało przed oczami, domy przy Kronprinzenallee pływały na miękkiej śniegowej fali, tonęły i wynurzały się jak skały ze spienionych wód Renu. Gdy mijali spalony tramwaj, August upuścił butelkę – rozbiła się na oblodzonej szynie, śnieg wessał różową smugę wilgoci, trzymali się za ramiona, Stella między nimi, ledwie żywa, w rozpiętym płaszczu, za długim na nią, ciągnącym się po śniegu. August mówił coś o chłopcach z Volkssturmu, których powieszono wczoraj na Am Johannisberg, ale odpowiedzieli tylko wybuchem śmiechu, a ona śniegiem chciała zalepić mu usta, odepchnął ją zły na siebie, że nie potrafił ukryć strachu, potem, wygrażając pięściami, wołali w niebo, ale żaden samolot się nie pokazał, niebo nad Langfuhr było puste. Weszli między pierwsze domy – drewniane wille z chińskimi daszkami, na których leżał gruby śnieg – zdziwieni, że coś takiego jest możliwe w środku miasta: domy były nietknięte, najmniejszy nawet ślad nie mącił gołębiej bieli pokrywającej jezdnię – stąpali po niej bezszelestnie, nie czując zimna oblepiającego buty. August mówił coś o matce, która została w Königsberg, zapewniał, że dotrze do niej na czas, ale jaki to mógł być czas? „Najwyższy czas!" – śmiał się do rozpuku Heinrich. Wiedzieli, że tory tramwajowe doprowadzą ich do Glettkau; jeśli molo przy gasthausie nie zostało trafione bombami, może uda się wsiąść na któryś z małych statków Westermanna – „Ariel", „Merlin" czy „Merkur" – którymi jeszcze wczoraj przewożono ludzi na parowiec, stojący w głębi zatoki. Więc spokojnie, równy krok, trzymać się torów tramwajowych, ale naraz, w chwili gdy kolejna śnieżna fala uniosła w górę obrośnięte bluszczem wille po lewej stronie Kronprinzenallee, a iskrzący pył sypnął na twarze z gałęzi klonu, Heinrich przystanął, by pojąć co się stało, dlaczego wille z łamanym dachem, oszkloną werandą i okrągłymi mansardami, nagle zmieniły się w długie ogrodzenie z żelaznych prętów o końcach jak faliste płomienie – dopiero dużo później pojął, że to Lessingstrasse, piękna Lessingstrasse, tonąca w ciszy przerywanej tylko co jakiś czas nieśpiesznym dziobaniem dozorujących karabinów maszynowych, które stukotały gdzieś daleko za morenowymi wzgórzami w Müggau czy Kokoschken.

Lessingstrasse? Przecież trzymali się torów... Heinrich poprawił furażerkę. Wszystko uciszał w nim widok tej nienaruszonej bieli, po której stąpali bezszelestnie, idąc w głąb pustej ulicy, a jezdnia uginała się pod nogami mięciutko jak puchowa pierzyna na wielkim łóżku rodziców, na które w dzieciństwie, ku rozpaczy matki, skakał z wysokiej komody i które z jękiem sprężyn najpierw zapadało się głęboko, a potem wyrzucało go w górę. Teraz jezdnia falowała podobną ciepłą sprężystością, wzbierała pod nogami białym grzbietem, na którym przepływały tuje, jałowce, czarne świerki, wille z czerwonej cegły, furtki, blaszane wieżyczki i wysokie ogrodzenia z żelaznych prętów. Cienie, szron, ogień, daleki krzyk matki, ten ogień wygasał, lśnienie lodu na rynnach, ten ogień, który przedwczoraj nagle wypełnił mieszkanie Mertenbachów na Breitgasse – tak jasny, że aż biały – bo słoje z technicznym spirytusem, które ojciec trzymał w piwnicy, sparzone płomieniami pękały z sykiem, a zwinięty kłąb iskier wylatywał nad jezdnię przez zakratowane okienka, ten ogień był już tylko miękkim śladem ciemności pod powiekami. Teraz w tej ciszy, nieśpiesznie dziobanej stukotem zza wzgórz, wszystko to, co zdarzyło się przedwczoraj na Breitgasse, wydało się Heinrichowi jakąś fantasmagoryczną sceną ze starej książki o Wielkiej Wojnie, w której słowa Alzacja i Lotaryngia wynurzały się z gruzowiska gotyckich liter. Więc tego domu na Breitgasse już nie ma? Więc spaliło się wszystko? Haftowana poduszka z monogramem Zofii, sekretarzyk matki, krzesła wyplatane trzciną, lakierki ojca, piórnik z rysunkiem orła, agatowy kałamarz, dywan, fotele z Thorn, portiery, mahoniowy kredens, bambusowa etażerka, skrzypce, białe i różowe ręczniki, lampa z zielonym abażurem, baśnie Grimmów w oprawie ze skóry, arabskie pudełko z przyborami do szycia, płaszcz z popeliny, skórzana piłka, tenisowa rakieta z napisem „Astra"... Heinrichowi napłynęły do oczu łzy, więc oparł głowę na ramieniu Stelli i tak szli, na wpół przysypiając, na wpół śmiejąc się, szli spleceni ramionami, z torbami gazowymi, które obijały się o biodro, szli po wzbierającej i osuwającej się w dół jezdni Goethestrasse. Za nimi bladożółte słońce ćmiło nad hangarami lotniska, wielki dym rozlewał się na białym niebie nad Danzig, a August, którego torba była już pusta, podpierał ich to z jednej, to z drugiej strony, wiedząc, że jeśli runą w zaspę, bielejącą wzdłuż żelaznego ogrodzenia, zasną w śniegu na zawsze i matka nigdy go nie zobaczy w Königsbergu.

Ale nogi nie trafiały już tam, gdzie chciały i naraz wszyscy, jak skoszeni usypiającym powiewem, runęli w biały puch tuż pod ogrodzeniem z prętów o końcach jak płomienie, zapadli się w puch nawiany od strony ulicy, i Heinrich, jak przez mgłę, dopiero w tej chwili uświadomił sobie, że jest z nimi Stella, ta sama Stella, którą tyle razy mijał na Magdeburger Strasse, kiedy wracała z gimnazjum, Stella, która teraz z przymkniętymi oczami (bo śnieg oblepił brwi i zaróżowił policzki) śmiała się nieprzytomnie, leżąc na wznak i zagarniając ramionami chłodny pył, który wcale nie mroził dłoni. Rzucała w nich sypkimi kłębami, aż musieli odwracać twarze, więc aby się obronić, chwycili ją za ręce, ale ona, wciąż wstrząsana śmiechem, rzucała głową to w prawo, to w lewo, wzbijała dookoła biały pył, nie bardzo wiedząc, kim są ci dwaj potargani chłopcy, którzy ścisnęli jej nadgarstki tak mocno, że po chwili nie mogła się już poruszyć; nie, to nie był wcale ból, tylko senność, coraz większa senność. August, którego znów ogarnęło migoczące różowawe światło, aż ulica przechyliła się jak pokład okrętu, chciał złapać równowagę, ale głowa sama mu poleciała w dół, ze złą wesołością ręce wcisnęły garstkę śniegu pod rozchylony płaszcz Stelli, uderzyła go łokciem w pierś, aż się zachwiał, potem chwyciła za włosy i zatargała, aż poczuł parzące igiełki w skroniach, zakrzyczał jak dziecko, chciał jej oddać, uniósł dziwnie ciężką dłoń, fala senności napłynęła mu do oczu przesłaniając wszystko i miękko, jak podcięty kwiat, pochylił się do przodu, miękko, jakby puściły wszystkie wiązania ciała, skłonił się dotykając włosami jej piersi. W pierwszej chwili chciała go odepchnąć i aż podkurczyła nogi tak, by kolanami trafić w twarz, ale nagle ogarnął ją pusty, musujący śmiech, gestem podpatrzonym u matki przytuliła głowę

Augusta do piersi i mrucząc z błyskami ironii w oczach: „No, dobrze, już dobrze...", pogłaskała go po mokrych, zlepionych włosach, trochę z obrzydzeniem rozwierając palce, trochę z lekceważącą ciepłą wyższością przyciskając go do siebie, a on wtulał się policzkiem w jej piersi, nie bardzo wiedząc skąd to ciepło, ten zapach zmieszany z zapachem sukna i nafty, to wilgotne szorstkie ciepło, potem wspiął się wyżej, wargami sięgnął jej ust, odsunęła głowę, ale ten drobny, niezbyt stanowczy ruch tylko go rozjątrzył, więc zraniony jej lekceważeniem i zły na siebie, przebijając się przez różowawą mgłę, która znów wypełniła oczy, przycisnął ją mocno, sunął wargami po ciepłej szyi, ze śmiechem wzdrygnęła się pod wilgotnym dotknięciem, czołem uderzyła go w policzek, zaszamotali się gwałtownie, znowu śnieg oblepił włosy, August poczuł zimno na powiekach, spłoszony, szybkim ptasim ruchem dotknął sztywnego stanika pod płócienną koszulą, nagle przywarła do niego całym ciałem, na oślep ustami szukając ust...

Heinrich z policzkiem wtulonym w śnieg, czuł biodrem ich tonącą we śnie, oddalającą się obecność. A kiedy otworzył oczy, zobaczył nad sobą bardzo jasne niebo, szczyty tuż skrzące się kropelkami lodu, czarny świerk, ogrodzenie z żelaznych prętów o końcach jak faliste płomienie, za ogrodzeniem ścianę willi, czerwone lśniące cegiełki, wyżej okno, a w oknie, za szybą...

„To był Hanemann, to był na pewno Hanemann – powtarzał Heinrich Mertenbach, gdy wiele lat później w małej galerii w Worpswede rozmawialiśmy o tym, co zdarzyło się w mieście, którego już nie ma. – To nie mógł być nikt inny, to był na pewno on, nie mogę się mylić, bo widziałem go przecież parę razy u ojca, zresztą, tyle się mówiło o tamtej niedobrej sprawie, więc nie mogę się mylić, chociaż ciemna szyba, w której odbijały się tuje rosnące przed domem, zacierała rysy tamtej twarzy... Leżałem w śniegu, czułem biodrem ich obecność, słyszałem ich pośpieszne oddechy, a tam, w górze, za szybą…"

Heinrich Mertenbach nigdy nie widział twarzy, w której byłoby więcej bólu. Ale wtedy, gdy tak leżał w śniegu obok nich, zaplątanych w skłębione płaszcze, gdy dochodząc do siebie odwrócił się na wznak, by jeszcze głębiej – jak pragnął – zatonąć w puszystym zimnie, ogarnął go na widok tej twarzy dziki śmiech pełen wrogości i rozjątrzenia. Bo zanurzony w różowawej mgle jeszcze nie potrafił uświadomić sobie tego, co przecież dobrze wiedział, co uświadomił sobie dopiero dużo, dużo później…

Że Stella, z którą uciekali z Langfuhr do Glettkau, Stella, która miała za długi płaszcz „Todta" i której włosy (wciąż pamiętał zapach tamtego wilgotnego sukna poplamionego naftą) rozsypały się na śniegu tuż przy jego policzku, że Stella była siostrą Luizy Berger.

A potem, gdy dosięgło ich zimno, wygrzebali się ze śniegu i oblepieni mrożącą wilgocią ruszyli wzdłuż żelaznego płotu ogrodów przy Lessingstrasse, chwytając palcami za lodowate pręty – Heinrich przecież mówił, przecież powtarzał wiele razy, że na Kronprinzenallee są tramwajowe tory, które doprowadzą ich do Glettkau, więc stopami wymacując ziemię pod sypkim śniegiem, przez zaspy nawiane pod murem doszli do słupów z białymi izolatorami. Trafili na szyny, August potknął się na podkładach, wzniósł tryumfalny okrzyk, Stella zapinała mu płaszcz, szepcząc: „Mój ty chłopczyku, nie możesz się przeziębić, mamusia będzie zła…", odepchnął ją, bo pomyślał o matce, która czekała w Königsbergu; szli po podkładach rozgarniając butami sypki śnieg, za zakrętem minęli pętlę, obok parku wilgotną czarną jezdnią Adolf-Hitler-Strasse przejeżdżały ciężarówki z nadpalonymi plandekami – na furkoczącym brezencie wielkie napisy „Drogen", „Chemikalien", reklamy mebli Wernitza z Brombergu, w szoferkach żołnierze bez karabinów, kobiety w wełnianych chustach, twarze zabrudzone sadzą, senne, zaczerwienione; Stella, stojąc przy krawężniku, machała furażerką, ale dopiero po półgodzinie wielki merzbach z dymiącym kominem zatrzymał się obok murów szpitala św. Łazarza.

Z trudem wdrapali się na skrzynię. Leżało już tam paru takich jak oni, w za dużych płaszczach, w podartych kurtkach Volkssturmu, z głowami okręconymi bandażami i brudnymi szalikami. Nawet nie poruszyli się. Rude włosy Stelli rozsypały się na ramionach, roześmiała się obraźliwie i zaczepnie – białe piękne zęby, spierzchnięte wargi – a potem runęła na deski, w torbie na maskę gazową bulgotał różowawy płyn, piła długo, ściekało po brodzie, aż wyrwali jej z rąk butelkę z grubego szkła. Ciężarówka zjechała pod kolejowy wiadukt obok dworca, grzechocząc potrzaskaną odłamkami platformą, skręcili w Seestrasse i, minąwszy stawy przy młynach, dojechali pod gasthaus w Glettkau.

Zeskoczyli na ubity śnieg. Grupki ludzi z walizkami i plecakami szły przez wydmy na molo, mgła wisiała nad morzem, biała i mętna jak opary w łaźni, zeszli na plażę, na mokry piach zmieszany z rozdeptanym śniegiem, w rokitnikach leżał martwy koń z podartą uprzężą, minęli stosy skrzynek, puste przewrócone wózki dziecięce, z rozprutych kołder sypało się pierze, ciało starszej kobiety w futerku z nutrii leżało pod wypalonym wrakiem daimlera-benza, znów ogarnęła ich różowa fala, spleceni ramionami szli przez plażę, a morze przechylało się przed nimi z zachodu na wschód i ze wschodu na zachód jak pokład okrętu, poczuli pod stopami smołowane deski mola, stukot podkutych butów, pomost był zasypany walizkami, z których wiatr wywiewał pończochy, jedwabne bluzki, koszule nocne. August roześmiał się: „Königsberg!", bo po zachodniej stronie pomostu, ponad głowami ludzi stłoczonych przy balustradzie, dostrzegł dymiący komin holownika z wielką czerwoną literą „W". „Kierunek: Königsberg!" – krzyknął z głową zadartą ku niebu, za holownikiem przycumowanym do pomostu unosiła się na wodzie długa płaskodenna barka do przewożenia zboża, w otwartych ładowniach było już sporo ludzi, reszta czekała na swoją kolej przy balustradzie pomostu. „Königsberg! Ja do Königsbergu!" – krzyczał August, bo teraz musieli już tylko przepchać się przez tłum na końcu mola, różowa fala przechyliła nad nimi wilgotne niebo, przy każdym kroku pomost zapadał się pod stopami i wznosił się miękkim drżeniem; weszli między ludzi stojących przy trapie, z dołu, z pokładu barki ktoś wołał: „Rudolfie, jestem tutaj!", czyjeś dziecko krzyczało, wiatr rozwiewał kłęby czarnego dymu z pochyłego komina, jeszcze tylko pięć, sześć kroków do trapu i wtedy Stella upadła na oblodzone deski, z trudem powstała i zaczęła biec z powrotem w stronę plaży, dopadli ją szybko, chociaż niebo znów przechyliło się nad nimi w stronę Brösen, wzięli ją pod ręce, znów poprowadzili ku barce, ale krzycząc odpychała ich od siebie, zasłaniała się przed ciosami, chociaż nikt jej nie bił, oficer żandarmerii rozsunął ludzi, zapierała się nogami, wepchnęli ją na samą krawędź mola: „Skacz! Na co czekasz? Skacz wreszcie!", ale uczepiła się balustrady, nie mogli jej oderwać, jakby przymarzła do pomalowanej na biało poręczy, usta jej drżały, nie patrzyła jednak wcale na barkę, do której schodzili po trapie ludzie z tobołami, nie, patrzyła dalej, na dwa słupy wystające z morza parenaście metrów od mola, wielkie dwa okute miedzianą blachą polery, przy których mogły cumować nawet duże okręty, patrzyła tam, na czarnozieloną głębię, wczepiona w poręcz balustrady, nie mogli jej oderwać, dopiero kiedy dostała w twarz od Heinricha, rozwarła palce, pchnęli ją, spadła do ładowni na stertę słomy, z której ludzie mościli sobie legowiska. Skoczyli za nią…

Dwa samoloty nadleciały na małej wysokości od strony Brösen, kilka bomb spadło na plażę koło gasthausu – błysk, ciemne wyrwy w śniegu, nieruchome ciała nad wodą przy

samym wejściu na molo, ogień, płonące auto, pierze z roz-
dartych poduszek – lecz barka wypełniona ludźmi już odbi-
jała od pomostu, dzieci zaniosły się płaczem, mokra lina
łącząca barkę z holownikiem naprężyła się, zapach dymu
z pochyłego komina doleciał do ładowni... Płynęli na północ,
wsłuchani w oddalające się wybuchy. Stella zasnęła z głową
wtuloną pod ramię, przykryli ją podartą kołdrą i paroma
wojskowymi kocami. Morze było gładkie i puste, lecz niewiele można było wypatrzyć w chmurach prószącej białości.
Daleki łoskot dogasał. Mgła. Drzemali oparci o drewniane
skrzynie z nadrukiem „Hinz & Weber". Obok mężczyzna
w mundurze pocztowca z głową owiniętą włóczkowym szalikiem modlił się bezgłośnie. Dopiero koło pierwszej we mgle,
po prawej, jakieś dwieście, trzysta metrów od barki, dostrzegli cień. Gdy podpłynęli bliżej, z oparów wynurzył się wielki
okręt. Zimno stawało się coraz dotkliwsze. Na czapkach,
włosach i płaszczach – siwy szron. Z góry, z pokładu okrętu,
spuszczono drewnianą platformę, ktoś wołał, by najpierw
wsiadały kobiety z dziećmi, ale nikt się nie ruszył, więc wpy-
chano ludzi siłą na kołyszący się drewniany pomost, który
wędrował wiele razy na pokład, poskrzypując konopnymi linami i obijając się ze zgrzytem o żelazną burtę.

   Potem krzyki obudziły Stellę. Półprzytomna uniosła głowę. Wysoko na wielkiej burcie okrętu, wznoszącej się obok
barki jak ściana, lśniły oblodzone litery. Mrużąc zaczerwienione oczy z trudem odczytała zatarty napis „Friedrich Bernhoff".

Słowo

Głos Ojca drżał leciutko: „Zobacz, tam jest już morze!"
„Morze? – Mama pokręciła tylko głową. – Cóż ty mówisz,
Józieczku. Morze musi być gdzieś dalej, koło Copotów, tu
wciąż jest jeszcze Gdańsk". Z lekcji geografii u księży Maria-
nów wiedziała dobrze, że przecież Gdańsk leży nad rzeką
Motławą. Ale Ojcu aż się gorąco zrobiło w piersiach na widok skrawka błękitu za polami lotniska. Nigdy jeszcze nie
widział prawdziwego morza.

Ulica, którą szli, nazywała się „Kronprinzenallee" – drewniany barak przystanku straszył emaliowaną tabliczką z gotyc-

kim napisem. Tory w głębokim śniegu, trzeba było wymijać oblodzone słupy zwalone w poprzek szyn, potem spalony tramwaj, potykali się na oblodzonych podkładach. Miasto otwierało się przed nimi jak roślinny obraz na szkle. Szpiczasta wieża kościoła, ceglany komin fabryki, rząd oszronionych topoli. W górze, nad Pelonker Strasse, wśród lip popstrzonych gniazdami jemioły, krążyły stada kawek. Bezgłośny trzepot skrzydeł, zimny połysk mgły. Wszystko to trochę spłoszyło Mamę. Ale Ojciec nie chciał już zawracać. Teraz? Przecież to nie ma sensu! Od południa dzielnicę otaczały wzgórza, ciemna zieleń sosnowego lasu przetykana szarością bukowych pni, i ten widok, widok wzgórz, ciągnących się długą, nieśpieszną linią za Pelonker Strasse, od Langfuhr w stronę Gdyni, chyba przesądził o wszystkim. Wystarczyło tylko na nie spojrzeć, by drgnieniem serca przeczuć, jak pięknie rozkwitną na wiosnę.

Ojciec szedł więc z coraz większą pewnością, że wreszcie trafili na miejsce i patrząc to w prawo – na białe pola lotniska z ciemną linią sosnowego lasku w Brzeźnie, to w lewo – na lipy Pelonker Strasse, za którymi ciągnęły się łagodne bukowe wzgórza, mówił do Mamy, że może warto zatrzymać się tu na dłużej, a może na zawsze – nie, tego jeszcze nie powiedział, bo wolał, by czas, który mieli przed sobą, pozostał otwartą obietnicą. A ja szedłem z nimi, uśpiony, pod sercem Mamy, głową w dół, z piąstką pod brodą i stopami śmiesznie zwiniętymi ku sobie, w ciepłej zatoce wód, opleciony żyłkami, które łączyły mnie z jej ciałem. A skoro szedłem z nimi, Mama musiała przystawać raz po raz dla złapania oddechu, bo przecież wzniesienie, które nosiła pod płaszczem, wzniesienie, w którym kołysałem się w rytm jej kroków, było pewnie równie ciężkie jak brązowa walizka, którą Ojciec niósł w lewej ręce, prawą podtrzymując Mamę, żeby jej było lżej.

I brnąc tak przez sypki śnieg, który na podbiegłych lodem wydmuszyskach śpiewał przy każdym kroku – aż Mama musiała chwytać Ojca za łokieć, by nie upaść na ślizgawicy przeświecającej spod nawianego pyłu – doszli do pierwszych domów. Teraz zza żelaznego płotu, zza pni sosen, świerków i brzóz, zza uchylonych bram i furtek z gotycką cyfrą, zza gąszczy bluszczu i nawisów dzikiego wina zaglądali do ogrodów, w których stały małe trójokienne wille, podobne do letnich domków znad Wannsee, kufrowate kamienice z witrażowym okienkiem na strychu, białe rezydencje z oszklonymi werandami...

A domy – porzucone przez tych, którzy odeszli, spłonęli, potonęli – jezdnie, podwórka, placyki z wielkim kasztanem pośrodku, gdzie śnieg był czysty, nienaruszony czyimkolwiek śladem – wszystko to drzemało w ciszy mroźnego przedpołudnia. Dzielnica odsłaniała nieśpiesznie swoje sekrety ukryte za grabowymi żywopłotami i szpalerami tui. W śródmieściu, przy dworcowej hali, z której nie zniknęły jeszcze tablice z czarnym napisem „Danzig", zielone ciężarówki przebijały się przez ośnieżone gruzowisko płosząc stada wron zajętych wydziobywaniem mięsa z zabitych koni, mężczyźni w sukiennych płaszczach i wojskowych kurtkach, z płóciennymi workami na ramieniu, z drewnianymi walizkami, z paczkami owiniętymi brezentem, snuli się wśród ocalałych domów, ale tu, na samym obrzeżu miasta (bo po drugiej stronie Pelonker Strasse ciągnął się już tylko las, sięgający Żukowa, Migowa i Kokoszek), tu, poza głównym nurtem ulicy Grunwaldzkiej, którą co kilka minut przetaczały się w stronę Gdyni ciężkie wozy powiewające wyblakłą plandeką, konne zaprzęgi z kuchniami polowymi, czołgi z wieżyczką obróconą do tyłu i pancerzem zbryzganym wapnem, tu było wciąż jeszcze miejsce omijane przez potok ludzi ciągnących na zachód i Mama z Ojcem mogli wybierać dom, w którym miałem się urodzić.

Przechodzili więc od bramy do bramy, zatrzymywali się pod nawisem dzikiego wina przed furtką z numerem 6 albo 14, stawali na ścieżce prowadzącej do ciemnej willi z okrągłą mansardą, ale gdy Ojciec, poprawiając na ramieniu plecak, już chciał przekroczyć kamienny próg podwórza, Mama przytrzymywała go za rękaw: „Zaczekaj, zobaczmy dalej" – więc szli dalej, na drugą stronę ulicy, zostawiając za sobą w nietkniętej bieli głębokie ślady. Otrzepywali nogi ze śniegu, ojciec otwierał furtkę w ogrodzeniu z drewnianych sztachetek wyciętych w kształt odwróconego serca, spłoszona chmura jemiołuszek i gili, wydziobujących czerwone jagody, zrywała się z kolczastych krzewów, z zadartą głową patrzyli na dach, bo Ojciec uważał, że dach jest najważniejszy (dlatego nieufnie przyglądał się siodłowatym dachówkom, na których tam, gdzie śnieg zsunął się do rynny, czerniły się plamy mchu; szukał dachu blaszanego, najlepiej z miedzi). Dom jednak, przed którym stanęli, na próżno wystawiał do słońca swoje gipsowe sztukaterie, wdzięczył się anielskimi główkami z białego cementu, zabawiał wzrok grą kolorowych szkiełek w okrągłym oknie. Mama, gdy tylko weszła do sieni z sinymi stiukami, cofnęła się szybko, choć sama nie wiedziała dlaczego... Na miedzianej tabliczce obok napisu „Briefe", połyskiwały pochyłe literki: „Erich Schultz", „Wolfgang Bierenstein", „Johann Peltz". „Tu?" – pytał Ojciec, gdy minąwszy zakręt, a potem żelazne ogrodzenie wzdłuż szpaleru tui, stanęli przed następnym domem z lśniących cegiełek – czerwonych i oliwkowych. Mama nigdy nie zapomniała tamtej chwili. Dom wcale nie był najładniejszy, nie miał w sobie lekkości białych willi z oszkloną werandą, ale jego spadzisty, mocno osadzony na kamiennym gzymsie dach musiał pewnie wzbudzić zaufanie Ojca, bo Ojciec postawił walizkę na cementowym gazonie, z którego łokciem strącił śnieżną czapę, włożył ręce do kieszeni i powoli zaczął obchodzić dookoła fasadę z czerwonych cegiełek, w której połyskiwały ciemne okna o rzeźbionych framugach. I jeszcze ta wieżyczka dostawiona do lewej ściany! Klatka schodowa? Tak, to była klatka schodowa i to się chyba spodobało Mamie, taka osobność wchodzenia, oddzielenie od mieszkań, od cudzych kroków. Wieżyczka wysuwała się ponad dach, no, nie tak znowu wysoko, ale ładnie wieńczyła kontur domu żelazną galeryjką, więc może to właśnie przeważyło – dziecięca chęć chwili zapomnienia o wszystkim strasznym, co się im dotąd przydarzyło, niepoważna pokusa, którą ten dom swoim kształtem podpowiadał i podsycał, i naraz oboje – jeszcze nie myśląc o samym domu – zapragnęli wejść na górę, bo może stamtąd, z galeryjki na szczycie, można zobaczyć całą dzielnicę i lotnisko za Kronprinzenallee, i las, i morze...

Więc zdjąwszy walizkę z gazonu Ojciec wszedł do sieni, a za nim Mama i od razu spodobało im się to, co zobaczyli za ciemnymi drzwiami z mlecznym okienkiem przekreślonym kratką w kształcie splecionych liści tataraku. Światło wpadało tu tęczową smużką przez trójkątną szybkę z gotycką cyfrą 17. W zielonych kafelkach przepłynęły jasne odbicia, pośrodku ślimakowate schody, mosiężna poręcz zakończona formą w kształcie muszli i Mama od razu położyła rękę na tym wyzłoconym od tysięcy dotknięć mosiądzu, żeby sprawdzić, jak pasuje do dłoni, czy nie jest za wysoko i jakby się tutaj codziennie schodziło i wchodziło.

A poręcz była w sam raz, ani za wysoko, ani za nisko, więc weszli na stopnie obrzeżone złotawą, wytartą pośrodku mosiężną listwą – Ojciec w czarnych sznurowanych butach z barankiem przy cholewce, Mama w lakierowanych narciarkach z niklowanymi haczykami na sznurowadła – a schody leciutko skrzypnęły. Seledynowa lamperia pięknie udawała solenne żyłkowanie marmuru. Mama przesunęła palcami po olejnej powierzchni ze szlaczkiem w listki ostu i kwiaty podobne do chabrów, a Ojciec, widząc ten czuły gest rozpoznawania kształtów, a może sprawdzania ich realności, pochylił się ku Mamie i pocałował ją w szyję tuż za uchem, trochę sztubackim, zaczepnym sposobem, może po to, by zamaskować czy uciszyć w sobie wzruszenie. Mama żachnęła się niecierpliwie, bo cała była wsłuchana w ciszę, ale na jej wargach pojawił się leciutki, wyrozumiale ironiczny uśmiech. Gdy jednak weszli na półpiętro, gdzie przez okrągłe okno z promienistą ramą (w środku było kółeczko z błękitnego wodnego szkła) widać było ogród, wielką tuję, brzozę i srebrny świerk, usłyszeli czyjeś głosy.

Zatrzymali się wpół kroku. Nie rozpoznawali słów, zresztą po chwili wszystko ucichło. Dopiero teraz Ojciec spojrzał na podłogę półpiętra. W kilku miejscach brunatne grudki, rozmazane krople... Mama cofnęła nogę, ale Ojciec (może dotknięty do żywego tym, że wieżyczka, z której mogli zobaczyć pola lotniska, las w Brzeźnie, a nawet morze, została im nagle odebrana przez kogoś, kto był szybszy i wspiął się tam przed nimi), machinalnie sięgnął pod ścianę po okopcony pręt do przegrzebywania rusztu, wystający zza blaszanego pudła na węgiel. Mama przez moment chciała go ściągnąć na parter, ale Ojciec – z uniesioną głową nasłuchujący tego, co dobiegało z góry – nie zauważył jej niespokojnego ruchu. Głosy słychać było wyraźniej, choć wciąż nie rozumieli słów.

Drzwi na piętrze były uchylone – duże zielone drzwi z mosiężnymi okuciami, z wielką klamką w kształcie lwiej łapy, więc ostrożnie zajrzeli do środka. W głębi ciemny przedpokój, dalej białe rozsunięte drzwi, w drzwiach wnętrze dużego pokoju, sufit z gipsową sztukaterią, żyrandol z kryształowych szkiełek...

W pokoju ktoś stał przy oknie, ale sylwetka tonęła w kolumnie słonecznego światła, nie można było rozpoznać jego rysów – wysoki mężczyzna w jasnej koszuli – po chwili czyjeś plecy zasłoniły go, więc Mama, nie lubiąc żadnego podsłuchiwania czy podglądania, z palcem na ustach kiwnęła do Ojca, że nie ma tu czego szukać, ale Ojciec tylko pokręcił głową. Czyjeś plecy przesunęły się znów, czyjś cień zmącił kolumnę światła, wysoki mężczyzna w jasnej koszuli odwrócił się...

Tak właśnie po raz pierwszy ujrzeli Hanemanna.

Hanemann nie był sam. Już chcieli wejść do przedpokoju, by głośnym „Dzień dobry" uprzejmie zaznaczyć swoją obecność, to jednak, co zobaczyli...

Do Hanemanna zbliżył się mężczyzna w uszatce, rozwiązane rzemyki wisiały po obu stronach ciemnej, jakby wilgotnej twarzy, i leniwym, krzywym ruchem pchnął go w pierś dłonią w wełnianej rękawiczce. Mama ścisnęła Ojca za łokieć, ale Ojciec powoli uwolnił się z uścisku i ostrożnie, tak by nie zatrzeszczały deski podłogi, przestąpił próg. Tamci nie usłyszeli niczego. W pokoju rozległ się trzask otwieranego zamka, a potem dziwny chrzęst. Ojciec zobaczył czyjąś stopę w wysokim bucie z ciemnożółtej skóry – ktoś zgniatał obcasem muszle rozsypane na dywanie, kruche japońskie muszle, obok leżała otwarta szkatułka z laki...

I wtedy właśnie Mama naprawdę zaczęła się bać; lecz nie, wcale nie bała się tamtych, których cienie przepłynęły obok Hanemanna. Naprawdę przestraszyła się tego, co zobaczyła w twarzy Ojca. Bo Ojciec zaczął drżeć drobnym, drażniącym dygotem, palce zaciśnięte na czarnym pręcie zbielały, tymczasem tamci dwaj podeszli do Hanemanna, ten wyższy, w uszatce, wziął do ręki szarą filiżankę ze złotym brzeżkiem, podniósł ją ku twarzy Hanemanna i zgniótł w palcach jak wielkanocną wydmuszkę. Trzask. Porcelanowe skorupki posypały się na dywan. I kiedy Ojciec to zobaczył, kiedy zobaczył, jak twarz Hanemanna blednie, stanął w rozsuwanych drzwiach.

Odwrócili się, bardziej zdziwieni, niż przestraszeni. Tylko Hanemann zmrużył oczy. A Ojciec, stojąc w drzwiach z czarnym prętem w dłoni, niesiony narastającym drobnym dygotaniem, pochylony, gotowy na wszystko, wyrzucił z siebie tylko jedno słowo: „Won!..."

O, jakże Ojcze ogromniałeś, jaka moc biła z Ciebie, gdy tak stanąłeś w rozsuniętych drzwiach do pokoju Hanemanna z okopconym prętem w dłoni i wyrzuciłeś z siebie to jedno słowo – aż mi się słodko w sercu robiło, ile razy wyobrażałem sobie tamtą chwilę. I jeśliby mi ktoś powiedział, że Archanioł Michał to tylko zmyślenie, którym karmimy duszę w obawie, że nigdy nie będzie Sądu, odpowiedziałbym tylko ciepłym uśmiechem politowania. Bo przecież – mógłbym przysiąc – Ojciec, mój drobny, niewysoki Ojciec o zmierzwionej, siwawej czuprynie, wtedy, gdy tak stał w rozsuwanych drzwiach z prętem w dłoni, a Mama chwytała go za łokieć, żeby się pomiarkował, gdy więc tak stał wyrzucając z siebie to jedno słowo, był zupełnie podobny do mężczyzny z włócznią i wielką wagą, który na obrazie Memlinga ważył sprawiedliwych i grzeszników przed strąceniem ich do piekielnej otchłani. Mama chwytała go za łokieć szepcząc: „Józieczku, zostaw…", ale Ojciec tego nie zauważał we wspaniałym uniesieniu, które spadło nań jak światło niebieskie. Grzmiał w drzwiach. Chciałem, by grzmiał jak najdłużej, choć wyczuwałem, że Mama o tamtej chwili nie mówi mi wszystkiego, bo przecież światło niebieskie, które zstąpiło na Ojca, gdy tak stał w rozsuwanych drzwiach do pokoju Hanemanna, musiało pewnie wyglądać trochę inaczej. Ojciec, kiedy się wściekł, dostawał – mówiła Babcia – plam na twarzy, które mieniąc się piękną purpurą wspinały się z policzków na czoło a potem zajmowały ogniem całe uszy.

Nigdy nie zapomnę tej chwili, tej dobrej wspaniałej chwili, gdy stanąłeś w drzwiach Hanemanna, a uszy płonęły Ci wspaniałą rubinową czerwienią, tej chwili, która powinna trwać wiecznie – moje serce było w pragnieniach nienasycone. Bo kiedy tak stałeś w białych rozsuwanych drzwiach – pochylony, gotowy na wszystko – świat odzyskiwał swój blask i chciało się żyć, och, jak bardzo chciało się żyć. Mama ciągnęła go za rękaw, żeby dał spokój, bo przecież natychmiast spostrzegła, że ci dwaj przy Hanemannie mają pod kożuchami żelazo, wystarczy jeden ruch, a nic z nas nie zostanie. Ale Ojca niosło natchnienie, a może coś jeszcze gorszego, coś fińsko-tatarskiego, co drzemało sobie w naszej wschodniej krwi i nagle poniosło go z taką siłą, że wybuchnął, aż zabrzęczały kieliszki na półkach kredensu: „Won stąd!". Odpowiedziało mu niezbyt głośne: „Coś pan, nie widzisz, że to Szwab?..." – i ręka w wełnianej rękawiczce – długi chudy palec – tknął Hanemanna w pierś.

I nie wiadomo czy ten gest, machinalny i pogardliwy, czy może litosne lekceważenie, które zabrzmiało w głosie tamtego w uszatce, wyzwoliło w Ojcu tłumiony wybuch. Och nie, nie ruszył się z miejsca, nie zrobił nawet jednego kroku, tylko pochylił się, przyczaił, wargi mu zbielały, policzki pociemniały, na skroniach zakwitły błękitne żyłki: „Ty w kibini matier, ty twoja proklata bladź, won z tego domu!!!"

I kiedy Mama, skrywając wstyd w ironicznych półuśmiechach, z lekkim zażenowaniem, ale i z dumą wiele lat później dokładnie powtarzała mi wszystko słowo po słowie, pojmowałem, że właśnie w tej samej chwili, w której te słowa zostały wymówione (a raczej wykrzyczane), Ojciec, Mama i ja, tu, na Lessingstrasse 17, mieliśmy już swój dom, te słowa stwarzały nasz dom, w którym miałem się urodzić. O, jakże pięknie brzmiały u mych początków! Mogłem tej opowieści słuchać i słuchać.

Bo gdy Ojciec wykrzyczał Słowo, blednąc i mieniąc się na twarzy, aż Mama z lęku puściła jego rękaw, tamten w uszatce spojrzał na tego drugiego w wojskowym kożuchu bez pagonów, potem spojrzał na Ojca, po czym, odłożywszy figurkę tancerza z laki, mruknął: „Dobra, czego się drzesz? Chodź, Jędras. Niech go szlag trafi, razem z tym Szwabem. Tu i tak nic nie ma. Same papiery".

I powoli, tą wyzywającą powolnością chcąc zranić Ojca, przeszli przez pokój. Ten wyższy chciał coś jeszcze dorzucić, ale odwrócił się tylko, kopnął leżący na dywanie ułamek muszli i pogardliwie odepchnął Ojca od drzwi. Wyszli na korytarz. Ojciec szarpnął się ku nim gwałtownie, ale Mama przytrzymała go tym razem skutecznie. Jeszcze chciał coś z siebie wykrzyczeć na znak, że do niego należy ostatnie słowo, jeszcze coś zagotowało się w piersiach, jeszcze uniósł pręt, jakby chciał nim znów potrząsnąć, Mama trzymała jednak mocno, więc nagle zwiotczał jak wyciągnięty z ziemi wiechetek perzu i kiedy Mama, szepcząc do niego: „Józieczku, daj spokój, już sobie poszli", podprowadziła go do fotela, miękko osunął się na skórzane siedzenie. Drżał. Caluteńki. Mama, przykucnąwszy obok fotela, głaskała go po dłoni, ale wciąż ściskał w zbielałych palcach czarny, okopcony pręt – niczym drżące berło abdykującego monarchy.

Lecz wyobrażając sobie tamtą chwilę, nie miałem o to do niego żalu: napięcie, które i we mnie rosło podczas opowiadania Mamy, w tym obrazie drżącego, drobnego mężczyzny, który szybko oddychał przełykając ślinę, a grdyka śmiesznie przeskakiwała mu pod wygoloną skórą na szyi, w tym obrazie napięcie łagodniało i błogi spokój powoli napełniał duszę. Czułem już wykluwającą się pewność zwycięstwa, moc, która powoli wracała w kruche ciało, moc nieśpieszną, niepozorną, ale prawdziwie mocną, taką, co to jej nic nie zmoże. Czy było to zwycięstwo Ojca? W to nie wątpiłem, chociaż oni mogli się wynieść z mieszkania Hanemanna także dlatego, że widok Mamy w błogosławionym stanie złagodził ich serca (ta wersja była mi równie bliska, bo przecież ukazywała mój skromny wkład w zwycięstwo). Ojciec oddychał coraz wolniej i jakby chciał zmazać jakieś winy, o których sobie teraz przypomniał, zaczął głaskać dłoń Mamy i tak plątały się ich ręce, bo Mama też głaskała jego dłoń, a potem naraz zaczęła płakać głośno jak dziewczyna, łzy płynęły jej po twarzy, ale to były chyba dobre łzy, bo Ojciec delikatnie przesunął wierzchem dłoni po jej mokrym policzku, a ona uśmiechając się przycisnęła twarz do jego ręki.

A z dołu, z głębi klatki schodowej, w której dudniły kroki mężczyzn schodzących na parter, dobiegł pełen pogardy głos: „Palili nas, rabowali, a ten delikatny się znalazł…" „A kij mu w mordę" – odpowiedział drugi głos. Schodzili powoli, poprawiając na ramieniu torby pełne chrzęszczącego żelastwa, nie musieli się śpieszyć, naokoło czekały na nich domy, domy, domy… setki domów Starej Oliwy i Oliwy za torami, pełne szaf, komód, kufrów, skrzyń, koszy, beczek. I kiedy w opowiadaniu Mamy na dole w sieni domu przy Lessingstrasse 17 trzaskały drzwi wejściowe i robiło się zupełnie cicho, zawsze czułem w sercu tę mocną, dobrą pewność, że dom jest już nasz.

Nigdy tylko nie mogłem pojąć, dlaczego Hanemann, kiedy do niego przyszli, odezwał się po niemiecku.

Lawenda

Zeszli na parter. Drzwi z mosiężną tabliczką „E. A. Walmann" nie były zamknięte na klucz. Klamka obła, ze złotym
odcieniem, zimna, gładka, miękko ugięła się pod dłonią, drzwi
uchyliły się – Mama dobrze zapamiętała tamtą chwilę:
w głębi ciemny przedpokój z zielonym linoleum na podłodze, błyśnięcie dużego lustra, stojącego naprzeciw wejścia,
lecz gdy Ojciec chciał przestąpić próg, Mama przytrzymała
go za plecak – cóż to znowu? w butach? Zsunął plecak
i rozwiązał sznurowadła. Weszli do środka w skarpetach, zostawiając buty obok drzwi.

W mieszkaniu było zimno. Gdy w lustrze zobaczyli swoje przymglone odbicia, Ojciec powiedział półgłosem, jakby nie chciał obudzić kogoś, kto śpi za drzwiami: „Jak myślisz, ile tu może być pokoi?" Mama poczuła się nieswojo na widok haków od dziecięcej huśtawki we framudze drzwi. Po prawej, zza mlecznych szybek, przenikało światło, więc pewnie musiały tam być drzwi do kuchni. Przy gazomierzu wisiał pęk kluczy. Sięgnęła ręką: dwa małe, mosiężne i jeden długi, żelazny, na drucianym kółku. Pod sufitem rury centralnego ogrzewania. Linoleum czyste. Tylko trochę zaschniętych śladów przy drzwiach.

Ojciec objął Mamę ramieniem: „Chodź, najpierw zobaczmy kuchnię". Ale Mama przypomniawszy coś sobie, wyjęła z plecaka blaszaną mydelniczkę i płócienny ręcznik.

Drzwi łazienki były polakierowane na biało. Na szybie wąskiego okna szklił się mróz. W rowku wyżłobionym w parapecie dla odpływu wody deszczowej – warstewka lodu. W powietrzu obcy, lawendowy – jak jej się wydało – zapach, zmieszany z wonią wyziębionego wnętrza. Tak jakby weszła do hotelowej łazienki: ciekawość koloru kafelków, obawa przed śladami rdzy na wannie, rzut oka, czy lustro pod lampą nie jest podbiegłe szarymi plamkami. Ale to nie była łazienka w hotelu. Kiedyś, wysłana po coś przez Babcię do pani Janiny, sąsiadki z domu na Nowogrodzkiej, powoli weszła do ich mieszkania, drzwi były otwarte, i aż jej serce zamarło, gdy usłyszała za sobą męski głos: „A cóż to ty robisz tutaj? A ładnie to tak wchodzić bez pukania?" Zaczerwieniona po same skronie nie mogła wymówić słowa, uszy piekły, choć przecież pan Bogdanowicz bawił się tylko jej przestrachem. Teraz, rozglądając się po wykafelkowanym wnętrzu, poczuła się podobnie. Lecz czy to miało jakiś sens? Któż mógł tu teraz wejść? Od razu przecież zamknęli za sobą drzwi do mieszkania na łańcuch. Chciała włożyć mydło do żelaznej mydelniczki zawieszonej na brzegu wanny, ale zobaczyła, że leży tam już płaskie wyschnięte mydełko, do którego przylgnęło parę włosków, ale nie – pochyliła się z leciutką odrazą, jakby oglądała nieżywego ślimaka – to były tylko cieniutkie pęknięcia, więc wyjęła różowy płatek z drucianego koszyczka, przez chwilę – nie wiedząc co z nim zrobić – trzymała w palcach, potem położyła go na szklanej półce pod lustrem, obok dwóch szklanek i pustego pudełka na proszek do zębów z napisem „Vera". Do koszyczka włożyła swoje mydło: żółtawe, o szarym odcieniu i szybko opłukała palce. Odruchowo sięgnęła mokrą ręką po spłowiały ręcznik wiszący na haczyku, ale spostrzegłszy wyszytą niebieską nicią literę „W", cofnęła palce. Po chwili wahania zdjęła go z haczyka i włożyła do szafki. Na haczyku zawiesiła swój – biały, z zielonym paskiem.

Znów przysunęła dłoń do nosa. Wanna była czysta, tylko dno bardziej matowe od częstego szorowania. W sitku odpływu – kłębek jasnych włosów. Wyjęła palcem i wrzuciła do muszli. Włosy dziecka?

Opłukała emalię wielkim słuchawkowatym prysznicem z lśniącą karbowaną rurą. Kran był duży, z szerokim, płaskim ujściem, na motylkowatych pokrętłach, pod literkami „Kalt" i „Warm", nikiel odprysnął w paru miejscach. Gdy pochyliła się, polewając wodą emaliowaną powierzchnię, mleczne odbicie twarzy przepłynęło w kafelkach nad wanną.

W oknie kuchni zasłonki obszyte koronką. Podłoga z desek. Biały parapet. Od razu przekręciła mosiężny kran nad zlewem, by sprawdzić, czy i tu też jest woda. Wiatrak, wyhaftowany niebieską nitką na białym płótnie ozdabiał ścianę nad stołem, gotyckie litery były trochę przekrzywione, więc poprawiła nierówną krawędź makatki. Ojciec widząc, jak czule wygładziła rozwieszone płótno, uśmiechnął się znad otwartego paleniska, w którym postukiwał pogrzebaczem o żelazne ruszty: „Piec jest chyba dobry". Fajerki leżały na płycie. Poczuła zapach wilgotnego żużlu i siwego popiołu. Kafle pieca były białe, zupełnie gładkie, z kremowym odcieniem. „Zobacz – Ojciec mrużył oczy – tu jest centralne. A tu, z tej strony, piekarnik. Ale chyba trzeba będzie palić drewnem. Bo palenisko bardzo małe".

Otworzyła drzwiczki mahoniowego kredensu. Brzęk kryształowych szybek. Za szkłem, wśród kieliszków z kobaltowego szkła i małych dzbanków z napisem „Pfeffer", „Salz", „Zucker", bielił się owal wazy na zupę z pokrywką w kształcie chińskiej pagody, smużkami błękitu wymalowano też morze i małą dżonkę z brązowym żaglem. Gdy uniosła pokrywkę, na zakurzonej porcelanie obok znaku firmowego Rosenthal został ciemniejszy ślad palca – jak okrągły stempelek na kremowej kopercie.

Zaczęła wyjmować rzeczy z plecaka. Układała je powoli na stole nakrytym białą ceratą. Gruby sweter, jeszcze z powstania, narciarskie spodnie, które dał jej pan Z., gdy Ukraińcy wchodzili na Żoliborz, blaszany kubek od cioci Heli z Koszykowej, butelka z porcelanowym korkiem (resztka zimnej herbaty na dnie), dwie łyżki, nóż („Gerlach" – od sióstr z Szymanowa), koszula Ojca z UNRRY, płócienne prześcieradło, niebieska koszula nocna, którą zdążyła zabrać z Nowogrodzkiej, szare renety zawinięte w papier...

Lecz Ojciec odwrócił głowę, by nie patrzeć na to czułe, ostrożne układanie na stole rzeczy, które ocalały. Z piwnicy przyniósł trochę węgla w blaszanym pudle po kostkach „Maggi", spod kredensu wyciągnął równo ułożony stos pożółkłej „Völkischer Beobachter", połamał sosnowe trzaski i podpalił. Huczało, ogień miał dobry cug. Mama, przykładając dłonie do rozgrzewających się kafli, coś zamruczała pod nosem, Ojciec pogłaskał ją po włosach, udając, że nie dosłyszał, uśmiechnięta, przymknęła oczy, chciał, żeby powtórzyła, ale tylko pokręciła głową.

Gdy weszła do środkowego pokoju, aż cofnęła się na widok swojego odbicia, które wybiegło ku niej z okrągłego lustra wprawionego w drzwi orzechowej szafy. Ściany były w ładnym herbacianym kolorze. Na obrazie w złotych ramach, który wisiał nad otomaną, płonął czerwienią chmur zachód słońca na plaży w Glettkau; gdy podeszła bliżej, by przyjrzeć się morskiej scenie, w prawym dolnym rogu, niedaleko słupów białego mola, przy których został namalowany mały parowiec, dostrzegła podpis: „L. Schneider". Leciutko przeciągnęła wskazującym palcem po płótnie, ale kurzu było niewiele. Zdmuchując kurz z palca, podeszła do okna. Przesunęła dłonią po wygiętym, zimnym korpusie maszyny do szycia „Singer", potem, czując narastające zmęczenie, usiadła na otomanie i dopiero teraz, oparłszy głowę na miękkim oparciu, które pachniało pluszem i suchą morską trawą, odetchnęła głęboko. Na stole stał kryształowy flakon z papierową różą. Od razu pomyślała, że trzeba to wyrzucić, ale najpierw położyła papierowy kwiat na bambusową etażerkę, później na szafę. Przygniatany walizkami i pakunkami, miał tam przeleżeć całe lata, aż stracił płatki i listki, a z owiniętej zieloną bibułką łodygi zostały tylko sczerniałe druty.

Otworzyła szafę pełną białej i niebieskiej bielizny, równo ułożonej na półkach. Lawenda? Uniosła krawędź świeżo uprasowanego prześcieradła, rozchylając chłodny materiał: na gładkim płótnie z monogramem „W" leżało parę kruchych płatków dzikiej róży. Takie płatki, zrywane z krzewu rosnącego pod brzozą w kącie ogrodu, wkładała później do świeżo upranych poszew i prześcieradeł.

Potem Ojciec rozpalił ogień pod żelaznym kotłem w pralni, włożył do gorącej wody poszwy i prześcieradła, które wyjęła z szafy – mimo że wszystko było czyste i świeżo wykrochmalone – lecz chociaż gotowało się to parę godzin, chłodna świeżość – inna niż zapach prześcieradła, które Mama dostała od cioci Marysieni z Pruszkowa – wciąż nie chciała zniknąć. I gdy wieczorem położyli się w środkowym pokoju na przesłanym łóżku – Mama w swojej koszuli nocnej z domu na Nowogrodzkiej, Ojciec w pasiastej piżamie z UNRRY – te dwa obce zapachy, zapach podwarszawskiego prześcieradła i zapach poszwy z niebieskim monogramem „W", którą Elsa Walmann kupiła w czterdziestym roku u Juliusa Mehlersa na Ahornweg 12, mieszały się ze sobą, płosząc sen. Prześcieradło pachniało wciąż podróżą, dymem pociągu, brezentem plecaka, winnym aromatem szarych renet, które kupili, gdy pociąg zatrzymał się na godzinę w Malborku. Świeżo uprana poszwa z monogramem „W" pachniała wapienną wonią pustego mieszkania i prasowaniem, którego cynamonowe ślady odcisnęły się w paru miejscach na sztywnej bieli materiału. Płótno poszwy wydawało się jakby chłodniejsze, zapach trzymał się koronki, którą obszyto brzegi.

Nie mogli zasnąć. W górze słychać było kroki mężczyzny, który mieszkał nad nimi. Z fotografii, wiszącej przy drzwiach, patrzyły na nich dwie poważne dziewczynki w słomkowych kapeluszach, w sukienkach z marszczonego batystu, stojące na molo w Zoppot obok mężczyzny w mundurze pocztowca i młodej pani w plisowanej sukience z okrągłym kołnierzykiem. Ojciec wstał, ostrożnie zdjął zdjęcie z gwoździa, zdmuchnął pajęczynę z jaśniejszego prostokąta, który został na herbacianej tapecie, obejrzał odwrotną stronę z nadrukiem „Ballerstaedt. Photograph. Atelier" (przy nadruku był atramentowy dopisek „Juli 1938") i włożył je do dolnej szuflady w orzechowej szafie, w której, oprócz zeszytów zapisanych równym dziecięcym pismem, leżał atlas świata Westermanna i przewiązany woskowanym sznurkiem plik pocztówek z Bawarii.

Dopiero gdy o północy Mama stanęła w wannie i Ojciec cieplutką wodą umył jej plecy, a potem ostrożnie opłukał wypukły brzuch, w którym podrzemywałem z piąstką pod brodą, para stopiła gałązki mrozu na szybie okna i wszyscy poczuliśmy się trochę bardziej u siebie.

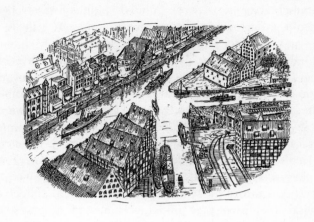

Grottgera 17

Cóż to był za dom! Na wieżyczkę z galeryjką wchodziło się po czarnych schodkach, pod szpiczasty dach z cynkową kulą na szczycie; z góry, przy dobrej pogodzie widziało się pola lotniska, sosnowy las w Brzeźnie, a nad nim daleką błękitniejącą smugę morza. Dachówki prusko-ciemnoczerwone, z mchem w spojeniach, prawdziwie nadwiślańsko-gotycki odcień, a pod każdym oknem linia cegiełek z oliwkową glazurą. Weranda była duża, dwupiętrowa, patrzyło się z niej na ogród, ścieżka z ubitej czarnej ziemi biegła wśród strzyżonych bukszpanów ku żelaznej bramie, pod gęsty cis, który ocieniał grządki obłożone kobaltowymi kafelkami. A dalej ogromna brzoza i szpaler tui. Przed domem srebrzysty świerk – wysoki, z nagim popielatym pniem, kolczaste gałęzie dopiero na wysokości rynny okalającej dach.

Dębinki, Traugutta, Tuwima, Morska... Gdy Ojciec wieczorami opowiadał o spółce „Antracyt", w której pracował od stycznia, te nazwy ulic powtarzały się jak nazwy zamorskich krain. „Antracyt"! Właściciele mieli kopalnię pod Gliwicami, dwa szyby, rampa, koksownia, Ojciec zarabiał prawie trzydzieści tysięcy – to było zupełnie dużo, Mama jako instruktorka w szkole pielęgniarskiej miała sześć, nie musieli więc narzekać, właściwie po tym, co przeszli – prawdziwy raj. Ale w lipcu do kantoru na Morskiej przyszło dwóch: „Niech pan podpisze, że firma przechodzi pod zarząd przymusowy". Ojciec tylko na nich popatrzył: „Nie, ja tego nie podpiszę, bo ja nie jestem właścicielem. Właściciele są w więzieniu". Pokiwali głowami wyrozumiale. „To pan nie będzie tu pracował". „To nie będę". Taka firma! Bałtycka Spółka Węglowa ze składami bunkrowymi przy Wiślnej w Nowym Porcie i z własną bocznicą w Porcie Oksywie! Pierwsze formularze, na których Ojciec wypisywał rachunki, zielone, z fioletowymi rubrykami, miały nadruk „Herbert Borkowski. Drogen u. Chemikalien-Gross handlung. Danzig. Brabank 4". „Za co ich, Józiu, zamknęli?" – zapytała kiedyś Mama. „Jak to za co? Za to, że kapitaliści".

Delbrück-Allee nie nazywała się już Delbrück-Allee. Do Akademii szło się teraz ulicą Curie-Skłodowskiej, obok baraku Volkssturmu przerobionego na kaplicę, chodnikiem wzdłuż cmentarza, gdzie wieczorami paliło się tylko kilka gazowych latarń i zdarzały się napady na pielęgniarki z nocnego dyżuru. Studenci, których Mama mijała po drodze, chłopcy w prochowcach i wojskowych drelichach bez pagonów, nawoływali się przez jezdnię: „Idziemy na jaskółkę!" Co znaczyło: Idziemy na anatomię porównawczą, do amfiteatralnej sali w budynku na rogu Alei Zwycięstwa, w którym jeszcze nie tak dawno Niemcy robili mydło z zabitych ludzi. Warszawską Szkołę Pielęgniarstwa przy Szpitalu Dzieciątka Jezus, założoną na Koszykowej z funduszy Rockefellera, najpierw przeniesioną do Białego Dunajca, potem do Gdańska, ulokowano w budynku E i Mama była bardzo dumna, że do niej trafiła. W Akademii pracowali też lekarze z Wilna, chirurdzy z wydziału lekarskiego Uniwersytetu Stefana Batorego. Mama wymieniała z szacunkiem nazwiska: doktor Michejda, Piskozub, Jóźkiewicz. Ale też miała trochę żalu. Bo dużo pielęgniarek w Akademii to były Niemki. Takie pod trzydziestkę. Krankenhaus Schwester. Wszystkie nosiły się tak samo: niebieskie długie sukienki, gładkie włosy z przedziałkiem, na plecach skrzyżowane szelki, biały fartuch. I polscy lekarze bardzo lubili z nimi pracować. Może nawet bardziej niż z Polkami. A one traktowały polskie pielęgniarki jak powietrze.

Laboranci Niemcy pracowali też w podziemiach rentgena. Dopiero we wrześniu Mama zobaczyła przed budynkiem C trzy czy cztery ciężarówki. Laboranci stali na chodniku z paczkami i walizkami.

Pod całą Akademią ciągnęły się przeciwlotnicze schrony. Mama mówiła później: „Liczyliśmy się z tym, że pod nami żyją Niemcy. Jedna widziała Niemca, który wyszedł i uciekł. Cały czas nie wiedzieliśmy, co się pod nami dzieje". Las dookoła był zaminowany. Masę dzieci porozrywało na górkach i w jarze. Z dachu hotelu dla pielęgniarek widać było nieczynną stocznię, ruiny śródmieścia, Motławę, ratusz bez wieży, kościoły bez wieży. Mówiono, że Gdańsk podpalili Niemcy.

Potem przyjechały szwedzkie pielęgniarki z Uppsali. Przywiozły ubrania, stroje pielęgniarskie i żywność. Trzynastego grudnia urządziły wigilię św. Łucji. Ale Mama dostawała też paczki z UNRRY, dwudziestopięciokilowe, z czekoladą i „Camelami", można to było wymienić na kawę albo kakao. W biurze UNRRY na Morskiej pracował pan Szczepkowski, którego znała jeszcze z obozu przejściowego w Pruszkowie, więc udawało się czasem zdobyć coś i dla Hanemanna.

Hanemann jednak rzeczy z UNRRY przyjmował niechętnie. Wolał jeździć co parę dni na Podwale Grodzkie, pod halę targową, tam gdzie przy ceglanym murze starsze kobiety w turbanach związanych nad czołem, w kapeluszach z woalką, rozkładały na ziemi porcelanowe zastawy, sztućce, maszyny do pisania. Kiedy zaszedł tam po raz pierwszy, obok skrzynek z pokruszonym lodem zobaczył panią Stein. Miała na sobie dwa płaszcze, grubszy i cieńszy, szyję owinęła kaszmirowym szalikiem. Na płachcie „Dziennika Bałtyckiego" rozłożyła porcelanowe puzderka, lampę z niebieskim abażurem, widelce z kwiecistym monogramem „S", rogi gazety przycisnęła kawałkami cegły. Przykładała do ust batystową chusteczkę. Wiatr od strony Targu Rybnego wzbijał podmuchy kurzu.

Zdziwiła się na jego widok: „To pan nie wyjechał?" Ale Hanemann wyjaśnił, że wyjedzie, tylko jeszcze nie wie kiedy. „Nie pracuje pan w Akademii? Przecież tam…" Nie chciał jednak o tym mówić. Zapytał, co się sprzedaje najlepiej i ile można zarobić. „Tacy, co przyjeżdżają z Warschau ciężarówkami – odpowiedziała pani Stein – biorą wszystko. I dają nawet dobre pieniądze". Pani Stein wolała sprzedawać za dolary, ale nie zawsze się to udawało.

Nazajutrz Hanemann rozłożył obok niej na kawałku brezentu trochę sztućców, parę książek, trochę srebra. Po południu trafił się nawet kupiec na dwa i pół tysiąca.

Wszystko zmieniło się dopiero we wrześniu, gdy do drzwi mieszkania na piętrze przy Lessingstrasse 17 (która teraz nazywała się ulicą Grottgera) zapukała pani Ch. z ulicy Obrońców Westerplatte 12. Hanemann, nieco zdziwiony niespodziewaną wizytą, (bo nie znał pani Ch.) wprowadził ją do pokoju i posadził w fotelu. Pani Ch. powiedziała, że chce, by podciągnął jej syna w niemieckim. Nie była to pierwsza tego rodzaju wizyta. Już w lipcu odwiedził Hanemanna inżynier Wojdakowski z Alei Sprzymierzonych, wysoki blondyn spod siódemki, którego dyrekcja stoczni wysyłała do wschodniej strefy okupacyjnej, do Rostocku i dalej, po części zamienne do maszyn z dawnych warsztatów Schichaua. Inżynier Wojdakowski wyraził chęć podniesienia poziomu swoich umiejętności językowych, które – jak się wyraził – posiadł w gimnazjum płockim w stopniu dobrym. Hanemann nie odmówił i gdy rzecz się rozniosła, mieszkanie przy Lessingstrasse 17 wkrótce odwiedziło jeszcze parę innych osób.

„Niech się Andrzejek nauczy po niemiecku – mówiła do męża pani Ch. – Zobaczysz, oni tu jeszcze wrócą z Anglikami i Amerykanami, to mu się przyda". Pan Ch. nie podzielał tej wiary, ale pieniądze dał. Miało to ten skutek, że Hanemann nie musiał już jeździć na Podwale Grodzkie z płachtą brezentu i pękiem srebrnych sztućców.

Nie spotykał się też już z panią Stein pod ceglanym murem hali targowej obok skrzynek z pokruszonym lodem, w których rybacy z Jelitkowa i Brzeźna wystawiali na sprzedaż świeże dorsze, odwiedził ją jednak parę razy na Ahornweg, która teraz nazywała się ulicą Klonową. Nie zawsze to były wizyty przyjemne. Panią Stein drażniły hałasy dobiegające z podwórza, krzyki, zaczepki. Ale nade wszystko nie mogła ścierpieć zapachów w sieni. Na ścianach klatki schodowej zakwitły żółte plamy, których ilość rosła w sobotnie wieczory. Dawniej, gdy po Mirchauer Weg spacerował posterunkowy Gustaw Joppe, syn właściciela stolarni na Johannistal, nigdy by się coś takiego nie mogło zdarzyć. Na Steffensweg widziała, jak dwóch robotników przybijało do ściany domu Horovitzów emaliowaną tabliczkę z napisem „ul. Stefana Batorego". Mirchauer Weg nazywało się teraz Partyzantów, a Hochstriess – Słowackiego. Na Langfuhr mówiono „Wrzeszcz", na Neufahrwasser „Nowy Port", a na Brösen

„Brzeźno". Były to nazwy trudne do wymówienia i zapamiętania. „Kiedy pani wyjeżdża?" – pytał Hanemann, by przerwać narzekania, które przecież nie prowadziły do niczego. Ale pani Stein dawała wymijające odpowiedzi. Jest tyle trudności. Trzeba zaczekać na wiadomość od córek, które zatrzymały się w Düsseldorfie, lecz nie wiedzie się im najlepiej. Nie chce być ciężarem. Wbrew dawnym skłonnościom do noszenia jasnych płaszczy i narzutek, ubierała się teraz na ciemno, nosiła płaszcze brązowe albo czarne, już znoszone, przyprószone naftaliną.

A jednak, gdy spotkał ją kiedyś na Mirchauer Weg w towarzystwie szpakowatego pana z laseczką, odpowiedziała na ukłon uśmiechem. Miała na głowie nowy czarny kapelusz ze srebrną broszką. Hanemann patrzył za nimi przez chwilę. Pan, z którym pani Stein szła do tramwaju w stronę dawnej Adolf-Hitler-Strasse, mówił tak jak ona po niemiecku, ale z wyraźnie polskim akcentem.

Czarne świerki

Wieczorami Hanemann porządkował czasem papiery i zmieniał układ książek na półkach, lecz szybko go to nużyło. Siadał wtedy w fotelu niedaleko okna, otwierał książkę, która znalazła się akurat pod ręką i starał się czytać. Ale nie zawsze się to udawało. Może rozpraszały go głosy dobiegające z ogrodu, może szelest wiatru czy postukiwanie blaszanego koguta, obracającego się na wieżyczce domu Bierensteinów, w każdym razie myśl błądząca po stronach poczynała wędrować swoimi drogami.

Ach nie, nie były to sentymentalne powroty do ludzi

i miejsc, które obdarzał dawniej sympatią czy nawet miłością. Kiedyś, przed laty, w jakiejś chwili zniecierpliwienia, matka powiedziała: „Ty chyba nie masz serca"; bardzo go to wtedy dotknęło, bo wyczuł, że te słowa, może wypowiedziane bez żadnej bolesnej intencji, dosięgły w nim czegoś, przed czym się bronił, a co w utajeniu nadawało barwę jego życiu. Teraz, gdy siadał tak przy oknie, a słońce schodziło już na szczyty sosen i czarnych świerków, czuł się tak, jakby w piersiach otwierała się chłodna pustka, lecz w tym uczuciu, które budziło mglistą pamięć obrazu matki, wypominającej mu nieczułość, było coś dobrego, przynoszącego ulgę, czemu poddawał się bez sprzeciwu, z dziwną dla siebie samego obojętnością. Tak jakby śnił – chociaż miał oczy otwarte. Nieobecność ludzi, cisza, dogasanie dnia – w stygnącym świetle wieczoru czuł się naprawdę blisko świata i nawet tchnienie powietrza, łagodnie napływające z ogrodu, zdawało się dotykalne; skóra – choć wiedział, że to przecież niemożliwe – wyczuwała nie tylko chłodniejsze powiewy od okna, lecz i sam ruch jasnej przeźroczystości, w której kołowały świetliste drobinki kurzu.

Nieobecność ludzi? To raczej właśnie ich oddalona nienatarczywa obecność – głosy dobiegające zza okna, zmieszane ze światłem prószącym przez liście brzozy – nadawała samotności dobrą barwę. I nie musiały to być wcale głosy radości. Nie, najlepiej właśnie, gdy dźwięki zza okna nie zlewały się w południowy szum miasta, lecz dogasały w różowiejącym słońcu i pośród szelestu drzew i stukania czyichś kroków na płytach chodnika rozbrzmiewał kobiecy głos – mądry kobiecy głos (nie szło wcale o nadzwyczajność słów, te zwykle były błahe) – dźwięczny głos, któremu z ogrodu odpowiadał głos chłopca, wołającego, że przecież jeszcze nie czas wracać do domu, albo głos dziewczynki, która udawała płacz – bo jest jeszcze tak wcześnie i słońce – choć dotyka już koron lasu – świeci wciąż jasno nad Katedrą.

Za oknem cienie pogłębiały się, ruch w ogrodach po obu stronach ulicy Grottgera ustawał. Pan Wierzbołowski domykał za sobą furtkę, żelazo stukało o słupek, siatka płotu cichutko brzęczała, potem, gdy wchodził po betonowych schodkach do domu Bierensteinów, jego cień przepływał na białej zasłonce w oknie werandy, bo pani Janina, czekając na powrót męża z „Anglasu", zapaliła już lampę, chociaż chmury pociemniały dopiero nad Wrzeszczem a niebo nad parkiem nie utraciło jeszcze słonecznego blasku. Z okna na piętrze pani W., oparta łokciami na wyszywanej poduszeczce, patrzyła na dzieci, które wracały z łąki koło kościoła Cystersów, niosąc latawiec z szarego papieru i skrzyżowanych listewek – długi ogon ze sznurka ozdobiony kokardami z bibułki ciągnął się z szelestem po ziemi. W głębi ulicy, pod lipami, synowie pani S. rzucali żelaznym prętem po bruku, krzesząc niebieskawe iskry, lecz ten brzęk żelaza, uderzającego o granitowe i krzemienne głazy, nie drażnił teraz nikogo (inaczej byłoby w południe), bo nawet jeśli pan Dłuszniewski, podlewając lewkonie i georginie wielką blaszaną konwią, wołał raz po raz: „Dalibyście już spokój!", to przecież wołał nie za głośno, bardziej dla przyzwoitości niż po to, by przerwać zabawę, która – tego można było być pewnym – w dzieciństwie sprawiała mu niemałą radość.

Chwilami jednak powracało tamto – i na miejscu pana Dłuszniewskiego, podlewającego kwiaty wielką blaszaną konwią, Hanemann widział Emmę Bierenstein w długiej marszczonej sukni, uczesaną jak Ruth Weyher w *Tajemnicach duszy* Pabsta, ścinającą cienkim srebrnym nożykiem jasne gladiole, a w oknie, z którego wyglądała teraz pani W., Rosę Schultz w beżowym turbanie, w bluzce z seledynowego batiku, niosącą na strych kosz świeżo upranej bielizny. Nie myślał o tym jednak z rozżaleniem. Czuł, że właśnie obcość tych ludzi, mieszkających teraz w domach między linią tramwajową a bukowymi wzgórzami (bo jednak to była obcość), przemienia się w coś prawdziwie dobrego i łagodzi niepokój serca. Te chwile, gdy w ogrodach i na werandach zamierały gesty i słowa, gdy przystawano na ścieżce z przysłoniętymi dłonią oczami, patrząc w duże czerwone słońce nad lasem za Katedrą, te chwile, w których uciszała się żarłoczna potrzeba życia i pewność bezpiecznego snu łagodziła nienawiści – w takich chwilach wszystko się w nim układało niczym delikatne warstwy popiołu.

A potem, koło szóstej, gdy w głębi dzielnicy zaczynały bić dzwony Katedry, do których dołączały – zawsze trochę spóźnione – dzwony kościoła Cystersów i to odległe dzwonienie, gasnące w plątaninie gałęzi lip, grusz i jabłoni, tłumiło cichnącą już gadaninę ulicy – przed oczami stawały znów dawne miejsca, domy, pokoje, twarze, lecz serce nie odnajdywało już niczego bliskiego w obrazach miasta, którego już nie ma – tak jakby pamięć tylko niedbale tasowała zbrązowiałe fotografie przed wrzuceniem ich w ogień. „Przecież tak nie można żyć" – nagle powracały słowa Anny. Ale teraz – inaczej niż dawniej – te słowa nie potrafiły go zranić. Bo właściwie dlaczego nie można tak żyć? Hanemann odkładał książkę, którą – otwartą – trzymał na kolanach i z przymkniętymi oczami, wsłuchany w szmer blaszkowatych liści brzozy, czując pod palcami szorstką zieleń płóciennej okładki, poddawał się tej grze obrazów przeszłości, oczyszczonej ze wszystkiego, co bolesne. Teraz, gdy plamki słonecznego światła i cienie gałązek coraz wolniej kołysały się na fasadzie domu Bierensteinów, nie tylko on, lecz i wszystko dokoła zamierało w sennym półżyciu, jakby wahając się, co wybrać: niespokojne pragnienia czy śmierć. I nawet – tak mu się zdawało – nawet serce zwalniało swoją uporczywą wędrówkę w głębi piersi. Dźwięki, szelesty, to, co piękne i obce, zamieszkiwało duszę tylko na mgnienie, bo pamięć, bez trudu uwalniając się od narzuconych – jak to odczuwał – drażniących obowiązków przechowywania tego, co widzialne i słyszalne, nie tłumiła czystości wrażeń. Czuł w sobie pustkę, ale nie była to pustka budząca lęk, lecz właśnie dobra pustka, kiedy nic nas nie odgradza od rzeczy.

I wtedy machinalnie, trochę spłoszony tą wolnością, sięgał po stojącą na biurku paterę z brązu ozdobioną dwoma delfinami (na podstawce czerniły się literki „1909 Palast Kaffee"), brał do rąk porcelanowe puzderko ze sceną ogrodową na wieczku, przestawiał spod lampy z napisem „Alsace-Lorraine" na drugi koniec stołu jasną figurkę pasterki z jagnięciem na ramionach, sprawdzał, czy da się zalepić pęknięcie w gipsowym rybaku z wielką łuskowatą rybą pod pachą. Te wszystkie pretensjonalne drobiazgi, które połyskiwały na półkach kredensu i na mahoniowej etażerce, wcale nie były dla niego okruchami dawnego miasta, do którego chciałby powrócić. Kiedyś drwił z nich, widząc jak matka w swoim salonie piętrzy błękitną i złoconą porcelanę, jak zaludnia oszklone półki orzechowej szafy rokokowym rojem chińskich tancerzy, Japonek z majoliki, Persów w zbrojach z laki, jak ustawia za szkłem piramidy filiżanek Rosenthala i Werffla. Nie chciało mu się nawet patrzeć na wdzięczenie się pasterek do baranków ze złotymi kędziorami, na natarczywe pozy samurajów z hebanu i dumne grymasy gipsowych rybaków, pyszniących się wielkimi dorszami ze złotą łuską.

Cały ten porcelanowo-majolikowy świat wydawał mu się śmieszny, zaborczy i pozbawiony sensu. Bo przecież matka – był tego pewien – piętrząc te puzderka, figurynki i żardinierki ze złotym i turkusowym brzeżkiem, chciała tylko oszołomić gości, którzy w swoich salonach mieli podobne bogactwo, więc to nie miało żadnego sensu. Ale teraz, o zmierzchu, gdy niebo nad wzgórzami stygło po upalnym dniu głęboką czerwienią, podobną do dalekiej łuny, te drobne formy odsłaniały przed nim jakąś dziecięcą odwagę, głupią odwagę nieprzyjmowania świata do wiadomości, odwagę, w której kryła się niezrozumiała siła lekceważenia mroku? Ciepła bezczelność nieliczenia się z potęgami? I kiedy brał do rąk te cacka z brązu, mosiądzu, majoliki, kości słoniowej, czuł jak wzbiera w nim niechęć do obrazów Noldego, Kokoschki, Kollwitz, chociaż kiedyś tak się zachwycał tym malarstwem konwulsyjnej czerwieni i trupiego fioletu. Bo czyż tamte rozdzierające obrazy, które oglądał w małych galeriach Berlina, nie mówiły nerwowym szyfrem swoich barw, że jest tylko ból, że niczego nie da się uniknąć, że nie ma litości i miłosierdzia?

Patrzył na bukowy las z czarnymi plamami sosen, na niebo, na którym smużyły się obłoki podobne do wierzbowego puchu – a wszystko to, zmienione w obojętną muzykę barw, przenikało do serca, łagodząc dawne lęki. Dusza broniła się przed obrazem całości. Każde wspomnienie rozleglejszego pejzażu było odpędzane niespokojnym drgnieniem. Oko chciało widzieć tylko przedmioty drobne, pojedyncze, osobne: mrówkę wspinającą się na abażur, ziarnko ryżu w szparze podłogi, klonowy listek o rdzawych brzegach przyklejony do szyby, gałązkę głogu wysuwającą się zza parapetu, kroplę rosy na pajęczynie w kącie okna.

Myśl broniła się przed obrazem całości, bo całość to były tamte obrazy, tamto pociemniałe morze, tamta przystań, wielkie chmury, długa plaża między Neufahrwasser a Zoppot, woda o barwie ołowiu, białe molo w Glettkau i piękny spacerowy statek z czarnym napisem na burcie...

A kiedy powracały tamte obrazy, serce odwracało się od gasnących świateł zmierzchu. Myśl schodziła w przeszłość, zstępowała wolno w ciemne krajobrazy, znów odwiedzała lasy w Schwarzwaldzie, którymi wtedy, przed laty, kiedy to się stało, błądził w zupełnej samotności, rozpaczy i bólu. Teraz, nie czując w piersiach nic, znów błądził pamięcią wśród tamtych ogromnych drzew podobnych do kolumn czarnej katedry. Czuł chłód kamiennych ścian, które – gdy szedł wzdłuż strumieni – otaczały go wilgotną ciemnością, sięgając nieba.

Pamiętał dotknięcie mgły, gdy góry otworzyły się przed nim wielką doliną zasłaną potrzaskanymi drzewami, gdzie paprocie były głębokie jak zielone bagna, a na skale porośniętej ciemnym mchem wznosił się samotny krzyż. Powracał myślą na żółte urwiska Rugii, które – gdy stał na pochyłym zboczu sosnowego lasu – z trupim szelestem osuwały się w spienione brunatne morze. I kiedy tak zapadał się w te mroczne i pulsujące przypomnienia, przychodziło mu do głowy, że to, co się stało wtedy, stało się właśnie po to, by mógł zastygnąć w tym półżyciu, które obejmowało duszę i znieczulało ją na głos świata. Czuł, że można tak żyć. Chciał tak żyć i serce zalewała mu fala odrazy i wrogości. Nie bronił się przed tymi uczuciami. Tonął w nich jak w czarnej wodzie, zapamiętale, nienawistnie, chociaż nie wiedział, nad kim miałaby to być zemsta.

Klinika Lebensteinów

W połowie grudnia, okrężną drogą, przez panią Stein, którą w jej mieszkaniu na Klonowej odwiedził duński marynarz ze statku zacumowanego w Gdyni, Hanemann otrzymał list od asystenta Retza. Bardzo się tym zdziwił, bo sądził, że Retz już nie żyje. Retz tymczasem pisał z Hanoweru, że zatrzymał się u krewnych w Bremie i zamierza tam rozpocząć praktykę lekarską.

Ale główna część listu poświęcona była sprawom dawnym.

„Co do «Bernhoffa» (bo o tym chciałbym Panu przede

wszystkim opowiedzieć) – pisał Retz – to kotwicę podniesiono parę minut przed północą. Na pokładzie żandarmeria oświetlała wejścia fioletowymi latarkami, trudno było od razu znaleźć przyzwoite miejsce do spania, zresztą część ładowni zajęli kadeci ze szkoły obsługi łodzi podwodnych i mechanicy z warsztatów Schichaua, trochę więc błądziłem potykając się o nogi ludzi leżących w półmroku. Na szczęście miałem ze sobą tylko małą walizkę z instrumentami medycznymi i czerwony pled, którym obdarowała mnie moja gospodyni, pani Wirth; mieszkałem u niej – jak Pan pamięta – do ostatnich dni stycznia. Zimno ciągnęło od blaszanej podłogi straszne, dobrze, że włożyłem buty na futerku (również dar pani Wirth – na zawsze zachowam wdzięczność dla tej mądrej kobiety, która w dniu mojego wyjazdu z Danzig przypomniała sobie o obuwiu zmarłego męża, radcy Edwarda Wirtha; zapewne pamięta Pan tego wysokiego mężczyznę, pracującego w kancelarii Hersena). Potem zapalono żarówki zawieszone pod sufitem ładowni i wszyscy zaczęli się nawoływać. Na podłodze zasłanej grubymi kocami i kołdrami drzemały czy spały całe rodziny. Był to widok prawdziwie przygnębiający, chociaż nie słyszało się skarg czy złorzeczeń...

Potem ktoś krzyknął z drugiego końca ładowni: «Panie Retz, niechże pan tu do nas pozwoli». Gdy odwróciłem się, zobaczyłem Elsę Walmann. Razem z córkami siedziała na drewnianej skrzyni, obok Alfred Walmann rozkładał na podłodze posłanie dla dziewczynek. Zdziwiłem się, że mnie pamiętają, bo przecież widzieli mnie tylko parę razy, kiedy zajeżdżałem po Pana na Lessingstrasse, ale – niech mi Pan wierzy – są takie chwile, kiedy każdy dowód pamięci wydaje się żywym odruchem serca.

Spałem bez żadnych kłopotów, wciąż nie wiem, jak to było możliwe. Rano, gdy koło siódmej kadeci zaczęli rozlewać gorącą kawę do kubków i butelek, zwinąłem pled i wtedy Pani Walmann zapytała, czy nie wiem czegoś o Panu.

Miała jak najgorsze przeczucia, bo kiedy odpływali holownikiem z przystani, widziała, że na placu przed magazynem wybuchło kilka pocisków. «Tam musiało zginąć bardzo dużo ludzi. Pan Hanemann szedł do nas, ale potem...» Mówiła o Panu tak, jakby już uważała Pana za zmarłego. «Gdy dopłynęliśmy do „Bernhoffa", obejrzałam się i aż mi serce zamarło, bo tam, na brzegu, był jeden wielki ogień między domami...»

Koło pierwszej wyszedłem z Walmannem na pokład, chociaż pani Elsa wolała, byśmy nie ruszali się z miejsca, bo przecież nic straszniejszego, jak się teraz pogubić. Było bardzo zimno, «Bernhoff» płynął przez gęstą mgłę, mróz, wszędzie sople na rurach i poręczach, relingi oblodzone. W dole, przy burcie «Bernhoffa» czyjeś wołania, płacz, zobaczyliśmy dużą barkę, w której roiło się od krzyczących ludzi. Z pokładu «Bernhoffa» rzucono drabinkę sznurową, nikt się jednak nie kwapił do wchodzenia. Czyż mogło być zresztą inaczej? Tyle kobiet z dziećmi, wszyscy bali się, że spadną do wody, marynarze musieli przy pomocy bomu wciągać na górę całe rodziny jak worki z pszenicą. Skulone z zimna dzieci nie chciały wchodzić na kołyszący się pomost, wsadzano je tam siłą. Bardzo krzyczały".

Retz przewidywał, że „Bernhoff" będzie płynąć co najwyżej trzy – cztery dni, nawet jeśli obierze kurs zygzakowaty, by uniknąć spotkania z łodziami podwodnymi, płynęli przecież – jak sądził – do Hamburga, więc nie powinno to potrwać dłużej. Kiedy wrócił z Walmannem do ładowni, owinął się pledem i usiadł na skrzyni. Pozostawało tylko drzemanie. Ludzie leżeli na kołdrach, brezentowych płachtach, platformach z desek przykryci płaszczami, kocami, futrami. Niektórzy podparci na łokciu nerwowo wsłuchiwali się w dudnienie motorów. Bano się ataku torped. Retz chwilami przypominał sobie, jak na wakacjach w dwudziestym dziewiątym topił się koło Brösen i wtedy zimne dreszcze chodziły mu po plecach. Pamiętał, co stało się z „Gustloffem" i „Steubenem".

Gdy rozmieszczono uciekinierów z barki na dolnym pokładzie, w ładowni zrobiło się tłoczniej. Pani Walmann poszła na pomost rufowy, by zobaczyć czy nie ma tam więcej miejsca, ale było tam tak samo jak na śródokręciu. W korytarzu spotkała Liselotte Peltz. Ucieszyły się z tego spotkania. Chciała, by Liselotte dołączyła do nich, ale natrafiła na dziwny opór. Wracając, zobaczyła jak pani Peltz, wtulona w rude futerko, łapczywie gryzie brunatną kromkę, ukrywając to przed wszystkimi.

Dziewczynki były spokojne, dopiero koło drugiej zaczęły grymasić. Skarciła je, ale nie na wiele to się zdało. Rozwiązała płócienny ręcznik z chlebem, obrała jaja na twardo. Pan Walmann, chcąc je rozchmurzyć, cichutko zagwizdał przez zęby śmieszną piosenkę o Heidelore. Pani Elsa wyjęła jabłko, powolutku je obrała i podzieliła na cztery części.

Pan Walmann zapytał, czy Retz wie, jak daleko doszli już Rosjanie, ale Retz dokładnie tego nie wiedział. Chyba są już pod Köslin, a może nawet dalej. „I co pan będzie teraz robił?" „Ja?" – Retz trochę się zdziwił, bo od wczoraj miał takie wrażenie, jakby przenosił swoje ciało z miejsca na miejsce niczym bagaż. To rozdwojenie było chwilami bardzo przyjemne, bo wszystko – siebie i innych – widział jak zza szyby. Ale teraz musiał coś odpowiedzieć. „Co będę robił? Lekarzy zawsze brakuje". Pan Walmann przyznał mu rację. Potem zamyślił się. „Ciekawe, czy jak człowiek umiera, potrafi sobie przypomnieć smak tytoniu? Jak pan myśli?" Retz pogrzebał w kieszeniach, ale nie znalazł suszonych śliwek, które wczoraj rano wetknęła mu pani Wirth.

Płynęli we mgle, a jednak koło trzeciej z białych oparów wynurzył się mały samolot i ostrzelał pokład. Wołano lekarza, więc Retz ze swoją walizeczką poszedł na dziób, gdzie znajdowały się pomieszczenia lazaretu. Rwano prześcieradła, by

tamować krew. W ładowni wszyscy mówili o łodziach podwodnych. Ludzie wstawali z posłań i nerwowo chodzili między tobołami i skrzyniami. O pół do czwartej okręt zadrżał.
We mgle przeleciały cztery cienie i po obu stronach kadłuba
wzniosło się kilka słupów wody. Retz nie przerywał pracy.
Przewiązywał bandażami czyjeś przestrzelone płuca. Po piątym czy szóstym wybuchu okręt znów zadrżał, podłoga przechyliła się, niklowane narzędzia zjechały ze stołu na podłogę,
ranni zaczęli krzyczeć, zabrzęczał dzwonek alarmowy. Retz
nie wiedział, co zrobić, bo sanitariusze wybiegli na pokład,
poczuł zapach palącej się nafty, zdołał zawrócić kilku, podłoga znów się przechyliła. Wezwał żołnierza z karabinem, ale
uciekinierzy z pierwszej ładowni odepchnęli go pod ścianę.
Dopiero gdy żołnierz wystrzelił w powietrze, udało się umieścić w łodzi paru rannych. Skrzypnęły sznury, szalupa została
opuszczona na wodę.

Kadłub „Bernhoffa" przechylał się coraz bardziej na prawą burtę. Retz patrzył z szalupy na nadbudówkę śródokrę-
cia, z której zaczęły wydobywać się chmury brudnożółtego
dymu. Po chwili, na rufie przesłoniętej smugami ciemnego
ognia, dostrzegł Walmannów. Pan Walmann próbował dostać
się do łodzi ratunkowej zawieszonej na bomie za drugą ła-
downią, ale płomienie zagrodziły mu drogę. Pani Walmann
stała wśród krzyczących kobiet, przyciskając do siebie obie
dziewczynki. Potem okręt przestał się przechylać. Czarny
kadłub zamarł jak skała pochylona nad jeziorem, ludzie jednak wciąż cofali się przed płomieniami w stronę relingów, bo
powietrze nad pokładem aż falowało od gorąca. Kiedy ogień
ogarnął prawie całą nadbudówkę rufową, kilku mężczyzn
skoczyło do wody. Dziewczynki objęły mocno matkę. Pan
Walmann najpierw oderwał od niej Marię i zepchnął z pokładu. Potem to samo zrobił z Ewą. Uderzyły w wodę i już się
nie wynurzyły. Wtedy Pani Walmann zaczęła krzyczeć, ale
Retz ujrzał tylko jej otwarte usta, bo krzyk utonął w wyciu

rannych. Walmann pociągnął ją do relingu, chwyciła się poręczy, nie mógł oderwać jej rąk, szarpnął, upadli, potem popchnął ją, koziołkując w powietrzu ciężko uderzyła w wodę i już nie wypłynęła. Skoczył za nią, ale nie mógł dopłynąć do miejsca, gdzie zniknęła pod wodą, bo wszędzie rozlały się plamy płonącej nafty. Ludzie, których dotknął płomień, rzucali się jak poparzone ryby. Walmann dopłynął do szalupy, wołał coś do Retza, chwycił za burtę, ale marynarz odpychał wiosłem wszystkich, którzy chcieli dostać się na łódź pełną rannych. Tak go Retz zapamiętał: skrzywiona twarz uderzona wiosłem...

Czytając list Retza, Hanemann doznawał dziwnych uczuć. Bardzo go zdziwiło to, że tam, wtedy, tamtej nocy na „Bernhoffie", ktoś o nim mówił i myślał, choć przecież nie było w tym niczego niezwykłego. Przez moment poczuł się winny, że nie popłynął razem z nimi. Wyrzucał sobie, że przecież mógł ich zatrzymać na przystani; gdyby to zrobił, nie stało by się przecież to, co się stało. Ale zaraz tylko pokręcił głową: cóż za głupstwa, któż mógł wiedzieć, że wszystko tak się skończy. Przecież to właśnie oni mieli większe szanse niż ci, którzy zostali. W końcu tysiącom udało się dotrzeć do Hamburga, Bremy, Rostocku, Wilhelmshaven. Przez mgnienie wyobraził sobie dno morza: na szarym piasku, gdzieś pod Bornholmem, ślad dziecięcej dłoni, ptasi odcisk, kilka kostek ułożonych promieniście... Ewa, Maria... Ale w tym rozżaleniu było coś jeszcze, co dotknęło serca niedobrym, rozgrzewającym muśnięciem. Litość? Serce ogarnęła fala chłodnego rozdrażnienia. Patrzył na list Retza, nie pojmując swoich uczuć. Chciał współczuć, chciał oskarżać siebie, chciał jakoś zmazać swoją winę. Lecz jeśli oni – pomyślał nagle – postąpili dużo mądrzej niż on – płynąc wtedy nocą na ten niewidoczny w ciemności okręt?

Parę tygodni zwlekał z odpowiedzią na list Retza. Dopiero na początku lutego napisał kilka uprzejmych słów, ale nie chciał zbyt wiele pisać o sobie, więc list właściwie składał się z samych pytań. Latem nadeszła odpowiedź. Pani Hildegarde Müller, asystentka profesora Jurgena T. Wolffa, w krótkim liście donosiła, że doktor Martin Retz zmarł w marcu na raka płuc w bremeńskiej klinice Lebensteinów. Bardzo cierpiał, lecz ból znosił mężnie, czym zaskarbił sobie wdzięczną pamięć personelu medycznego z oddziału III C.

Hanemann długo trzymał w palcach liliową kartkę z nadrukiem „Klinika Lebensteinów. Bremen. Bahnhofstrasse 33". Pismo pani Müller było bardzo piękne: równiutkie, pochyłe, bez zbędnych ozdób. Podpis przypominał garstkę czarnej trawy.

Więc to właśnie do tego portu odpływał parowiec „Friedrich Bernhoff" z redy w Neufahrwasser tamtej zimowej nocy, kiedy to nad Brösen płonęły rakiety, oświetlając port jaskrawym błękitnym blaskiem, a obserwatorzy ze wzgórz Müggau przesuwali o dwie podziałki w lewo celowniki haubic ustawionych na Zigankenbergu?...

Wezwanie

Hanemann otrzymał wezwanie we środę. Podpisał kwit nie patrząc na listonosza, oddał kopiowy ołówek, potem zamknął drzwi i przekręcił klucz. Cichnące kroki na schodach. Oczy tego człowieka. Nie miał złudzeń: Tak patrzy się na tych, których dotknęła niełaska.

Do Gdańska pojechał o jedenastej.

„Panie Hanemann – w pokoju było gorąco, uchylone okno, na ścianie orzeł, mężczyzna w ciemnym garniturze otworzył tekturowy skoroszyt – Pan niedawno otrzymał list z Danii?" Hanemann potwierdził ruchem głowy. Szybko obliczył dni. Duński marynarz odwiedził mieszkanie pani Stein na Klonowej tydzień temu, dokładnie w piątek po południu, dziś jest czwartek. „Co to był za list, można wiedzieć?" – mężczyzna przekładał kartki zapisane zielonym atramentem, na stole bibuła, kałamarz w drewnianej oprawie, lampa z żelaznym kloszem. Hanemann wyjaśnił, że list dotyczył wyłącznie spraw osobistych. „Kto był nadawcą?" Zawahał się przez chwilę. „Mój były asystent, Martin Retz, który obecnie mieszka w Hanowerze, gdzie zamierza otworzyć praktykę lekarską". Mężczyzna uniósł brwi. „Jeśli to był, jak pan mówi, list od Martina Retza, byłego asystenta z Instytutu Anatomii i dotyczył spraw wyłącznie osobistych, to dlaczego nie został wysłany pocztą?" Hanemann przyznał, że nie potrafi odpowiedzieć na to pytanie, jak jednak przypuszcza, zapewne Martin Retz skorzystał z możliwości przesłania listu dzięki pomocy duńskiego marynarza, by zaoszczędzić parę marek. Mężczyzna wzruszył ramionami. „Czy chce pan powiedzieć, że ktoś otwiera pana listy i dlatego woli pan nie korzystać z usług naszej poczty?" Dopiero w tej chwili Hanemann poczuł szybsze bicie serca. „Nic mi o tym nie wiadomo".

Mężczyzna wstał zza biurka i podszedł do okna. Za szybą ciemny gmach Marienkirche i wieża spalonego Ratusza. Po lewej, przy Karrenwall, tam, gdzie przed trzydziestym dziewiątym stała synagoga z kopułą podobną do mosiężnej cukiernicy, na zakurzonym placu paru robotników układało w pryzmę cegły wyciągnięte z ruin. Na murze ocalałego domu przy Złotej Bramie powiewał naddarty plakat: „...zaplute karły..." Takie plakaty Hanemann widział też na murach w Oliwie i w Langfuhr, nie bardzo jednak wiedział, do kogo się odnoszą. Zapewne do tych, których nowe władze uznają za swych wrogów.

„Panie Hanemann, nie chodzi tylko o list – mężczyzna odwrócił się. Przez chwilę obracał w palcach zieloną obsadkę. – Niech mi pan powie, dlaczego właściwie pan nie wyjechał?" Ach, więc to po to go tu ściągnęli... „Zapewne czyta pan nasze gazety, więc wie pan, że pańska ojczyzna nie zmieniła się tak, jak powinna. Na wschodzie zmiany są widoczne i cieszą nas. Jednak Hanower... Powracają do władzy ludzie, których należy postawić przed sądem... a pan otrzymuje od nich listy. Czy nie powinien pan rozważyć możliwości..."

Hanemann patrzył przez okno. Spaloną wieżę Ratusza oplatały rusztowania z sosnowych desek. Na dachu kamienicy przy Ogarnej paru ludzi układało dachówki świecące świeżą czerwienią.

„Czy pan mnie słucha?" – w głosie mężczyzny zabrzmiało zniecierpliwienie. Hanemann spojrzał na swoje dłonie. „Moja siostra zginęła pod Dirschau w styczniu czterdziestego piątego. Za Odrą nie mam żadnej rodziny. Więc po co miałbym tam jechać?" Mężczyzna zaczął chodzić po pokoju. „Twierdzi pan, że to myśmy zabili pańską siostrę?" Hanemann przymknął powieki. Czego właściwie chce ten człowiek? Mężczyzna zatrzymał się przy biurku. „Niepokoi nas to, że pan tak dobrze mówi – wedle waszego określenia – językiem podludzi." Hanemann skrzywił się. Miał już dosyć tej rozmowy. Przez moment poczuł ulgę na myśl, że wpakują go do wagonu i wywiozą gdzieś na zachód, bo o wschodzie na razie nie było mowy. W końcu życie jest wszędzie. Nie kiwnie nawet palcem w swojej obronie. „Nie myślę o wyjeździe. Jeśli jednak zostanę stąd wyrzucony..." Mężczyzna przerwał mu. „Nikt nie zamierza pana wyrzucać. Chodzi tylko o to, by pan rozważył, czy nie lepiej by było..." Hanemann poczuł przypływ rozdrażnienia. „Dziwi pana, że mówię tak dobrze po polsku. Odpowiem panu: to, że mówię po polsku, jest takim samym przypadkiem, jak to, że mówię po niemiecku. Moja rodzina ze strony matki pochodziła spod Posen. Przed wojną, podczas studiów w Berlinie i potem w Danzig, znałem się z paroma Polakami. Ale czy to ma jakieś znaczenie? Ja mówięc też dość dobrze po francusku. Ojciec pochodził z Alzacji". Mężczyzna przypatrywał mu się uważnie. „Prawdziwie mnie pan zaciekawia, panie Hanemann. I jeszcze jedno: Dlaczego nie wrócił pan do pracy w Akademii? Przecież pan wie, że pracuje tam wciąż sporo pana rodaków. Mówiono mi, że obsługują rentgen. Są też pielęgniarki..." Hanemann nie poruszył się. „Nie zamierzam wracać do Akademii. To tyle. Powody są nieistotne i z pewnością nie zainteresują pana". Mężczyzna uśmiechnął się. „Kto wie... A tak na marginesie: z czego pan ma zamiar żyć, jeśli już się pan tak upiera przy tym, by zostać?"

Hanemann pomyślał o domu na Lessingstrasse. Chociaż nie liczył na wiele, miał jednak wbrew wszystkiemu nadzieję, że zostawią go w spokoju. Właściwie czym się różnił od innych mieszkańców dzielnicy między Kronprinzenallee, Pelonker Strasse i Katedrą? Może tylko odrobinę twardszym akcentem. Tak przynajmniej sądził. Wydawało mu się, że utonął wśród ludzi i nikt nie będzie sobie zaprzątał głowy jego osobą. Nosił taki sam płaszcz w jodełkę jak choćby pan K., którego rzeczy wniesiono niedawno na piętro do kamienicy Bierensteinów. Kiedy patrzył w lustro, widział mężczyznę, jakich wielu można było spotkać na ulicach Langfuhr. A jednak teraz poczuł żal do siebie, że został, że nie miał w sobie dość siły, by udać się z walizką lub bez na dworzec, gdzie ostatni Niemcy z okolic Jäschkentaler Weg wsiadali do wagonów z tablicą „Gdańsk-Koszalin-Szczecin". Liczył, że upodobni się do tła. Tymczasem teraz ten człowiek patrzył na niego tak, jak się patrzy przez powiększające szkło na owady. Ręce, nogi, ramiona – wszystko to zogromniało niczym włoski na odwłoku pszczoły oglądane przez silną soczewkę. Nienawiść...

„Przecież dobrze pan wie, czym się zajmuję". Mężczyzna uśmiechnął się. „No, niech się pan nie unosi. Oczywiście, że wiem. Chcę tylko być pewien, czy jest pan ze mną szczery".

Miał gładko zaczesane do tyłu włosy, wysoko podgolone nad uszami, ślady zadrapań na szyi, ciasny kołnierzyk, krawat z grubym węzłem. „Niech pan robi to, co pan robił dotychczas. Nam to nie przeszkadza". Hanemann wciąż nie mógł zrozumieć, dlaczego został wezwany. Mężczyzna oparł dłonie na biurku. „Oczywiście, jeśli nadal będzie pan utrzymywać niedobre kontakty, może mieć pan kłopoty. Faszystowscy agenci z uwagi na pana uzdolnienia zapewne zechcą się do pana zbliżyć". A więc groźba?... Mężczyzna spojrzał na swoje paznokcie. Hanemann odwrócił głowę. „Nie mam zamiaru do kogokolwiek się zbliżać". „O, od razu irytacja – mężczyzna wyrozumiale przyglądał mu się przez chwilę. – I reaguje pan nierozważnie. A jeśli trzeba czasem pozwolić, by ktoś się do nas zbliżył? Zło, którego nie znamy, jest stokroć groźniejsze od zła, które zdołaliśmy rozpoznać. W końcu znał pan, i to chyba dobrze, Alberta Posacka, Brosta, Teclava czy paru innych. No, był ten Rauschning. Ale to chyba nie miało specjalnego znaczenia, prawda? Rozmawialiście podobno o muzyce..." A więc wiedzą i to także. „Zapewne socjaldemokracja nie jest wyborem najtrafniejszym, lecz przecież wolał pan to od koloru brunatnego. Podobno powiedział pan parę mocnych słów w obecności Greisera czy Forstera. Czy tak?"

Więc wiedzieli. Pewnie są u nich ludzie z Wolnego Miasta, ukrywanie czegokolwiek nie ma sensu. Ale kto? Ci, których spotykał na Lessingstrasse, w większości przybyli z daleka. Pani Stein? Nonsens. Więc może nauczyciel gimnazjalny, pan J.? Co za głupstwa. Pamięć nerwowo tasowała obrazy twarzy. Lęk jednak ustąpił. Przecież czy to nie wszystko jedno, skąd wiedzą?

Mężczyzna oparł się o framugę okna. „Więc nie ma pan już tego listu z Hanoweru?" „Nie" – odpowiedział machinalnie, chociaż nie było to zgodne z prawdą. „Spalił go pan?" „Tak, spaliłem" – głos Hanemanna stwardniał. „Dziwne – mężczyzna podszedł do biurka. – Palić list asystenta, dotyczący spraw wyłącznie osobistych. Po co? Nie wierzę więc panu. Pan ma ten list. Na pewno. Ale to nie jest już ważne. Niech go pan sobie zachowa. Nam nie jest on potrzebny do niczego". Mężczyzna zamknął tekturowy skoroszyt i przewiązał okładki szarą tasiemką. „Na tym możemy więc zakończyć. Rozumiem, że nie ma pan zamiaru w najbliższym czasie opuszczać Gdańska?" Hanemann poczuł chłodne dotknięcie blisko serca. „Nie, nie mam zamiaru". „To dobrze. Bo gdyby zaszła potrzeba…" „Nie mam zamiaru wyjeżdżać – powtórzył Hanemann. – Może być pan spokojny, że zawsze mnie pan znajdzie na Lessingstrasse". „Chciał pan powiedzieć: na ulicy Grottgera?" „Tak, na ulicy Grottgera". „To dobrze, tymczasem więc do widzenia. Proszę, tu jest pana przepustka. Zostawi pan to na portierni". Hanemann odebrał druczek. „Gdyby zaś chciał się pan ze mną w jakiejś sprawie skontaktować, proszę dzwonić pod wewnętrzny 27. Do porucznika Karkosza". Hanemann milczał. „A, i jeszcze jedno. Gdyby pan miał ochotę odwiedzić kiedyś w Hanowerze asystenta Retza, myślę, że byłoby to możliwe. Niechże się więc pan nad tym zastanowi. Nie będziemy stawiać przeszkód…"

Wracając dwójką na Lessingstrasse, Hanemann długo rozważał każde słowo, które usłyszał na trzecim piętrze gmachu przy Okopowej i nie mógł się oprzeć wrażeniu, że upływ czasu jest tylko złudzeniem. Przecież parę lat temu… Tak, parę lat temu tramwajem linii 3 powracał na Lessingstrasse z podobnego spotkania, chociaż miało ono nastrój dużo bardziej przyjacielski, bo Johann Plesner, który zaprosił go do swego domu na Breitgasse 4, był wciąż tym samym młodzieńcem, z którym znali się jeszcze z berlińskich czasów, choć zamienił biały uniform lekarza na stalowozielony mundur urzędnika policji, obejmując odpowiedzialne i cieszące się powszechnym szacunkiem stanowisko komendanta komisariatu w dzielnicy Osiek. Reńskie wino, które matka Johanna podała tego wieczoru w dużym pokoju, było prawdziwie wyborne, a ciepły zapach brzozowych bierwion palonych w kaflowym piecu, pamiętającym jeszcze czasy Wielkiego Fryderyka, rozkosznie rozleniwiał ciało i duszę. Ach, te wspomnienia, dobroduszne sprzeczki, burszowskie żarty! Dopiero po jakimś czasie, gdy wino znikło z kieliszków, a na paterze ozdabiającej stół pojawiły się trójkątne kawałki orzechowego tortu, w głosie Johanna zabrzmiały tony bardziej rzeczowe. Czyż bowiem – mówił Johann – Hanemann nie zna tego trudnego wschodniego języka w stopniu równie doskonałym jak slawiści z Dresden? Więcej nawet! Z pewnością zaufanie samego Reichsführera, jakim się oni cieszą, może budzić usprawiedliwioną zazdrość, a jednak baczniejsze ucho kogoś, kto mieszka w nadgranicznej prowincji Pommern, bez trudu wychwyci w ich mowie dźwięki wyraźnie twardsze od tych, w których gustują ludy zagrażające od wschodu prastarej kulturze Niemiec. Że duch tej kultury jest wielki, dowodzi choćby historia samej rodziny Hanemanna, w której nawet pewna doza słowiańskiej krwi (któż z nas może poszczycić się absolutną czystością rasy?) nie przeszkodziła wejść czcigodnym przodkom do wielkiego gotyckiego domu wiecznych Niemiec.

Hanemann słuchał tego wszystkiego z kieliszkiem w palcach i uśmiech nie schodził mu z twarzy. Ach, ten Johann. Czy on się nigdy nie zmieni? Zawsze to chłodne lśnienie na dnie wesołych oczu rdzennego Bawarczyka. Tymczasem Johann po przypomnieniu zasług rodu Hanemannów w medycznych służbach armii króla Prus przeszedł do spraw bardziej współczesnych – bo przecież nie można zapominać o trudnościach, na jakie napotyka dziś narodowa misja w mieście, które – jak na ironię – zostało przez Anglików i Francuzów nazwane Wolnym. Przeklęty Wersal! Nadszedł już czas, by zbliżyć się do kręgów nam nieprzychylnych i poznać… Johann miał na myśli naczelnika Brzostowskiego z polskiej poczty na Osieku, który od niedawna mieszkał w domu Grety Schneider koło pętli w Oliwie.

Gdy dwójka jadąca z Danzig do Langfuhr mijała gmach Anatomii i za szybą przesunęły się ciemne ściany Instytutu, Hanemann odwrócił oczy. Nie chciał widzieć szarej fasady. Za oknem, po drugiej stronie jezdni, ujrzał stojący na kamiennym cokole, świeżo pomalowany zieloną farbą, rosyjski czołg z białym orłem na wieżyczce. A więc tak wyglądał ten „tank", o którym wspominała pani Stein... Na pancerzu leżały zwiędłe czerwone i białe goździki. Dwoje dzieci bawiło się w piasku obok gąsienic. Starsza kobieta siedząca na ławce wołała coś do nich bezgłośnie.

Zapowiadał się piękny, upalny dzień.

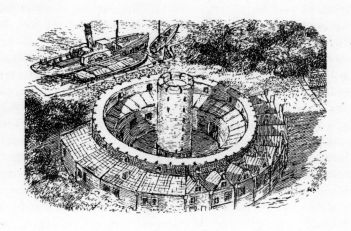

Las Gutenberga

Czytałem powoli, cierpliwie przesuwając palcem po długich rządkach gotyckich liter – bo rodzice pragnęli bym w Poznaniu, przed egzaminacyjną komisją, zabłysnął nie tylko dobrym akcentem, lecz i znajomością dawnego pisma – a Hanemann, ilekroć tylko zawahałem się, jak wymówić nowe słowo, czubkiem żółtego ołówka „Kohinoor" wskazywał sylaby, które powinienem powtórzyć raz jeszcze. Cóż z tego! Gotyckie M, splecione z czarnych wstążek, wciąż myliło mi się z W i podwójnym S, abrewiaturą dziwną i podstępną, uparcie podobną do czcionki F, choć przecież wszystko mogłem sobie przećwiczyć już dużo wcześniej w pokoju ojca, gdzie, obok Biblii drukowanej cyrylicą, stał na półce protestancki modlitewnik z Powiśla, drukowany po polsku, ale gotykiem.

A jednak – mówił dalej Andrzej Ch., germanista, którego po latach spotkałem na uniwersytecie w Bremie, gdzie prowadzi seminarium z kultury Europy Środkowowschodniej dla czekoladowych chłopców z Bahrajnu i skośnookich dziewczyn z Tajlandii – a jednak ta bolesno-słodka przyjemność trudnego czytania, jaką odczuwały moje oczy, oczy szesnastoletniego chłopca z ulicy Bohaterów Westerplatte, powolutku sunące przez pola szwabachy, kolczaste łany fraktury, ciasno splecione łańcuchy gotyku, ta bolesna przyjemność nabrała z czasem barw, jakich nawet nie przeczuwałem, przychodząc po raz pierwszy do mieszkania na piętrze przy Grottgera 17. Bo kiedy Hanemann, znużony monotonią gramatycznych ćwiczeń, w których – muszę to przyznać – nie zawsze okazywałem należytą pilność, miał już dosyć repetycji i recytacji, zapraszał mnie – uśmiechając się do siebie – do, jak mówił, Lasu Gutenberga; lecz nie, nie chodziło wcale o las na zachodnich zboczach Jaśkowej Doliny, noszący taką właśnie nazwę.

Podchodził wtedy do mahoniowej szafy z kryształowymi szybkami, wyciągał przypadkowy tom, zwykle z półki, na której stały książki z lat trzydziestych, oprawne w zbrązowiały półskórek i mocne płótno, przez moment wahał się, czy wybór go zadowoli, a gdy rzecz trafiała w nastrój chwili, podawał mi gruby tom, nie po to jednak bym wziął się do tłumaczenia – o nie! na to było jeszcze za wcześnie – lecz bym poczuł w dłoniach ciężar tomu o złocistociemnych brzegach i dotknął żółtawego papieru o dziwnej nazwie „jawa", powolutku zbliżając się do spraw, które dopiero miałem poznać.

Cóż bowiem moje szesnastoletnie serce mogłoby znaleźć dla siebie w pięknym zurychskim wydaniu *Rewolucji nihili-*

zmu Rauschninga, chociaż Hanemann, gdy ta właśnie książka trafiła do jego rąk, pokręcił głową z gorzkim półuśmiechem, jakby pod czerwoną okładką z czarnymi literami gotyckiego tytułu kryło się coś prawdziwie cennego? Co innego historia muzyki w dawnym Gdańsku, dzieło tego samego Rauschninga, które zachwyciło mnie sepiową fotografią organów z Marienkirche na pierwszej stronie. Kiedy Hanemann spokojnym, miarowym głosem, powoli, tak bym mógł zrozumieć jak najwięcej, zaczął czytać fragment pierwszego rozdziału i w pokoju na piętrze przy Grottgera 17 zabrzmiały długie germańskie okresy, rozumiałem niewiele, rzecz była pełna technicznych terminów z historii muzyki, a i sam temat nie wzbudził we mnie szczególnie żywego odzewu, on jednak czytał dalej, bo przecież – jak mówił – tylko wtedy nauczymy się pływać, gdy zaczniemy na głębokiej wodzie. Potem, gdy wziął się do tłumaczenia i nagle melodia opowieści o kościelnych kapelach w dawnym Gdańsku zderzyła się z melodią przekładu – zderzenie, którego dotąd nie wyczuwałem nawet w głośnym czytaniu, a cóż dopiero w czytaniu oczami – powoli zaczął się przede mną odsłaniać sekret obcości, różnica tonu, dużo ważniejsza niż różnica znaczeń, bo dotkliwie bliska, taka, którą każdy z nas sprawdza w głębi piersi instrumentem własnego ciała, zawsze, mimo najlepszych chęci, zazdrośnie strzegącego tego, co własne.

Ale to wszystko były tylko próby, wstępne przybliżenia, które więcej obiecywały niż spełniały, więc poddawałem się im cierpliwie, czując wciąż cielesne oddzielenie od obcego piękna, które przyjmowałem trochę na wiarę, chociaż coraz więcej słów rozjaśniało się we mnie podwójnym, a nawet potrójnym, znaczeniem. Odsłaniała się przede mną splątana architektura fraz, wsparta na fundamencie słów zawsze za długich – o tym nie wątpiłem – bo czym właściwie była nasza „Konstantynopolitańczykowianeczka", którą mogliśmy zaszachować każdego, kto narzekał na nasze polskie stacatto, wobec „Einführungsfeierlichkeit", „Elementarunterricht" czy „Haushaltungsvorstand" – słów brzmiących jak stukot pociągu jadącego po kilometrowym moście nad Wisłą pod Tczewem? Wszystkie te przybliżenia uczyły mnie respektu dla mocnych wiązań cudzej mowy, ale moje serce w chwilach, gdy ucho zanurzało się w świat obcych brzmień, pozostawało kompletnie nieczułe na uroki akcentowań i modulacji, i tylko z zimnym zainteresowaniem śledziłem w głosie Hanemanna nowe obroty składni, która – pozornie wzbierając bogatymi znaczeniami – naprawdę była dla mnie pusta, jak rusztowanie czekające dopiero na budowę domu.

I było tak zazwyczaj. Lecz któregoś wrześniowego dnia, gdy z obojętną cierpliwością czekałem na kolejną próbę, ręka Hanemanna, w której pojawił się tom oprawny w zielone płótno, zawahała się, czy aby to, co się w niej znalazło, nie powinno powędrować z powrotem na półkę, ale nie, Hanemann zamyślił się – dostrzegłem w jego twarzy coś, czego dotąd nie zauważyłem: jakieś ledwie uchwytne złagodnienie rysów – zamyślił się, lecz gdy już – jak mi się zdało – miał odłożyć zieloną książkę na miejsce, szybko mi ją podał.

Były to listy Kleista w dobrym wydaniu Ericha Schmidta, Georga Minde-Poueta i Reinholda Steiga z 1906 roku, książka, po którą i dzisiaj chętnie sięgam. I naraz słuchając, jak Hanemann swoim spokojnym, ściszonym głosem zaczyna czytać list poety o imieniu Heinrich do pani Adolfiny Henrietty Vogel, poczułem, że obce słowa, które dotąd były tylko zimnym, kunsztownym ornamentem znaczeń, dosięgają mojego serca. Była w tych słowach dorosłość, o której marzyłem, ale dorosłość ciemna, której nigdzie wokół siebie nie potrafiłem dostrzec, dziwnie poważna, boleśnie groźna dorosłość, a jednak przeniknięta jakąś budzącą lęk żarliwą dziecięcością, która pociągała mnie i odpychała równocześnie, i dopiero po dłuższej chwili zdałem sobie sprawę, że może ta dziwnie poważna, ciemna barwa, promieniująca ze słów poety o imieniu

Heinrich, wcale nie rodzi się we mnie, lecz tylko we mnie dobrzmiewa, bo Hanemann – to też dostrzegłem dużo później – czytał dziś inaczej niż zwykle, chwilami jakby zapominając, że to przecież tylko językowe ćwiczenie, które ma mnie wprowadzić w zagadki niemieckiej składni, nic więcej.

Nie mogłem uchwycić całości cudzego życia, które odsłaniało się przede mną w urywkach miłosnych wyznań, ale z tego, co słyszałem – a były to fragmenty listów ostatnich – tchnęło coś zaraźliwego, odbierającego spokój, a równocześnie w niepojęty sposób uciszającego. Jakaś rozdzierająca sprzeczność, która wstrząsała nieskończenie wrażliwą duszą tego dziwnego mężczyzny, który pisał do pani Vogel, współbrzmiała z tym, co przeżywałem, a co tłumiłem w sobie jako słabe i niemęskie. Ale teraz to, czego się zawsze wstydziłem, objawiło się w dziwnie mocnej, spokojnej formie; uczucia miłości, wrogości, nadziei, rozhuśtane do kresu, które budziły lęk swoją chaotyczną bezkształtnością, w głosie nieznajomego poety nabierały jakiegoś mocnego, krystalicznego piękna. Och, nie, wtedy nie potrafiłem tego tak nazwać, wtedy tylko przeżywałem rzeczy splątane i mgliste: szaleńcze rozpętanie pragnień, miłość, drżenie, pożądanie szybkiej śmierci – ale wszystkie te uczucia, jak je nazywał Goethe: chore, w mocnej frazie listu wydały mi się właśnie czystą naturalnością serca, które żyło naprawdę.

A gdy potem zapytałem o nieznajomego poetę, Hanemann opowiedział mi o chłopcu – tak, o chłopcu w mundurze pruskiego oficera – zranionym, skłóconym ze wszystkimi, odepchniętym przez rodzinę i przyjaciół, chłopcu, który znalazł w równie wrażliwej dziewczynie oparcie mocniejsze niż świat.

I nigdy, ani przedtem, ani potem, nie odczułem żywiej słodyczy marzenia o śmierci, jak wtedy, gdy rozmyślałem o tamtej śmierci, która zdarzyła się nad Wannsee 21 listopada 1811 roku, śmierci chłopca i dziewczyny, którzy najpierw napisali te piękne, szalone listy, czytane teraz zmienionym głosem przez Hanemanna, a potem odebrali sobie życie nad brzegiem jasnego jeziora. Coś otamowanego, coś głęboko uwięzionego w duszy uwalniało się – oddawałem się temu prądowi z uległością obraźliwą dla świata, gotów nawet ułożeniem warg wyrazić pogardę wobec wszystkich wystudzonych, ostrożnych i przebiegłych, ale gdy tak zapadałem się w słodką ciemność (bo połową duszy dobrze wiedziałem, że robię coś, czego będę później gorzko żałować), nie potrafiłem dostrzec, że w tej podróży nad dalekie jezioro nie jestem sam, że także Hanemann odnajduje w głosie Henrietty, że w tym zranionym kobiecym głosie odnajduje coś głęboko własnego, wstydliwego, co łączy go ze mną, szesnastoletnim chłopcem i pewnie dziś bym powiedział, że obaj – on i ja – powracaliśmy w jakąś słoneczną, dobrą epokę, której naprawdę nigdy nie zwiedziliśmy sercem, ale która istniała, która musiała istnieć i teraz – słowa listów były tego dowodem – otwierała się przed nami.

I chyba to się jakoś łączyło z dawnymi sprawami, o których nic nie wiedziałem, bo kiedyś, któregoś popołudnia, gdy w albumie z fotografiami Wolnego Miasta natrafiłem na brązowe zdjęcie mężczyzny w białej marynarce i kobiety w długiej, sięgającej do kostek sukni z ciemnego krepdeszynu, gdy natrafiłem na to zdjęcie dwojga ludzi, którzy szli środkiem mola w Glettkau w stronę niewidocznego fotografa, a za nimi widać było wysoki oflagowany maszt przystani i biały spacerowy statek z napisem „Stern" na kadłubie, więc gdy zobaczyłem to zdjęcie, radośnie uderzony szczęśliwym odkryciem zawołałem: „Przecież to pan!" – i Hanemann podszedł do mnie, a potem pochylił się nad brązową fotografią z podpisem „Glettkau. Przystań na molo", dostrzegłem to samo ledwie uchwytne złagodnienie rysów, jakie dostrzegłem na jego twarzy w tamtej chwili, gdy ręka machinalnie wyciągnęła spomiędzy tomów na półce książkę oprawną w zielone płótno.

I teraz, gdy Hanemann powoli, ściszonym głosem, czytał ostatni list Kleista, wciąż widziałem tamtą brązową fotografię z gotyckim podpisem. „Glettkau"? Cóż to za nazwa? Morze? Molo? Gdzie to było? I nagle: Ależ to przecież „Jelitkowo", molo, którego już nie ma – odległe obrazy spotkały się we mnie, złączyły się z pamięcią miejsc, które przecież tak dobrze znałem. Sciszony głos, pokój w zielonym półmroku, uchylone okno, w którym przy każdym powiewie od strony ogrodu falowała firanka, szelest brzozy ocieniającej tę stronę domu – wszystko to sprawiało, że wsłuchując się w opowieść o chłopcu i dziewczynie, którzy zabili się nad Wannsee, nie mogłem się oprzeć wrażeniu, że Hanemann opowiada o kimś, kogo dobrze zna, choć przecież mówił o chłopcu i dziewczynie, których już dawno nie było. A gdy tak mówił o nich słowami dawnego listu, gdy tak prowadził mnie przez swój Las Gutenberga – za prawdziwym Lasem Gutenberga na zboczach Jaśkowej Doliny, po którym tyle razy wędrowałem, otwierało się sine jezioro Wannsee, porośnięte dookoła czerwonymi klonami, wielkie, podobne do oka patrzącego w niebo, sine jezioro obrzeżone wąziutką zieloną łąką, a na tej łące pod czarnym świerkiem pani Vogel pisała list do Ernesta Fryderyka Peguilhena, prowadząc leciutko pióro po welinowym papierze ze znakiem wodnym książęcej manufaktury: „Prosiłabym, by Pan zamówił najpiękniejszą bladoszarą filiżankę, wewnątrz pozłacaną, obramowaną złotą arabeską na białym tle, u góry na białym polu ma być moje imię, a fason obecnie najmodniejszy. Jeśliby się Pan zwrócił z tym zamówieniem do buchaltera Mevesa w fabryce porcelany, proszę powiedzieć mu, by tę filiżankę zapakowano i doręczono Louisowi w wieczór wigilijny, lecz musiałby się Pan, mój drogi przyjacielu, z tym obstalunkiem pospieszyć, bo inaczej nie będzie gotowy na czas". „Bądźcie nam zdrowi, kochani przyjaciele i wspomnijcie w radości i cierpieniu tych dwoje osobliwych ludzi, którzy wkrótce rozpoczną swą wielką odkrywczą podróż". I gdy Hanemann ściszał głos tak, jakby to właśnie do niego mówiła ta dziwna kobieta, tak, jakby on sam był owym zagadkowym panem Peguilhen, o którym nic nie wiedziałem, obok jego głosu napiętego czułą uwagą i lekkim ściszeniem dającego znać, że dobiegająca z oddalenia prośba i pozdrowienie nie rozpłyną się w nicości, lecz znajdą odpowiedź, która nie zrani cierpiącego serca, obok tego głosu słyszałem drugi, wtórujący Henrietcie głos, głos nieznanego pruskiego oficera, który nie chciał być oficerem, głos chłopca, który został opuszczony przez wszystkich: „…znalazłem przyjaciółkę, której duch szybuje jak młody orzeł – jeszczem nigdy w życiu podobnej nie spotkał – pojmuje ona mój smutek, widzi w nim coś wyższego, głęboko zakorzenionego i nieuleczalnego, i dlatego, choć ma w swych rękach moc uszczęśliwienia mnie tu, na ziemi, pragnie jednak ze mną umrzeć… rozumiesz więc, że teraz całą moją radosną troską jest znaleźć przepaść dość głęboką, by wraz z nią się tam rzucić".

I gdy tak słuchałem głosu Hanemanna, widziałem ich oboje, Kleista i Henriettę, jego w błękitnym fraku, ją w białoróżowej sukience, lekko poruszanej ciepłym powiewem znad Wannsee, a w górze, nad nimi, nad gładką taflą sinego jeziora obrzeżonego lasem, rozjarzała się wąziutka ścieżka między obłokami, jasna ścieżka podobna do tej, po której lubiłem zbiegać z piaszczystego urwiska za Katedrą i pragnąłem, och, jak bardzo pragnąłem, być jednym z nich, czuć w sobie tę powietrzną radość, to uniesienie, które drżało w słowach Henrietty, tę niesamowitą spokojną pewność, że ścieżka wspinająca się między obłokami jak między lekkimi błękitnymi skałami z obrazów Caspara Davida Friedricha, że ta ścieżka nie prowadzi donikąd, że wspina się prosto w ognisko blasku, które nie jest słońcem, lecz lotną, podobną kwietnemu pyłowi, mgławicą, pełną uskrzydlonych dusz, trzymających się za ręce. A w dole Henrietta biegła w stronę jeziora przez tulipany i dzwonki o listkach tak wyraźnych, tak dotykalnych, jakby je cieniutkim pędzelkiem namalował sam Phillipp Otto Runge. I wszystko się mieszało w tym obrazie: żółte urwiska Rugii ginące nad horyzontem, Brama Brandenburska, jakiś niepowstrzymany, szalony pęd konia z łopoczącą jak sztandar grzywą, na którym mocno do siebie przytuleni pędzili – starzec z rozwianą brodą, z roziskrzonymi zielonymi oczami i chłopiec o twarzy płonącej gorączką, a wokół nich, w migotliwych przelotach, w rozbłyskach motylego wirowania, przemykały w strumieniach wichru białoramienne topielice w postrzępionych muślinach. A wszystkie te ruchliwe barwy i światła przenikał prąd gorącej krwi, którą nagle czułem w piersiach, budząc się w ciemnym pokoju na Obrońców Westerplatte 12, gdy wskazówka dotykała już szóstej i za moment bolesne terkotanie miało otworzyć przede mną nowy dzień, obiecując, że znowu ujrzę Annę, którą widywałem na schodach ogólniaka w towarzystwie zawsze roześmianej rudej dziewczyny i że może wszystko się uda, że będzie bolesne, słodkie, rozdzierające, wieczne...

Fraktura

O zmierzchu, po upalnym dniu, tynk, stygnący na fasadzie domu Bierensteinów, bezgłośnie pękał czarną pajęczyną cieniutkich linii. W pokoju na piętrze na książkach osiadały niewidoczne warstwy kurzu. Papier cierpliwie żółkł na marmurkowych brzegach stron, obrastał rdzawymi plamkami, ciemniał od dotknięć, bladł i szarzał pod okładką. Chmury toczyły się nad bukowymi wzgórzami w stronę Katedry.

O takiej porze Hanemann przysuwał fotel do okna.

Przed laty, wieczorami, gdy matka odkładała na półkę gruby tom, z którego odczytała właśnie kolejną baśń Grimmów, a potem, zgasiwszy światło, wychodziła z pokoju, zawsze mu się zdawało, że litery zniecierpliwione wiecznym trwaniem w tych samych rzędach, złaknione przygody, tylko czekają, by korzystając z ciemności, rozbiec się w głębi odłożonej książki, umknąć z akapitów, złączyć się w wesołe wieńce i czarne girlandy, spleść w nową opowieść, jakiej nigdy nie słyszało ludzkie ucho – więc rano, jak najszybciej tylko mógł, zdejmował książkę z półki i natychmiast ją otwierał, by przyłapać czarne znaczki na chwili nieobecności. Och, żeby chociaż raz po nocnych odysejach nie zdążyły wrócić na pustą stronę! A jeszcze gdyby to zobaczyła matka! Ileż by za to dał!

Teraz, ilekroć otwierał książkę, wiedział, że nie rozbiegną się pod palcami niczym pająki spod nagle uniesionego kamienia. A jednak czasem, jak w dzieciństwie, chciał, by to, co zapisane, nie było zapisane na zawsze. Opowieść, do której powracał, była prosta. Człowiek, który ją spisał, zdawał sprawę tylko z tego, co widział i słyszał. Tytuł umieszczony na górze strony złożono frakturą: *Zeznanie Stimminga, właściciela zajazdu „Pod nowym dzbanem" nie opodal Poczdamu*. Równe rzędy czcionek, odciśniętych w koblenckim papierze, układały się w zwartą kolumnę gotyckiego pisma. Hanemann unosił czerwoną wstążeczkę do zakładania stron, wygładzał kartkę. Gdy zaczynał czytać, ściszonego głosu Stimminga nie mąciły nawet dalekie odgłosy miasta:

„Była to środa, godzina druga po południu, dnia 20 listopada, kiedy zajechała do nas powozem para gości, pan i pani. Zatrzymali się w naszej gospodzie i zamówili obiad. Poprosili o osobny pokój, dodając, że pozostaną tylko kilka godzin, bo mają tu po nich przyjechać przyjaciele z Poczdamu. Pokazaliśmy im pokój na parterze po lewej stronie, obejrzeli go, ale pani się nie spodobał, prosiła o jakiś pokój na piętrze, a kiedyśmy ich tam zaprowadzili, pani zapytała, czy nie moglibyśmy im dać i drugiego, sąsiedniego. Zgodziliśmy się na to. Potem pani podeszła do okna i spytała nas, czy nie można by tu dostać czółna, bo chcieliby się przeprawić na drugi brzeg jeziora. Moja żona odpowiedziała jej, że wprawdzie mamy łódkę, ale przeprawa nie jest łatwa, wygodniej jest przejść się pieszo na drugi brzeg. Wydawało się nam, że panią to ucieszyło. Potem prosiła o sofę, a ponieważ sofy nie mieliśmy, kazała do obydwu pokoi wstawić łóżka, bo znajomi, dodała, którzy chyba nadjadą tu dopiero nocą, zechcą zapewne trochę odpocząć...

O piątej rano pani zeszła na dół i poprosiła o kawę. Oboje ją wypili, o siódmej poprosili o nową i tak się przeciągnęło do dziewiątej. Potem polecili dziewczynie oczyścić sobie odzież, a gdy służąca ich zapytała, czy mają życzenie zjeść tu dziś obiad, odpowiedzieli jej, że poproszą tylko o filiżankę bulionu, ale za to wieczorem sobie to w dwójnasób wynagrodzą.

Zażądali też zaraz rachunku, uregulowali go i kazali mi wypisać pokwitowanie. Później poprosili o posłańca i przekazali mu list do Berlina. Goniec ruszył w drogę o dwunastej. Gdy ich spytaliśmy, co sobie życzą na wieczerzę, pan odrzekł: «Dziś wieczorem przyjadą tu dwaj panowie, na pewno zechcą sobie dobrze podjeść». Na to pani: «Ależ dajże spokój, wystarczy im omlet, jak nam». «Ale za to – rzecze pan – jutro wieczorem już sobie solidnie podjemy». I oboje raz jeszcze powtórzyli: «Wieczorem przybędą do nas dwaj goście»...

Później wyszli przed gospodę, rozmawiali o pięknym położeniu i malowniczej okolicy, a tak przy tym wyglądali weseli i rozbawieni, że nikt by nie mógł po nich niczego niezwyczajnego zauważyć...

Niezadługo oboje weszli do kuchni i pani zwróciła się do mojej żony z pytaniem, czyby nie można podać im kawy po przeciwległej stronie jeziora, tam, gdzie ta piękna zielona polanka. Bo tam taki cudowny widok. Żona moja była trochę zaskoczona, bo to daleko, ale pan bardzo grzecznie dodał, że gotowi są oczywiście za fatygę dopłacić, i poprosił jeszcze o rum za osiem groszy.

Następnie oboje państwo skierowali się w stronę tej polany, kiedy zaś moja żona oświadczyła, że tymczasem sprzątnie się ich pokoje, powiedzieli, że sobie tego nie życzą, woleliby, żeby wszystko zostało, jak jest. Pani niosła koszyczek nakryty białą chusteczką, najpewniej ukryte tam były pistolety.

Kiedyśmy im tam podali kawę i rum, poprosili o stolik i dwa krzesła. Kazaliśmy im je tam zanieść. Wtedy pan poprosił o ołówek i spytał, ile winien jest nam za kawę. Przyszło nam na myśl, że to może jakiś artysta i chce narysować obraz tej okolicy. Kiedym posyłał dziewczynę z ołówkiem, kazałem jej im powiedzieć, że mi nie spieszno z tym rachunkiem za kawę, ale oni oboje wyszli kilka kroków naprzeciw służącej i pani oddała jej naczynia od kawy, a w jednej z filiżanek leżały już pieniądze.

Pani powiedziała jej: «Te cztery grosze to dla was za fatygę, reszta dla gospodarza... Proszę umyć filiżankę i przynieść mi ją tu z powrotem». Gdy dziewczyna odeszła, oboje zawrócili znów w stronę stolika.

Służąca nie zdążyła ujść więcej niż jakieś czterdzieści kroków, gdy usłyszała wystrzał. Po dalszych trzydziestu krokach dobiegł ją odgłos drugiego. Pomyślała sobie, że to pewnie ci państwo zabawiają się strzelaniem, bo oboje byli przez cały czas tacy weseli, pełni życia, ciskali kamyki do jeziora, skakali, żartowali.

Nam się od razu wydało jakieś dziwne, że prosili o odniesienie filiżanki, chociaż nie mieli już kawy. Ale posłaliśmy służącą, żeby im tę filiżankę odniosła.

Kiedy doszła na miejsce, znalazła ich oboje bez życia, leżeli we krwi.

Osłupiała ze zgrozy, popędziła co tchu z powrotem do gospody i w biegu zawołała do napotkanej dziewczyny: «Goście się zastrzelili, leżą tam nieżywi!»

Na tę wieść wszyscyśmy oniemieli ze zdumienia. Wbiegamy natychmiast na piętro do ich pokoi. Wszystkie drzwi zamknięte na głucho. Bocznymi drzwiami przedostajemy się do jednego z pokoi. Patrzymy: drzwi zatarasowali wszystkimi znajdującymi się tam krzesłami; nic nie zostawili poza zapieczętowaną paczką.

Biegniemy wszyscy na polanę; tam zobaczyliśmy trupy obojga. Pani leżała w rozpiętym płaszczu z rozchylonymi połami, głowę miała odrzuconą do tyłu, ręce skrzyżowane na piersiach. Kula przebiła lewą pierś i serce na wylot i wyszła z tyłu pod łopatką. Pan klęczał tuż przed panią. Pozbawił się życia, strzelając sobie w głowę przez usta. Ich twarze nie były zmienione, oboje wydawali się spokojni i pogodni...

O szóstej wieczorem zjawili się dwaj panowie przybyli z Berlina. Jeden z nich, wysiadłszy z powozu, zapytał nas, czy zastał tu jeszcze gości. Odpowiedzieliśmy mu, że nie żyją, wtedy on raz jeszcze spytał, czy to prawda. Odrzekliśmy, że tak, leżą w kałuży krwi na tamtym brzegu jeziora.

Na to drugi pan, mąż zabitej, wszedł do gospody, w jeden kąt cisnął kapelusz, w drugi rękawiczki. Widać było po nim, że śmierć małżonki była dlań strasznym ciosem.

Gdyśmy spytali o tego pana, co się razem z panią zastrzelił, odpowiedzieli nam, że to przyjaciel ich domu, niejaki pan Heinrich von Kleist...

Aż do jedenastej wieczór oczekiwaliśmy przybycia kogoś z policji, a kiedy nikt się nie zjawił, wszyscyśmy się udali na spoczynek. Nazajutrz rano mąż zmarłej kazał sobie przynieść pukiel włosów swej żony, a potem obaj panowie odjechali do Berlina. Około południa powrócił pan, który przedtem towarzyszył mężowi zabitej pani, był to niejaki pan Peguilhen, radca wojskowy. Kazał wykopać tuż obok ciał zmarłych głęboki dół i zapowiedział, że z Berlina przyśle dwie trumny i że pochowa się tych dwoje obok siebie w jednej mogile. Dnia

22 listopada około dziesiątej wieczór pochowano oboje na miejscu wiecznego spoczynku".

Gdy ściemniało się i światło słońca płonęło już tylko ciepłym prostokątem na parapecie, Hanemann odkładał książkę. Na zielonym płótnie okładki połyskiwały złote litery. W ogrodzie powietrze było wciąż lekkie i jasne, i nawet kosmaty motyl, burozłoty i niespokojny, bezgłośnie trzepoczący ciemnymi skrzydełkami o szybę, nie mącił spokoju zmierzchu. Z ulicy dobiegały czyjeś kroki. Nad tujami gasło czyste, wysokie niebo.

Na ścianie domu Bierensteinów przepłynął cień przelatującego gołębia.

Ciepłe, żywe dłonie.

Lęk.

Listek dębu

Czasami zachodził do Hanemanna pan J. Za czasów Wolnego Miasta pan J. był nauczycielem w Gimnazjum Polskim (przypłacił to przesłuchaniami w Victoria-Schule i wywiezieniem do Stutthofu), teraz, jako nauczyciel niemieckiego, pracował w liceum na Topolowej. Hanemann znał go od dawna i choć czuł, że pan J. odwiedza go nie całkiem bezinteresownie – nie tylko po to, by wymienić myśli, lecz też by nasłuchać się poprawnej niemczyzny, z którą na co dzień nie miał zbyt wiele do czynienia – przyjmował go chętnie, sadzając w skórzanym fotelu i racząc odrobiną czerwonego wina. Och nie, powiedzieć, że byli przyjaciółmi – to może zbyt wiele. Ilekroć jednak widywałem ich, jak ulicą Grottgera czy ulicą Cystersów nieśpiesznie szli w stronę Katedry, tylekroć miałem wrażenie, że łączy ich coś więcej niż tylko dawna znajomość z lat, gdy na Hucisku urzędował Wysoki Komisarz Ligi Narodów.

Wyczuwałem to zresztą i u innych Polaków z Wolnego Miasta. Podobnie jak pan J. cenili sobie oni wielce każdą sposobność rozmowy w języku Goethego, do „nowych Polaków" zaś – tych ze wschodu czy z Warszawy – odnosili się z uprzejmą powściągliwością, tak jakby lata spędzone w mieście, w którym osobiście (to podkreślali) dzień po dniu trzeba się było ścierać z wrogim żywiołem, nie tylko wzmocniły i wzbogaciły duszę, lecz i naznaczyły każdego, kto przeżył, jakimś wywyższającym stygmatem. Wszystko, co wnieśli do Gdańska „nowi Polacy", pan J. uważał za rozwodnione i podejrzane. Bo przecież, gdyby coś się stało, gdyby „oni" wrócili raz jeszcze, czy ta nowa polskość – warszawska, lubelska czy wileńska, która zjawiła się w Langfuhr i Oliwie w ślad za wielką armią, nadchodzącą ze wschodu – miałaby w sobie dość siły, by przetrwać tak jak tamta we Freie Stadt? Pan J. mocno w to powątpiewał.

Więc nawet w samej barwie głosu, w powadze, z jaką odnosili się do spraw, które niewtajemniczonym mogły wydać się błahe, było coś, co ich zbliżało, choć pewnie w sercach skrywali niejedną zadrę. Rozmowa w pokoju na piętrze wiła się kapryśnymi liniami. Zapewne więcej w niej było samej przyjemności wspólnego mówienia niż chęci roztrząsania zawiłych spraw. Preteksty były przypadkowe: codzienne zdarzenie, fotografia, przeczytana książka. Pan J. lubił mówić o dawnych niemieckich pisarzach, bo tych nowych nie znał. Hanemann nie zawsze potrafił mu odpowiedzieć na wszystkie pytania.

Któregoś popołudnia – było to chyba w maju – pan J.

dostrzegł na biurku Hanemanna listy Kleista, sięgnął po oprawioną w zielone płótno książkę, a gdy otworzył ją w miejscu, gdzie była założona czerwoną wstążeczką i spojrzał na fotografię młodzieńca w pruskim mundurze, powiedział, że „coś bardzo podobnego zdarzyło się i u nas" oraz że zawsze go zastanawiało, co naprawdę popycha ludzi do kroków aż tak skrajnych...

Hanemann popatrzył na niego pytająco.

Pan J. przewracał jeszcze parę chwil kartki zadrukowane gotyckimi literami, po czym uśmiechnął się. „Bo wie pan, ja jego nawet trochę znałem, no może nie tak znów bardzo, ale kiedyś, gdy byłem w Warszawie, mój przyjaciel ze związku nauczycielskiego, przyjaźniący się z artystami, z poetą Czechowiczem, z innymi, zaprowadził mnie na Bracką, żebym sobie zamówił portret. Portret nie bardzo mi się podobał, ale trudno, niech będzie. Zresztą później i tak spaliło się wszystko i ślad nie został. Więc ja jego znałem i myślę, że ta jego historia była chyba trochę podobna do tej" – pan J. dotknął palcami zielonej okładki.

Bo wtedy, przed laty, gdy Hanemann, wracając wieczorami z Althofu, odwiedzał małe galerie przy Winterstrasse i dalej przy placu Siegfrieda, w których wystawiano Nöldego, Kokoschkę i Kollwitz, gdy czytał „Der Sturm", „Die Aktion" i zaglądał na przedstawienia Maxa Reinhardta, pan J. przy każdej swojej bytności w Warszawie czy Poznaniu, trochę ze snobizmu, trochę z ciekawości, odwiedzał wystawy „trudnych malarzy" i wśród obrazów Czyżewskiego, Pronaszki, Waliszewskiego czy Chwistka czasem trafiał na wijące się w konwulsyjnych rozlewiskach koloru obrazy malarza, o którym zaczął właśnie mówić. Nie lubił tych obrazów – ale cóż? Wiadomo jak trudno ocenić coś, czego się nie rozumie. Więc teraz, gdy tak siedzieli w pokoju na piętrze, a zza okna dobiegały odgłosy miasta tłumione szelestem brzozowych liści, rozmowa prowadzona w powolnej niemczyźnie prześlizgiwała się po oddalonych zdarzeniach, a ja, gdy po latach pan J. opowiadał mi o swoich spotkaniach z Hanemannem, miałem dziwne wrażenie, że oni, mówiąc o tamtym mężczyźnie i tamtej kobiecie, spierali się o coś, czego sami chyba nie potrafiliby nazwać. Zresztą, czy to był naprawdę spór?

Historia, którą opowiedział pan J., zdarzyła się parę dni po wybuchu wojny, lecz Hanemann z trudem mógł ją umieścić na mapie, wiedział tylko tyle, że było to gdzieś na wschodzie, za wielką rzeką, na równinie, wśród bagien...

Polski generał wydał rozkaz, by wszyscy mężczyźni opuścili bombardowane miasto – już to wydało się Hanemannowi podejrzane, bo przecież żaden generał nie mógłby wydać takiego rozkazu, więc słuchał pana J. uważnie. Malarz i dziewczyna wsiedli do pociągu jadącego na wschód, lecz nie wiedzieli dokąd jadą, może do Rumunii, może dalej. „Ludzie bez domu i nieświadomi celu" – kobieta, z którą pan J. rozmawiał w warszawskim mieszkaniu, a która wtedy, we wrześniu, jechała z malarzem na wschód, tak właśnie ich określiła. Paliły się dworce, samoloty ostrzeliwały pociąg, wielogodzinne postoje. Na stacjach malarz zgłaszał się do punktów werbunkowych – miał stopień oficerski jeszcze z Petersburga – odprawiano go jednak z niczym, zresztą broni brakowało i dla młodszych. Po drodze spotkali paru znajomych, tak jak oni jadących na wschód. Berezowska, Miciński... – nazwiska te Hanemannowi nic nie mówiły, ale wciąż słuchał uważnie, bo wydało mu się, że pan J. dobiera słowa tak, by nie powiedzieć za dużo.

Malarz i dziewczyna zatrzymali się w małej wsi wśród lasów. Był chory na nerki i wątrobę, zatruł się gdzieś wodą ze studni, bardzo cierpiał, dziewczyna chciała mu pomóc, ale cóż mogła zrobić? Bóle narastały. Puchły nogi i dłonie. Mówił: „Wszystko odpada, bo wszystko odpadnie do końca". Trzymał ją za rękę. „Ty nie wiesz, jaka to dzicz. Jesteś bezradna. Jesteś słaba. Jesteś dziecko. Beze mnie zginiesz. Lepiej umrzeć razem. Mamy przecież jeden układ krążenia. Jeśli odchodzisz ode mnie, tracę siły".

Osiemnastego rano powiedział: „Dzisiaj się odłączymy". Całowała go po rękach, by odwlec decyzję. Wyszli z domu i poszli w stronę lasu. Po drodze wziął przeciwbólową ortodrynę. Usiedli na piasku, przy wielkim dębie. „To będzie tu" – powiedział. Zaczął się żegnać z przyjaciółmi i matką. Chciał się modlić, zaczął *Ojcze nasz*, ale przerwał, bo nie mógł sobie przypomnieć słów. Potem powiedział, że chce wziąć z nią ślub. Kiedyś mówiła, że zgodzi się na ślub tylko pod chloroformem. Palcami dotknął jej powiek tak, że musiała zamknąć oczy. „Teraz daję nam ślub".

Wyjął cały zapas luminalu, prawie czterdzieści tabletek, w buteleczce miał wodę, nalał do kubeczka i rozpuścił. „To jest porcja dla ciebie". Wypiła bez lęku. Miał dwie żyletki, jedną podał jej, by użyła jak luminal zadziała. Pokazał, gdzie powinna naciąć szyję. Potem starał się przeciąć żyły na przegubie lewej ręki. Szło to opornie. Ostrze opierało się na ścięgnach. Krew ledwie kapała. Uśmiechnął się: „Chyba nic z tego nie będzie". Chciała mu pomóc, ale bez skutku. Podwinął rękaw marynarki i zaczął przecinać nad łokciem. Poczuła, że ogarnia ją ciemność. Jak przez mgłę usłyszała: „Nie zasypiaj przede mną, nie zostawiaj mnie samego". Bardzo chciał, żeby tracili świadomość idealnie razem.

To było między dwunastą a drugą po południu, dzień wcześniej Rosjanie weszli do Polski – wiedział o tym. Kiedy się obudziła, wschodziło słońce. Dopiero gdy obróciła głowę, zobaczyła, że leży przy niej. W piasku obok prawej dłoni zegarek kieszonkowy, widocznie do końca sprawdzał godzinę. Na szyi mała plamka. Przeciął tętnicę szyjną. Chciała dotknąć tej plamki, uniosła się i wtedy zobaczyła, że ramię i część rękawa ma przesiąknięte krwią. Mokre były wszystkie warstwy ubrania. Nie mogła się utrzymać na nogach. Przewróciła się, ale wydało jej się, że musi go pochować, że on nie może tak tu zostać bezbronny, więc na kolanach zaczęła rozgarniać mokre liście, mech i ziemię, żeby wykopać grób. Wygrzebała małą jamkę, bez żadnego kształtu.

„On ciągle myślał o Micińskim – mówiła do pana J. kobieta, która wtedy, we wrześniu, palcami wygrzebywała malarzowi grób. – Pan wie, kto to był Miciński? Słyszał pan o nim? Wielki, bardzo wielki pisarz, którego chłopi zarąbali siekierami w osiemnastym roku pod Czerykowem, bo myśleli, że schwytali carskiego generała. Nie ma nigdzie jego grobu. On także chciał nie mieć grobu jak Miciński. Powtarzał wiele razy, że to wspaniale, kiedy wszyscy pisarza znają i uważają, że jest wszędzie, gdy tymczasem nic po nim materialnego nie zostało. A ja chciałam wykopać mu grób, krok od niego…" Pan J. odłożył zieloną książkę: „Dziwi to pana? Że to panu opowiadam?" Hanemann uśmiechnął się: „Nie. Myślę tylko, że nigdy nie wiemy, co jest w nas naprawdę".

Pan J. pokręcił głową. „On nie chciał przyjąć świata, który nadchodził. Tak samo jak Kleist". „Myśli pan?…" – Hanemann popatrzył w okno. Ileż to razy słyszał, że Kleist zrobił to dlatego, że czuł się do głębi zraniony klęską Niemiec, że nie mógł znieść ducha pruskiej armii, że został odepchnięty przez rodzinę, że nie mógł sobie poradzić z nerwami, że naczytał się zbyt wiele romantycznych poematów, więc uciekł z Henriettą nad Wannsee, tam napisał piękne pożegnalne listy, a potem strzelił jej w serce a sobie w usta; ona zaś, że uciekła z nim nad Wannsee, bo zżerał ją rak i puste życie u boku męża, urzędnika rachuby w przedsiębiorstwie ubezpieczeń od ognia, więc rzuciła się w tę szaloną historię jak umierający, który przyjmuje z ulgą wiadomość, że pali się całe miasto – bo kiedy pali się całe miasto, nasz własny ból maleje.

Ale czy to była prawda? Gałązki brzozy kołysały się za szybą. Hanemann nie odrywał oczu od drobniutkiego trzepotania liści. „Zupełnie jak ćmy" – pomyślał. Wciąż słyszał ostatnie słowa malarza: „Nie zasypiaj przede mną, nie zostawiaj mnie samego..." Jak echo. Wilgotny las. Czarna łuna. Rosa na mchu. Właściwie tylko to zapamiętał z opowieści pana J. Tylko tych kilka słów.

„Czytał pan może *Księcia Homburgu*?" „*Księcia Homburgu*? – pan J. uniósł brwi. – Piękna, bardzo patriotyczna sztuka o młodym Niemcu, któremu marzy się zbawienie Niemiec, oczywiście sława wojownika i tak dalej. Ja to zawsze czytałem z mieszanymi uczuciami. Tam jest jakaś wściekła ambicja młodego niemieckiego arystokraty, który marzy o zwyciężaniu wrogów. Wie pan, ja w Danzig widziałem, do czego takie fantazje prowadzą". Hanemann poruszył ręką. „Pan znowu swoje. Pruski dryl i wrażliwa dusza niemieckiego patrioty. Przecież to kostium, nic więcej. W *Księciu Homburgu* jest taka scena... bardzo przykra scena, której Niemcy bardzo nie lubią... Książę Homburgu, niemiecki oficer, zagrożony rozstrzelaniem za nieposłuszeństwo na polu bitwy, na klęczkach błaga niemiecką księżnę o ratunek. Chce żyć. Za każdą cenę. Ale potem nagle zgadza się na śmierć. Uznaje rację stanu? Zaczyna rozumieć, że tak naprawdę ważna jest tylko jedna chwila w życiu, w której odsłania się przed nami wszystko, i że on już tę chwilę przeżył wtedy, tam, na polu bitwy, kiedy po raz pierwszy stał się naprawdę sobą, złamał rozkaz elektora i zwyciężył? I że za taką jedną chwilę trzeba zapłacić życiem?

Więc to samobójstwo nad Wannsee...

Kto wie? Może to nie jest taka mała mądrość umrzeć w porę...

Cóż ich obchodził świat, który miał nadejść".

Pan J. nie bardzo wiedział, co o tym wszystkim myśleć. W słowach Hanemanna wyczuł jakieś skryte napięcie – może była to tajona pogarda dla tych wszystkich, którzy żyją zwyczajnie i nie chcą wspinać się na jakieś duchowe szczyty?

136

Zresztą, mógł się mylić. Wbrew temu, co usłyszał, postać Kleista nie wzbudzała w nim sympatii, a gesty pani Vogel, która przed śmiercią listownie poleciła, by zdradzonemu mężowi przesłano filiżankę z jej własnym imieniem, wydały mu się – przy całej miłosnej żarliwości – dziwnie lodowate. Mądrość? O jakiej mądrości można tu było mówić?

Sądził, że podobieństwo... Ale rzeczywiście, cóż mogły mieć ze sobą wspólnego te dwa odległe zdarzenia? W tej chwili dużo bliższy wydał mu się starzejący się malarz, który umierał gdzieś na wschodnich bagnach. Ta śmierć była – przez chwilę szukał odpowiedniego słowa – dużo boleśniejsza, dużo poważniejsza niż to, co zdarzyło się nad Wannsee. Jej powody były rozdzierająco jasne, zrozumiałe i wybaczalne. Umrzeć nad pięknym jeziorem po napisaniu ekstrawaganckiego listu i zjedzeniu wykwintnego śniadania? Więc ani odmowa upokorzeń? Ani odrzucenie klęski? Ani lęk przed chorobą? Z pewnością dzieło o księciu Homburgu było poruszające, ale czytał widać innego *Księcia Homburgu* niż Hanemann. Umrzeć w porę? Cóż za dziwaczna myśl. Bo przecież pora nie należy do nas. Wolność? Kiedy rozmyślał o swoim życiu, uświadamiał sobie, że w tym, co przeżył, nie było żadnych rozbłysków ani szczytów. Lata, które miał za sobą, były raczej podobne do równiny z ciemnymi zapadliskami, przez którą przeszedł właściwie cudem. Lecz czy miał czuć żal, że to była tylko równina? Uważał, że został obdarowany nadzwyczajnie przez los, bo przeżył Stutthof – choć były chwile, gdy tylko ostatnim drgnieniem serca powstrzymywał się przed rzuceniem się na druty – i właśnie dzięki temu teraz, w majowe popołudnie, w pięknym pokoju przy Grottgera 17, wygodnie rozsiadłszy się w fotelach, mogą sobie tak uczenie rozmawiać o sprawach z dawnego czasu. Nie przypisywał sobie żadnych zasług, po prostu wtedy starał się przetrzymać najgorsze. Uważał to za obowiązek. Wobec matki? Wobec siebie? Wobec tych, których znał? Czy to naprawdę ważne? Chwilami jednak budziło się w nim niejasne poczucie winy.

Hanemann zaś? Pan J. podejrzewał, że Hanemann nie odnalazł w opowieści o malarzu i dziewczynie, którzy umierali na wschodnich bagnach, niczego, co mogłoby nasycić duszę tym światłem, jakim syciła go historia Heinricha i Henrietty. Historię malarza zapewne uważał za historię uciekiniera. Malarz został zapędzony przez potężne armie w ciemny kąt świata i tam się zabił, ciągnąc jeszcze za sobą dziewczynę, która chciała go uratować. Uciekał przed Niemcami, aż drogę zagrodzili mu Rosjanie – i wtedy przeciął sobie żyły. Nie zachował się jak człowiek wolny. Nie potrafił przyjąć losu. Był słaby.

Pan J. przypatrywał się pogrążonej w cieniu twarzy Hanemanna, ale Hanemann milczał, patrząc przez okno na bukowy las, szarzejący za domami po drugiej stronie ulicy.

Zaszewki, jedwab, perłowe guziki

Ale Hanemann widywał chętnie pana J. na Grottgera 17 nie tylko dlatego, że znali się jeszcze z czasów Wolnego Miasta. „Widzisz – powiedział kiedyś do mnie pan J. – Ja wtedy tam byłem, tam, na pomoście w Neufahrwasser, byłem tam rano czternastego sierpnia, razem z panią R., znajomą z Krakowa, która dwa dni wcześniej przyjechała na spotkanie związku nauczycieli w Gimnazjum Polskim i z chęcią przystała na moją propozycję, byśmy popłynęli statkiem z Neufahrwasser do Zoppot. Cóż zresztą lepszego mogłem zaproponować na sierpniowe przedpołudnie miłej pani z Krakowa, która nigdy jeszcze nie widziała morza i chciała zakosztować przejażdżki na małym spacerowym statku kompanii przewozowej Westermannów? Więc rano czternastego pojechaliśmy tramwajem linii 3 do Brösen, było ciepło, rosa, wilgotne deski, chyba w nocy spadł deszcz. Parę minut przed ósmą słońce stało już nad wieżą Weichselmünde, cisza, tylko w głębi portu, za zakrętem kanału, posapywał parowy dźwig firmy „Althausen", przyholowany we środę z Kiel do basenu koło elewatorów (pisali o tym w „Danziger Volksstimme", pamiętam duże zielone zdjęcie holownika „Merkur").

Na pomoście przystani było już parę osób; gdyśmy wyszli zza drzew parku, dostrzegłem ją natychmiast. W białej sukni, białe rękawiczki, parasolka, dłonie oparte na rączce z kości słoniowej, patrzyła w naszą stronę, jakby na kogoś czekała. Czy była sama? Nie, chyba była z jakąś młodą kobietą – w niebieskiej sukni? w koralach? kolczyki? „Stern" stał już przy pomoście – biały kadłub z czarnymi literami na burcie, okrągłe okienka, maszt z latarnią – ale jeszcze nie rzucono trapu. Za nami czyjeś głosy, śmiech, ktoś nadchodził od strony tramwaju, jakaś para, ona w brązowej pelerynie, w kapeluszu z purpurowymi różami z gazy, on na biało, w marynarce z kortu, czarna chustka w kieszonce, tak jak nosili się maklerzy z domu giełdowego Hansenów na Breitgasse.

Potem marynarze ze „Sterna" wysunęli trap – żelazną rynnę z linami na słupkach po obu stronach – nie bardzo się jednak kwapiono do wsiadania. Mieliśmy jeszcze parę minut. Poza tym takie słońce! Powietrze lekkie, czyste, nad twierdzą mgiełka, woda gładka, przy magazynach Schneidera wozy z bawełną, nawoływania dokerów, daleki zgrzyt tramwaju skręcającego do zajezdni. W rozmowach więcej było ciepłego, leniwego milczenia niż słów, śmiano się z żartów, trochę sennie, jakby prawdziwy początek dnia był dopiero przed nami. Na pomoście sześć, siedem osób, chyba nie więcej. Starsze małżeństwo, ona w kapeluszu z egretą, on w panamie, z pince-nez, piękna pani w kaszmirowym szalu narzuconym na ramiona, dziewczyna w batikowej bluzce... Z wnętrza kadłuba dobiegało miarowe dudnienie motoru, ciemny dym snuł się nad kominem ze znakiem kompanii Westermannów – wielką czerwoną literą „W" – krzyczące mewy nad masztem, ale ruszyliśmy w stronę trapu, dopiero gdy oficer w białym uniformie z czarnymi pagonami uderzył w dzwon: „Odpływamy za cztery minuty. Upraszałbym o wsiadanie".

Szła przede mną. Postukując czubkiem parasolki o smołowane deski. Opuściła woalkę, bo słońce znad Weichselmünde raziło w oczy. Szelest sukni. Niemal zapomniałem o tym, że nie jestem sam. Obcasy stuknęły, metaliczny dźwięk, weszła na trap, potknęła się, podtrzymałem ją za łokieć. Spojrzała na mnie z uśmiechem: „Dziękuję panu... Dam sobie radę..." Pod palcami czułem ciepły jedwab rękawa. Zaszewki. Perłowe guziki na mankiecie. Powoli odsunąłem rękę, odpowiadając uśmiechem na uśmiech. Zeszła na pokład. „To przez te obcasy..." Uniosła suknię. Czubek białego bucika. Minęliśmy ją. Pani R. stanęła przy relingu patrząc na przepływający środkiem kanału holownik z kominem podobnym do czarnej kolumny. Na burcie mignęły białe litery „Minerwa". Powiał wiatr. Długa, miękka fala wzburzona przez „Minerwę" podpłynęła pod burtę „Sterna", nasz pokład uniósł się... Pani R. dotknęła dłonią piersi. „Boże..." Była blada, przymknęła oczy. „Myślałam, że to nic takiego... ale nie, chyba nie..." „Chce pani wysiąść?" Ruch ręki szukającej oparcia. Pokład zjechał w dół, fala wzburzona przez holownik dogasała z chlupotem w szczelinie między burtą a nabrzeżem. I znowu dłoń przyciśnięta do piersi. „Obawiam się, że..." „Wysiadamy?..."

Ostrożnie sprowadziłem ją po trapie na pomost. „Już dobrze?" Kiwnęła głową, ale wciąż trzymała dłoń przy piersiach. Nie mogła patrzeć na wodę. „Proszę wybaczyć..." „Ależ cóż znowu – pogładziłem jej rekę. – Z przyjemnością oprowadzę panią dzisiaj po Starym Mieście, zaraz pojedziemy trójką…" „Nie gniewa się pan?…" Gniewać się? Podróżowałem już tyle razy z Neufahrwasser do Zoppot – tym razem mogłem sobie darować…

Zadźwięczał dzwon i „Stern" odbił od pomostu. Oficer zniknął za szybą sterówki, kłęby dymu na moment przesłoniły słońce, zatrzepotała czerwona chorągiewka z koroną i dwoma białymi krzyżami. Za rufą, w ciemnozielonej wodzie zakotłowały się wiry wzburzone obrotami śruby. Szliśmy powoli w stronę tramwaju. Pani R. milczała, wciąż nie mogąc sobie wybaczyć, że sprawiła mi zawód. Gdyśmy doszli do parku, odwróciłem się. „Stern" był już pośrodku kanału, robił zwrot w lewo, pasażerowie rozsiedli się na ławkach. Biała parasolka po prawej stronie masztu? Poprawienie włosów? To ona?

O tym, co stało się w Glettkau, pan J. dowiedział się jeszcze tego samego dnia od Stelli, gdy wracając ze spotkania w Gimnazjum Polskim, zaszedł parę minut przed szóstą na Frauengasse do Lipschutzów, by pożyczyć od Alfreda słownik Brosta.

Stella weszła na molo w Glettkau koło dziewiątej, tak jak umówiły się z Luizą w sobotę u pani Stein. Oparta o balustradę pomostu patrzyła na biały statek, który nadpływał od strony Neufahrwasser. Kłęby dymu z pochyłego komina rozwiewały się za rufą szarą mgiełką. Migotanie wody, słońce nad Brösen, drobne ostre fale. Przysłoniła oczy. Biała suknia? Obok masztu? Luiza? Ale kobieta z parasolką, którą dostrzegła na pokładzie, była chyba wyższa od Luizy, zresztą „Stern" był jeszcze zbyt daleko… Po pustym molo biegały dzieci: chłopczyk w białej koszuli z bambusowym kijkiem do serso gonił dziewczynkę w niebieskiej sukience z falbankami – tupot, krzyki, śmiech. Ich opiekunka, gładko uczesana pani w marszczonej sukni, wołała raz po raz: „Helga! Pamiętajcie, nie wolno podchodzić do poręczy! Günter, daj jej spokój!

Bawcie się grzecznie! Widzicie, że statek już nadpływa? Zaraz będziemy wsiadać". Starszy mężczyzna w słomkowym kapeluszu, który jej towarzyszył, postukiwał laską z perłową gałką o smołowane deski mola. Parę kroków dalej dwaj marynarze z obsługi przystani, zwijając na krawędzi pomostu konopną linę, szykowali się do cumowania „Sterna". Potem, gdy wyższy założył skórzane rękawice i oparł łokcie o balustradę, bez zaciekawienia patrząc na nadpływającą jednostkę, Stella podeszła bliżej. Statek powoli opłynął ostrogę mola, zbliżył się do dwóch polerów okutych miedzianą blachą, które sterczały z wody parenaście metrów od pomostu, znad Zoppot powiało mocniej, chmura dymu przesłoniła na chwilę biały kadłub, Stelli znów wydało się, że koło masztu widzi Luizę, ale nie, to była wciąż tamta kobieta w białej sukni – obok niej mężczyzna w kraciastej marynarce – więc Stella pomyślała z żalem: „Stało się coś, czy się rozmyśliła?"

Zabrzmiał okrętowy dzwon, „Stern" zwolnił, przycichły motory, sunął teraz już tylko samą siłą bezwładności, powoli minął prawy słup, skręcił i wtedy burta (tak, to była prawa burta – pan J. dobrze zapamiętał słowa Stelli) otarła się o drugi okuty miedzią poler. Zgrzytnęło głucho, z echem. Kiedyś Stella z Heinzem Wolffem, kuzynem mecenasa Werffla, pływała tu łodzią wynajętą w gasthausie i też zaczepili burtą o ten słup. Pamiętała ciemne drewno obrośnięte białymi muszelkami, czarny mech, falujące wodorosty na zardzewiałych prętach prześwitujących spod wody. Było tu bardzo głęboko, mogły cumować nawet wielkie frachtowce, woda prawie czarna, nie widać dna. W iluminatorach „Sterna" pojawiły się twarze pasażerów. Luiza? W trzecim? Unosi rękę? Stella machinalnie pomachała dłonią. No, nareszcie. „Stern" podpłynął do pomostu, z pokładu rzucono linę, marynarz w skórzanych rękawicach zaczął ją wciągać. Stella patrzyła na szybkie, miarowe ruchy jego rąk, mocne i pewne, ale naraz marynarz zachwiał się – wyglądało to tak, jakby się potknął, molo zadrżało, coś pchnęło ich do tyłu, chwyciła się balustrady, kątem oka spostrzegła, że koniec liny wyślizgnął się z dłoni w skórzanych rękawicach i ucieka po czarnych deskach. Potem przeraźliwy krzyk dzieci. Gładko uczesana pani gwałtownie odciągnęła chłopca od poręczy. Pan z laską zasłonił dziewczynce oczy. Świst liny znikającej w szczelinie między deskami!

Przechyliła się przez balustradę. W dole, przy słupach mola, dziób „Sterna" nagle uniósł się, kobieta w białej sukni upadła na pokład – nogi w sznurowanych bucikach, ręka chwytająca za reling, rozdarta suknia, żelazne linki masztu pękły z trzaskiem, przechył, zgrzyt łańcuchów, maszt uderzył o balustradę dwa kroki od Stelli, zasłoniła głowę, biała parasolka, popychana szarpnięciami wiatru, potoczyła się z pokładu na wodę jak kula dmuchawca, mężczyzna w kraciastej marynarce chwycił się relingu, znów szarpnęło, krzyki kobiety nagle zgasły, dziób „Sterna" zapadł się głęboko pod wodę, z pokładu zjechały blaszane skrzynki, ciemna fala, głowa w kapeluszu, kaszmirowy szal, łoskot, molo znów zadrżało, biała sukienka wzdyma się jak rybi pęcherz, Stella krzyczy, woła coś do Luizy, ale jej głos brzmi tak, jakby ktoś wołał zza ściany, starszy pan chwyta ją za rękę, odciąga od balustrady, coś mówi, na wodę spadają dwa ceratowe koła rzucone przez marynarzy, przechylona nadbudówka, wielkie pęcherze powietrza bulgoczą w iluminatorach, kadłub, ciemny wir, Stella widzi jak wynurzająca się kobieta otwartymi ustami chwyta powietrze, ale porwane linki wciągają ją pod wodę, czarny komin z literą „W" z głuchym trzaskiem wali się na pomost, syk pary, od strony gasthausu biegną trzej mężczyźni z bosakami, kroki dudniące na deskach...

Wystarczył niewielki wstrząs, by – jak napisano w wieczornym dodatku „Danziger Volksstimme" – tuż przy stępce puściły wręgi. Kadłub „Sterna" rozstąpił się, woda zalała maszynownię, potem wywrócił się do góry dnem, wszystko nie trwało dłużej niż minutę, o żadnej akcji ratunkowej nie mogło być mowy. Towarzystwo ubezpieczeniowe „Helmholz i Syn" odmówiło jednak wypłacenia Westermannom osiemdziesięciu czterech tysięcy marek, bo – jak po oględzinach wraku, ustawionego na nabrzeżu w Neufahrwasser przy magazynach Schneidera, stwierdzili rzeczoznawcy z Hamburga, profesor Hartmann i radca Mehrens – poszycie kadłuba wymagało już od dawna pilnej naprawy, a jednak mimo to „Stern" kursował wciąż między Neufahrwasser a Zoppot, czasem zabierając nawet na pokład nadmierny ładunek. Mówiono, że dla kompanii, której długi w bankach Berlina i Frankfurtu sięgnęły ponoć trzysta tysięcy marek, zatonięcie „Sterna" było korzystne, śledztwo prowadzone przez komisarza Wittberga z posterunku w Zoppot wykluczyło jednak świadome działanie jako bezpośrednią przyczynę wypadku.

O tym wszystkim pan J. opowiedział Hanemannowi parę dni później, dwudziestego czy dwudziestego pierwszego sierpnia. Mówił wolno, ostrożnie dobierając słowa, tak by oszczędzić mu raniących szczegółów. Wiedział, że to właśnie dzięki lękom wrażliwej pani R., która przybyła do Gdańska na zjazd związku nauczycielskiego i nie mogła patrzeć na wodę koło przystani Weichselmünde, zszedł wtedy, parę minut przed ósmą, z pokładu „Sterna". Nie oskarżał siebie – bo właściwie o co? Że przez chwilę podtrzymał za łokieć kobietę, która potknęła się przy wchodzeniu na trap jednego ze spacerowych statków, które od lat kursowały między Neufahrwasser a Zoppot? A jednak, ilekroć myślał o czternastym sierpnia, wolał nie wracać do tamtej chwili. Nigdy też nie wspomniał o niej Hanemannowi.

Czasami tylko, gdy rano, przed wyjściem do szkoły na Topolową, ze zwykłą starannością zapinał popelinową koszulę, jak odległe echo budziło się w palcach wspomnienie dotknięcia jedwabnego rękawa z zaszewkami i perłowymi guzikami na wąskim mankiecie.

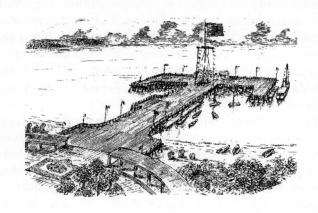

Arystokracje i upadki

A rzeczy? Rzeczy zajmowały się się tym co zawsze. Przy-
patrywały się wszystkiemu z półek, etażerek, blatów, parape-
tów i nic sobie nie robiły z naszych spraw. Nie były po żadnej
stronie. Cierpliwie oddawały się w nasze ręce. Pasowały do
dłoni jak ulał albo wyślizgiwały się z palców, spadając z krzy-
kiem na betonową posadzkę. Dopiero wtedy, w błysku pęka-
jącej porcelany, w brzęku srebra, w trzasku szkła, budziły nas
ze snu. Bo przecież naprawdę były niewidzialne. Któż pamiętał barwę powietrza, światło szkliwa, śpiew wysuwanych
szuflad, wysokie brzmienie mahoniowych szaf.

A potem przypomnienia. Jałowe polowania. Łowienie dotknięć i połysków zagubionych przez pamięć. I żal, że nie dość uwagi i serca. Że tylko przepływanie między, machinalne przestawianie, odstawianie, przecieranie – nic nadto. Żałosna niechęć? Niemądra pretensja? Że nie licząc się z naszym zmęczeniem domagały się czułej obecności naszych rąk? Zawsze nienasycone? Gasnące pod warstwą sadzy i śniedzi?

I przebudzenia – nigdy na czas? W domu Bierensteinów, w pokoju na piętrze, na mosiężnym łóżku pani Emmy, umierał pan Dłuszniewski. Dawniej hałaśliwy i ruchliwy, teraz cichy, z przymkniętymi oczami, starał się sobie przypomnieć, jak wyglądała kuchnia w mieszkaniu przy Lessingstrasse 14 tamtego dnia, gdy przyjechał do Gdańska z Pozelwy, ale obraz ciemnego wnętrza, które wtedy wydało mu się ogromne, rozświetlone blaskami porcelany, rwał się jak kruche płótno. W dębowym zarysie kredensu z wysoką attyką, kredensu, który brązową tarczą mahoniu osłaniał baterie szkła i kryształów przed czerwienią łuny znad Langfuhr, świeciły puste miejsca, których pamięć nie potrafiła niczym zapełnić, chociaż w palcach, stygnących na kołdrze, budził się wciąż dawny dotyk. Górna półka? Brzęk białości? Okrągły połysk? To była cukiernica? Arabskie pudełko z lakierowanej blachy, w którym ojciec trzymał egipskie papierosy? Kryształowa patera, którą matka przywiozła z Grodna, wracając od siostry? Myśl sięgała w przeszłość jak niewidomy, który dotyka twarzy kogoś bliskiego, lecz pod palcami czuje tylko chłodną ciemność. Rzeczy, które kiedyś miały ciężar, porowatość, dotykalną gładkość, chłodną szklistość, zmieniały się w obłoki bez barwy. Miały tylko jedną stronę – jak księżyc. Rzadko bywały w pełni.

Imbryk do herbaty z kuchni przy Lessingstrasse 14, ciężki, z wygiętym tulipanowato dzióbkiem, miał teraz lekkość wąziutkiego nowiu. Dno nie istniało, w ciemnościach wspomnienia świeciła tylko połyskliwa wypukłość pokrywki z różową gałką. Jeszcze ćmił w mroku jak zachodząca planeta ten ciepły kształt ze snu, ale już przesłaniały go czajniki późniejsze, defilujące na płycie gazowej kuchni „Junkers" – białe, zielone z czerwoną różą, niebieskie ze śnieżną gwiazdą. O parado emaliowanych blach, aluminiowych baniaków, żeliwnych obłości! W czym Mama gotowała napar z lipowego kwiatu? Co było na kubku, z którego piliśmy sok z jabłek ucieranych przez babcię? Listek róży? Pasterka z barankiem? W czym leżały kostki cukru, które podkradaliśmy z kredensu? A pudełka z herbatą? Czy to tureckie wieże na błękitnej pokrywce opowiadały nam o Dardanelach? Czy może indyjski słoń straszył i śmieszył swoją malinową trąbą? A solniczki? Naczyńka, w których jajko na miękko traciło głowę pod celnym uderzeniem nożyka? Krzesła wyplatane sitowiem, fotele z bordowym obiciem, szezlongi, które wędrowały najpierw na werandę, potem na strych, a potem – po cierpliwej kwarantannie w piwnicy, gdzie łudzono je nadzieją powrotu na pokoje – przestawały być...

I zniknięcia. Nieuchwytne. Kiedy poniemieckie krzesła zniknęły z Grottgera 17? Kiedy to było? W czerwcu, gdy Mama wróciła z Warszawy, a Ojciec wyjechał na parę dni do Szczecina, czy może później? Ale dzień? Godzina? Chwila? Rzeczy umierały niepostrzeżenie – jak podwórzowe koty, po których nie zostawał nawet ślad. Kryształowe wazony pojawiały się uroczyście, wnoszone do pokoju w białej bibułce, w triumfalnej barwie urodzin czy imienin, ale kiedy znikały? Bo potem ich już nie było. I chwile przebudzenia. Nagłe otwarcie oczu. Zdziwienie. „Heniu – wołała z kuchni przy Grottgera 21 pani Potrykus – nie widziałeś no gdzie tej srebrnej łyżki, co miała na rączce kwiatki?" Cóż jednak mógł na to odpowiedzieć pan Potrykus, listonosz z poczty przy Armii Radzieckiej, który dopiero w tej chwili dowiadywał się o istnieniu pięknej łyżki z szuflady Bierensteinów, choć jadał nią przez całe lata? „To znowu Marcinkowska. Jak jej nie wstyd!" – oburzała się pani Potrykus.

Bo przecież musieliśmy mieć winnych, widzialne osoby, które porywały srebrne sztućce podczas sąsiedzkich odwiedzin, wsuwały do kieszeni fartucha i uciekały ze zdobyczą w chmurną noc. Każda wizyta groziła uszczupleniem zasobów. W szufladach wybuchał popłoch. Widelce tuliły się z brzękiem do noży, chochle do łyżeczek! O platery, pudła wyściełane bordowym pluszem, z których niepostrzeżenie znikały metaliczne lśnienia. Tam, gdzie niklowany kształt iskrzył się zimnym blaskiem, po paru miesiącach były już tylko ciemne rowki – opustoszałe po swoich mieszkańcach. O niesprawiedliwe posądzenia, wrogości, kuchenno-ogrodowe śledztwa, piwniczne dochodzenia, sklepowe naszeptywania! Lecz jak obronić się przed nicością, która cierpliwie, dzień po dniu, połykała miasta, domy, nierdzewne noże firmy „Gerlach" i widelce o dźwięcznej nazwie „Stojadła"?

Bo tylko się odwróciłeś, a już srebrna cukiernica traciła wieczko, jakby je zdmuchnął wiatr. Spojrzałeś w okno, a już na etażerce, gdzie stała kryształowa solniczka, otwierała się pustka.

A patery, młynki do kawy, widelczyki do ciast? Gdzie wsiąkały korowody łyżek? Gdzie przepadały szpalery noży stołowych i kuchennych? I wszystko bez śladu. O, żeby chociaż wyśledzić te kruche linie podróży ku nicości, te senne homeriady, których nie udźwignie żadna nostalgia. Łyżki? Któż opowie ich odyseje? W dniu, w którym z ust pani Potrykus, poruszonej do głębi zniknięciem srebrnego sztućca w czeluściach fartucha pani Marcinkowskiej, padały niesprawiedliwe oskarżenia, łyżka Biereinsteinów wędrowała już wozem pana Węsiory na wysypisko pod Kokoszkami w stercie śmieci zebranych z ulicy Grottgera, by po latach trafić do antykwariatu na Długiej, a potem do domu na Tuwima 7, do mieszkania inżyniera Jarochowskiego z Politechniki, który umieścił ją w swojej gdańskiej kolekcji. Duża łyżka Bierensteinów, z rączką oplecioną ornamentem z liści ostu, odlana z grubego srebra w wytwórni Müllera pod Lubeką – i spokojna wieczność komody na Tuwima 7. Czy można sobie wyobrazić piękniejszy finał tego zmierzchania domowych planet, krążących w ciszy i ulatujących bezszelestnie w pustkę?

Ale tak szybowali podniebnym lotem tylko junkrowie platerów, obersturmbannführerowie porcelanowych zastaw do kawy w szlifach ze złota i kobaltu, arystokracje niklu, srebra i miedzi – mocno trzymające się czasu, oporne na przemeblowania kuchni i przestawiania kredensów. Choć i tę wzgardliwą armię lśnień, obojętnie pobrzękującą ciężkim odgłosem metalu na białych obrusach w niedziele i święta, wypierała z dębowych szuflad nieśpiesznie wzbierająca, lecz nieubłagana fala aluminiowych widelców ze znaczkiem „Wars" i porcelitowych popielniczek z literkami „FWP" – skromne pamiątki pobytu pana Potrykusa z żoną w pensjonacie „Siegfried" w Szklarskiej Porębie, przemianowanym na dom wczasowy cukrowników „Zenit".

A upadki, zawstydzające upokorzenia płótna i drewna, blachy i emalii? W kuchni co rano nasze oczy cieszył błękitny napis w języku Goethego „Witaj Nowy Dniu. Przynieś Szczęście Rodzinie i Sąsiadom", wyszyty gotykiem na białej makatce – ale czas dotykał bieli rdzawymi plamkami soku z jabłek i marchwi, aż wreszcie, któregoś dnia, białe płótno osunęło się na zielone linoleum i odtąd zmywano nim podłogę. I kiedy Mama obracała ryżową szczotką, zanurzając zszarzałe płótno w wiadrze z ciepłą wodą, tylko słowa „Nowy" „Szczęście" „Sąsiadom", zgniecione i rozwleczone, wypływały spod mydlin ciemniejszym błękitem.

A cierpienia glazury? Martyrologie pękających kafelków? Dogasanie niklu na poręczach łóżek? Matowienie kranów z mosiądzu? Zielenienie miedzi? Porastanie cynkowych rynien czarnym nalotem? Grudniowa szadź? Nocne spadanie dachówek, które dogorywały potem w sadzawce pod fontanną? Szelest tynku? Trzeszczenie wiązań dachu, krokwi i gzymsów? Żłobienie schodów przez pracowite dotknięcia gumowych podeszew? I ratowanie – czego się da. I ciężar powietrza kruszącego wszystko. I żółknięcie wanien. I rdzawe smugi na porcelanowych umywalniach. Powolne umieranie ogrodów.

W łazience na Grottgera 14 huczał szewski młotek pana W., z posadzki odpadały jedna po drugiej ośmiokątne płytki, które w roku trzydziestym siódmym Erich Schultz na prośbę żony sprowadził z wytwórni „Hoesse i Syn" pod Allenstein – sześć metrów najlepszej kobaltowej terakoty! – dom jęczał od uderzeń, kryształowe szybki w okienku na klatce schodowej drżały, rury przenosiły bolesne wstrząsy na piętro i wyżej, bo cynkowy kocioł, w którym pani Janina gotowała zawsze bieliznę, spadł na posadzkę obok wanny. Teraz terakotowe płytki, popękane, obrośnięte od spodu portlandzkim cementem z wytwórni Kistera w Dortmundzie, wędrowały jedna po drugiej na stertę gruzu przed wejściem, a potem do ogrodu, na ścieżkę między szpalerami tui, gdzie już w sierpniu porosły jasnozielonym mchem. Ich miejsce na posadzce obok wanny zajęła nieregularna plama lastryko, świecąca woskowym połyskiem wśród resztek kobaltowego tła. Potem z części odbitych płytek powstał zębaty płotek obrzeżający grządkę irysów. Hanemann pomagał Ojcu wytyczyć granice klombu dratwą rozciągniętą między zaostrzonymi palikami.

A zmiany najdotkliwsze, raniące skrycie, podstępnie ściszone, ledwie wyczuwalne? Wracając do domu późnym popołudniem Hanemann uświadamiał sobie, że nie potrafi już odtworzyć w pamięci dawnego koloru fasady domu Bierensteinów, chociaż właściwie nic się nie zmieniło, tylko tynk, leciutko przyprószony kurzem czy sadzą, nabrał odcienia drzewnego popiołu. Granatowe i żółte szybki w okienkach na klatce schodowej przygasły. Naprzeciwko, na ścianie domu

Maletzów, tynk odpadł w paru miejscach i trzcinowa mata, ocieplająca mur, wyjrzała spod wapiennej zaprawy. Okna malowano tylko od strony mieszkań. Rzeźbiona stolarka framug łuszczyła się w słońcu strzępkami wyschniętej farby, pękały poprzeczne listewki. Ktoś przypominał sobie o konieczności naprawy, ale kończyło się na pośpiesznym powleczeniu popękanego drewna grubą warstwą emalii. Czekano, aż kres zniszczeniu położy „Administracja". Hanemann trochę się dziwił, że wszyscy wzdychają do tej tajemniczej potęgi, ale dziwił się tylko do chwili, gdy pojął, co znaczą słowa Ojca, że „nic nie można dostać".

Pod oknami na sznurach rozpiętych między ścianą domu i pniem świerku furkotała bielizna z błękitnym monogramem Walmannów, ale nitki haftu były już poprute, a literki miały coraz mniej brzuszków. Gdy wiatr wzdymał płótno przypięte do sznura drewnianymi klamerkami, w paru miejscach słońce przeświecało przez siateczkę spranego materiału.

Hanemann stał przy oknie i patrząc na furkoczącą biel, myślał o domu Bergerów na Frauengasse. Dębowa sień? Kręte schody? Mosiężny próg? Co było w przedpokoju, po lewej stronie lustra, obok portretu radcy Wolfganga Bergera? Co stało na marmurowej kolumnie między oknami w salonie? Jak wyglądał haft na oparciu czerwonego szezlonga? A stół, piękny orzechowy stół – co było na stole tamtego dnia? Lśnienie karafki? Bukiet dalii w błękitnym dzbanku? Wtedy? Filiżanka w białych palcach. Pierścionek z malachitowym oczkiem. Ruch głowy. Wstrząśnięcie włosami. Ciemnoczerwona suknia Stelli. Biały spodek z kwiatem irysa?

Filiżanka?

Tak, ta filiżanka, ten irys na krawędzi, ta cienka złota kreska nad szafirową wypukłością – pamiętasz to, no powiedz, Stello, pamiętasz, kiedy ona znikła nam z oczu na zawsze?

Gdyby cię ktoś o to zapytał tamtego dnia, wzruszyłabyś

tylko ramionami. Filiżanka? Która? Kiedy? Małoż to filiżanek przechodziło przez nasze ręce? Któż by sobie głowę zaprzątał ciepłym dotknięciem porcelany, delikatną chropowatością denka z niebieskim znaczkiem firmy Werffla. Ale teraz, Stello, kiedy cię już nie ma, wiesz już, że to nie było zbyt mądre, ta twoja taneczna nieuwaga, gdy kręciłaś się po kuchni na Frauengasse 16, pozwalając, by rzeczy przepływały obok ciebie jak łódki z papieru rzucone na wodę, po których nie zostaje ślad.

Bo przecież teraz, kiedy już cię nie ma, oddałabyś wszystko, by choć przez chwilę poczuć pod palcami to parzące – pamiętasz? – gorąco filiżanki z kawą „Eduscho", pachnące gorąco, aż przygryzłaś wargę, bo teraz na dnie koło Bornholmu, tam, gdzie zatonął płynący z Danzig do Hamburga wielki statek „Bernhoff", w zimnie, na szarym dnie, leżą rozsypane kostki twojej ręki, niepozorne jak kostki ptaka, a drobna kiść dłoni odciśnięta w piasku...

Och, Stello, jak odciśnięty ślad listka...

Hanka

A kiedyś, któregoś dnia, otworzyłem oczy i zobaczyłem, że w domu jest Ukrainka. „Jaka tam znowu Ukrainka" – mawiał ojciec, zwijając tytoń w bibułce. Zawsze się obruszał, gdy ktoś ją tak nazwał. Ale tak na nią mówili chyba wszyscy.

Więc tamtego dnia rano, gdy zza drzwi dobiegł inny niż zwykle dźwięk przestawianych talerzy, gdy inaczej zabrzmiały kroki na podłodze pokrytej zielonym linoleum (kroki? przecież po siódmej w domu nie powinno być już nikogo!), a potem usłyszałem to inne niż zwykle pobrzękiwanie porcelany, postukiwanie noża na stolnicy, szeleszczenie papieru, świstanie szczotki, inne stuknięcie domykanego okna – na palcach podszedłem do drzwi i przez pękniętą szybkę z mlecznego szkła zajrzałem do kuchni.

Ukrainka stała przy oknie i lnianą szmatką wycierała szklankę ze srebrnym brzeżkiem, raz po raz chuchając w szkło i sprawdzając pod światło, czy jest już czyste. Włosy spięte nad uchem czarną spinką, szyja, gołe ramiona, ciemna cera, no, może niezupełnie ciemna, ale taka, jakby się na nią patrzyło przez przydymione szkiełko... Z policzkiem przy szybce, śledziłem każdy ruch rąk, w których połyskiwało wycierane szkło, chłonąłem każde zawinięcie kretonowej sukienki w żółte i czerwone kwiaty, i nawet nie spostrzegłem, jak drzwi, przy których stałem, otworzyły się nagle i mój policzek zderzył się z ciepłym kwiecistym materiałem. Ręce o leciutko przydymionej skórze chwyciły mnie pod pachy. Usłyszałem śmiech: „To ty jesteś Piotr?" Palił mnie wstyd, że dałem się tak głupio przyłapać, więc tylko kiwnąłem głową, a ona odsunęła mnie pół kroku, by mi się lepiej przypatrzeć: „Ja jestem Hanka. Pewnie mama ci mówiła. A teraz idź do pokoju i ubierz się. Zaraz zrobię ci śniadanie".

Cóż to było za śniadanie! Ledwie przełykałem bułkę z konfiturą wiśniową, bo teraz dziewczyna, która miała na imię Hanka, usiadła po drugiej stronie stołu i z brodą opartą na złożonych dłoniach, spojrzeniem zmrużonych oczu odmierzała każdy ruch mojej ręki. A kiedy tak odmierzała spojrzeniem każdy ruch mojej ręki, wszystko to, co jadłem, zaczęło smakować mi zupełnie inaczej niż zwykle. I jeszcze nie skończyłem jeść i pić, a ona już rozkroiła na cztery części czerwoną malinówkę, wydrążyła łyżeczką środek z pestkami i obrane kawałki ułożyła na talerzyku w gwiazdkę nazywając to wszystko „ciasteczkiem".

Byłem oszołomiony i trochę przerażony (przecież ona będzie u nas ciągle, rano, w południe, wieczorem!), ale oczu nie mogłem oderwać. „Co mi się tak przyglądasz?" – zapytała wstając od stołu, od razu jednak wyczułem, że wcale nie jest ciekawa odpowiedzi. Ach, nie, wcale nie o to chodziło, czy była ładna, tylko że była taka niepodobna do kobiet, które widywało się na Grottgera: jakieś czułe, żartobliwe przechylanie głowy, blask gładkich, ciemnych włosów, zręczny ruch przy zakładaniu kosmyka wskazującym palcem za ucho, blaszana spinka...

Jadłem udając, że nie patrzę, a ona, rozgniatając w miseczce twaróg z cukrem i śmietaną, nuciła jakąś piosenkę, której nie znałem. „Chcesz twarogu?" – na moment przerwała nucenie. Lecz gdyby ktoś jej teraz powiedział, że właśnie przed chwilą nuciła, pewnie wzruszyłaby tylko ramionami: „Cóż za głupstwa!" Patrzyłem z zachwytem, jak ładnie ujmuje w palce bladoszarą filiżankę i odlewa trochę śmietany z dzbanuszka, jak wydyma usta ostrożnie dmuchając na mleko, wzbierające w niebieskim garnku, i zręcznie sieka nożem świeżo umyte warzywa, które ułożyła na stolnicy. A wszystko robiła tak, jakby myślała o czymś innym. I ilekroć tylko przeszła obok mnie, leciutko potargała mi włosy, zagadała swoim dźwięcznym, niezbyt wysokim, trochę matowym głosem, w którym wszystkie szeleszczące i syczące głoski śmiesznie łaskotały ucho, mimowolnie zapraszając do żartów. „Smakuje ci?" „No, zjedz jeszcze..." „Chcesz rzodkiewki?"

Kiedy śmiała się, to tak jakby fala drżącej radości obejmowała szyję, kark, ramiona, plecy, brzuch... I wcale się nie zdziwiłem, gdy kiedyś pan J. powiedział do Ojca w ogrodzie: „Ona ma takie śmiejące się ciało, prawda?" Pewnie mówili o kimś zupełnie innym, ja jednak od razu pomyślałem o Hance. Bo to się zgadzało. Ruch, mówienie i śmiech tak pięknie w niej współgrały, że zaczynałem chyba rozumieć, dlaczego mężczyźni lubią porównywać kobietę do ptaka, róży czy jakiejś innej pięknej istoty, której zapach jest właściwie takim miękkim promieniowaniem.

W domu nastały nowe porządki, bo wszystko musiało

być po myśli Hanki, na co Mama chętnie przystała, tylko Ojciec burczał czasem, gdy po sprzątaniu dużego pokoju rzeczy zmieniły miejsce na półkach, chociaż też podobało mu się to, co Hanka robiła.

Bo ona, inaczej niż Mama, lubiła dotykać wszystkiego gołymi palcami: bawiło ją zanurzanie talerza w ciepłej wodzie, przecieranie szklanek do błysku, ustawianie porcelanowych naczyń z napisem „Zucker", „Salz", „Pfeffer" na półkach w głębi kredensu, polerowanie kredą srebrnych łyżek z gotyckim monogramem „W", by pięknie świeciły na dnie pudła wyłożonego bordowym pluszem, sortowanie noży i widelców, tak by małe leżały po lewej, w bocznej przegródce, a te duże spały sobie na boku w nacięciach dębowej listewki przegradzającej szufladę. A smaki, gęstości, przeźroczystości, zapachy! Wszystko się zmieniło. Na kołeczkach wieszaka obok kredensu pojawił się warkocz czosnku i bukiet ziół o popielatobłękitnych listkach, a pod oknem wianek brązowych nasion. Na stole pokrytym dotąd ceratą Hanka rozłożyła obrus z grubo tkanego płótna, haftowany w żółte kwiaty z czerwoną łodyżką. Cieszyła się jego granatową barwą, na której miseczka z twarogiem wyglądała jak porcelanowa łódka na ciemnym morzu. A gdy rano przed wyjściem do szkoły wbiegałem do kuchni, na talerzyku czekały już na mnie dwie rozkrojone kajzerki z masłem: na każdej śmiała się czyjaś zabawna twarz ułożona ze skrawków czerwonej rzodkiewki i koperku. A jak smakował na białym serze drobniutko siekany szczypiorek – jeszcze pachnący zimnem porannego ogrodu. Z ulicy dobiegało świergotanie wróbli, szumiały listki brzozy, stukały czyjeś kroki na chodniku, na koronkowych zasłonkach w uchylonym oknie falowały ciepłe plamy słońca. Solniczka bez pokrywki pełna grubych ziarenek soli, które nabierało się na czubek noża, by posypać razową kromkę, lśniła srebrnym blaskiem obok mokrych od rosy, wetkniętych w gliniany dzbanek irysów, które Hanka zdążyła już naciąć wielkimi krawieckimi nożycami pod brzozą. A potem, siedząc naprzeciwko mnie, nabierała na łyżeczkę miodu z niskiego słoja, ze śmieszną lubością przypatrywała się bursztynowej nitce i brzuszkiem lepkiego srebra długo głaskała świeży chleb, rozsmarowując słodycz na kromce. Oblizując palec sprawdzała smak śmietany, którą w emaliowanej kance przynosiła z ulicy Kwietnej, z domu Ringwelskich koło młyna.

Kiedy zaś robiło się konfitury z wiśni, wiedziałem, że w środku nocy przez przedpokój przemknie cień w białej koszuli haftowanej w listki i już po chwili leciutkie brzęknięcia zdradzą ruch łyżeczki, która zanurzy się w słodkiej brunatności, odsunie pianę (w języku Hanki nazywało się to „zgręzy") i ku niecierpliwym ustom powędruje wiśnia w lśniącym soku, a potem druga, trzecia, czwarta... Och, te miękkie mlaśnięcia, czułe przełykania o północy, gdy dom pogrążony w ciszy snu poskrzypywał podłogami i spojeniami szaf.

Hanka ze świecą przepływała za mlecznymi szybami, żółtawe światło tonęło w głębi kuchni, cień głowy z włosami związanymi czerwoną wstążką stawał na ścianie, a ja powolutku wypełzałem spod kołdry, ostrożnie naciskałem klamkę, wślizgiwałem się do kuchni, ona zaś, gdy tylko mnie spostrzegła, dawała znak, bym podszedł do stołu na palcach, bo rodzice powinni sobie dalej spać anielskim snem, a potem lewą ręką (bo z prawej nie wypuszczała swojej łyżeczki) podawała mi drugą łyżeczkę i, tłumiąc wybuchy śmiechu, zaczynaliśmy z gęstego soku wyławiać wiśnie, które smakowały najlepiej, gdy po każdym przełknięciu nabierało się na słodką jeszcze łyżeczkę trochę kremowej kwaskowatej śmietany, tak że na ustach zostawał białoróżowy ślad, miły w obliźnięciu. A rano tylko błyśnięcia zmrużonych oczu za plecami Mamy zdradzały sekret, który złączył nas w ciemnościach nocy.

Kiedyś pan Wierzbołowski powiedział do Mamy, że Hanka przyjechała transportem z Przemyśla, że przeszła straszne rzeczy, że ktoś jej zrobił coś, o czym nie można mówić głośno, ale Ojciec tylko machnął ręką: „Co on opowiada, ona taka Ukrainka, jak ja Hermann Goering". Pan Z. jednak zapewniał, że Hanka musiała przyjechać z tamtych stron, bo mieszkała dość długo za Koszalinem i czasem się pokazuje z takim wysokim czarnym, co to mówi po wschodniemu. Ale mało to ludzi mówiło po wschodniemu? Mama raz powiedziała, że Hanka ma właściwie akcent z Prus czy Mazur, na co Ojciec zaśmiał się – lecz potem przestał: „A wiesz, że może masz rację".

Więc pod koniec maja zdobyłem się na odwagę. „Hanka, a skąd ty właściwie jesteś?" (Nie wolno mi było tak mówić; miałem mówić: „Pani Haniu" albo lepiej „Ciociu Haniu"). Lecz ona, słysząc moje pytanie, nawet nie odwróciła głowy znad przyprószonej mąką stolnicy, na której szybkimi ukośnymi stuknięciami noża kroiła długie wałeczki ciasta na kopytka: „Skąd? Ze świata". „Jak to: ze świata?" – nie dawałem za wygraną. „Ze świata i tyle" – odpowiedziała dotykając mi nosa umączonym palcem. Nazajutrz w przypływie gniewu chciałem zajrzeć do walizki, którą trzymała pod łóżkiem w swoim pokoju (zajęła mały pokój obok łazienki, z oknem wychodzącym na ogród i brzozę, z którego widać było dawny dom Bierensteinów), ale walizka miała nie tylko dwa zatrzaski, lecz i mosiężną kłódeczkę z napisem „Wertheim".

Był chyba czternasty czy piętnasty czerwca. Wracając ze szkoły trochę wcześniej niż zwykle, zajrzałem do kuchni. Lubiłem czasem wpadać niespodziewanie, z głośnym okrzykiem, ze śmiechem, z brzękiem skuwek tornistra i tupotem sandałków, Hanka pokazywała wtedy, jak bardzo się boi, przyciskała ręce do piersi i unosząc wysoko brwi, śmiesznie przewracała oczami. Lecz teraz to, co zobaczyłem po otwarciu

159

drzwi do kuchni, przeraziło mnie tak, że nie mogłem wymówić słowa. Hanka stała przy oknie. Podszedłem do niej, położyłem na plecach rękę i delikatnie pogłaskałem kwiecisty kreton, jakbym głaskał piórka spłoszonego gołębia, ale ona odepchnęła mnie z całej siły. Nie poznawałem jej: miała mokre cienie pod oczami, spuchnięte powieki – było to tak straszne, że łzy napłynęły mi do oczu. „Hanka, co się stało?" Nie odpowiedziała, tylko zaniosła się głośnym płaczem i chwytając mnie w ramiona mocno przytuliła do siebie, tak mocno... Później cały wieczór chodziła po kuchni, prawie się do nas nie odzywała, nie mogła skupić się na czymkolwiek, stawała przy oknie patrząc na ogród, a może i dalej, na niebo, na wzgórza za domami po drugiej stronie ulicy Grottgera.

A potem było tamto popołudnie. Gdy wróciłem o trzeciej, nie wpuszczono mnie do domu. Pani W. stała przed wejściem, wzięła ode mnie teczkę i mówiąc: „Idź, pobaw się u Korzybskich", odsunęła mnie od drzwi. Powoli odchodziłem ścieżką w stronę bramy, oglądając się co parę chwil, a pani W. z daleka odpędzała mnie to ponaglającymi, to uspokajającymi ruchami dłoni. Czułem, że stało się coś strasznego, więc szedłem tak, jakby mi nogi grzęzły w gęstej glinie, lecz gdy po chwili zza ogrodzenia usłyszałem szept Andrzeja: „Hanka się zabiła", rzuciłem się biegiem z powrotem w stronę domu. Pani W. mocno objęła mnie ramieniem: „Zaraz wezmą ją do Akademii". Byłem dotknięty do żywego, że trzymają mnie za drzwiami, że nie chcą mnie do niej dopuścić, chociaż ja miałem największe prawo, tym bardziej, że to, co powiedział Andrzej, nie było prawdą, ona żyła, tylko coś się jej stało, zaraz zabiorą ją do Akademii... Ale nawet po wielu latach Mama niechętnie powracała do tamtego popołudnia i tylko czasem dowiadywałem się czegoś przypadkiem, gdy dorośli rozmawiali w ogrodzie.

Wedle pana J., Hanemann nie spostrzegł niczego, nawet gdy przeszedł obok drzwi. Z ręką na poręczy minął blaszany pojemnik stojący na półpiętrze, dopiero gdy znalazł się przed drzwiami swojego mieszkania, poczuł w powietrzu tamten zapach. Nie było to nic takiego, ale dla pewności zszedł na parter i zapukał. Nikt nie otwierał, więc zapukał jeszcze raz – mocniej, ale znowu odpowiedziała cisza, szarpnął za klamkę, bo teraz zapach był już zupełnie wyraźny, za drzwiami nic się jednak nie poruszyło, w mieszkaniu pewnie nie było nikogo, zbiegł do ogrodu i, wspiąwszy się po drewnianej kratce oplecionej dzikim winem, zajrzał przez okno do kuchni. Za szybą biały sufit, lampa z okrągłym kloszem, szczyt kredensu… Wspiął się jeszcze wyżej, lecz coś białego zasłaniało widok – płócienna płachta przyciśnięta do szyby. Zeskoczył z kratki, dobiegł do drzwi, uderzył ramieniem, ale drzwi nie drgnęły. Teraz czuł już wyraźnie ten zapach… Zbiegł znów do ogrodu, ale w pobliżu nie było nikogo, wrócił więc pod drzwi, wyciągnął zza blaszanego pojemnika żelazny pręt, wsunął pod klamkę, podważył, szarpnął w dół, potem w prawo, trzasnęło, pchnął drzwi, wpadł do ciemnego przedpokoju, pchnął drzwi kuchenne, w twarz uderzyło mdłe tchnienie, z rozmachem rzucił prętem w okno, brzęk trzaskającej szyby.

Na zielonym linoleum, obok umywalki, leżała Hanka. Pod czajnikiem syczał zalany wodą palnik. Głowa na białym ręczniku, ręka pod policzkiem, nogi w bawełnianych pończochach podkulone…

Boże Ciało

To, co się stało, wstrząsnęło Hanemannem, nie na tyle jednak, by zmienić jego życie. Właściwie raczej go zaskoczyło, niespodziewanie wywołując z pamięci berlińską młodość, tak już odległą, że aż nierzeczywistą; nie przypuszczał, że tamten czas może obudzić tak silne wspomnienia.

O samej dziewczynie nie myślał. Może chwilami tylko czuł coś w rodzaju współczucia. To prawda, widywał ją na schodach i w ogrodzie, lecz zwykle, patrząc zza szyby na ciemne włosy obrzeżone cieniutką linią słonecznego światła, gdy pochylona ścinała krawieckimi nożycami astry pod wielką brzozą w kącie ogrodu, niedbale bawił się co najwyżej myślą, że na staroniemieckich obrazach można odnaleźć postać o podobnej urodzie; w tej jednak przyjemności oka, które cieszyło się pięknym rysunkiem odsłoniętych ramion, serce nie brało udziału – bez żalu patrzył, jak dziewczyna wraca do domu z paroma kwiatami w palcach.

Widok noszy, na których do białego samochodu wsuwano teraz uśpione ciało, wywołał z pamięci obrazy kliniki Althof koło Moabitu, gdzie przez kilka miesięcy był na praktyce u Ansena. Gmach przy Winterstrasse? Wysokie schody z ciemnego granitu, latarnie w rękach siłaczy z brązu, mosiężny połysk świeczników w amfiteatralnej sali Kolegium Emaus, rzeźba Meduzy na katedrze, purpurowe obicia krzeseł... I tamten dzień, kiedy pierwszy raz zeszli do podziemi... Wykafelkowane wnętrze, gotyckie okienka, siatka, rury wywietrzników, lampy z blaszanym kloszem, gumowe fartuchy, daleki szelest wody, jakby za ścianą była wielka łaźnia. A potem widok ciała ułożonego na marmurowym stole i ta myśl, jeszcze z dawnych lat, natarczywa, dziecięca, naiwna, która nagle powróciła w chwili, gdy Ansen powoli przeciągnął skalpelem po nagiej skórze: „Zaraz zobaczę duszę..."

To, że trafił na anatomię, nie było przypadkiem, lecz – jak chciał wierzyć – brało swój początek w dzieciństwie, a może i w głębszy sposób łączyło się z rodzinną przeszłością, kilku bowiem Hanemannów zasłynęło kunsztem zgłębiania sekretów ludzkiego ciała już w służbach medycznych armii króla Prus i nawet jeden z nich, Heinrich Siegfried Hanemann z drugiego pułku artylerii konnej z Dresden, został wyróżniony w 1815 roku książęcym odznaczeniem za nadzwyczajną zręczność na polu bitwy pod Lipskiem, gdzie dzięki zimnej krwi uratował życie samego pułkownika Fersena. Naprawdę jednak – i to wyjaśnienie było Hanemannowi najbliższe – ku medycynie popchnęła go żarliwa i grzeszna lektura ksiąg zakazanych. Stare traktaty anatomiczne, które

163

znalazł w bibliotece ojca, dzieła ozdobione ciemnymi miedziorytami, uczyły go, że badanie ludzkiego wnętrza nie jest czynnością tylko techniczną, do której wystarczy wiedza i nadzwyczajna zręczność palców. Pracę lekarza spowijał cień tajemnicy, której – jak o tym upewniali autorzy sztychów ozdabiających wielkie strony z żółtawego papieru – nigdy nie przeniknie ludzkie oko.

Często, gdy ojca nie było w domu, oglądał anatomiczny atlas Meyersa, ciężki tom o marmurkowych brzegach, ale po obejrzeniu barwnych ilustracji, na których przedstawiono nagich ludzi o skórze pokrytej drobnymi literkami i cyferkami, lubił sięgać po stare księgi, ustawione za szkłem na najwyższej półce. Oddychał wtedy z ulgą. Bo przecież w atlasie Meyersa otwarte ciało człowieka, obsypane rojem cyfr, wyglądało zupełnie jak roślinny preparat rozcięty skalpelem! Sekret życia? W tych sztywnych liniach? W rządkach cyfr? Jakże inaczej przedstawiali człowieka dawni mistrzowie w dziełach o tajemniczych łacińskich tytułach! Ilekroć zaglądał do brukselskiego wydania *Traktatu o chirurgii* van Heldena (pod ozdobnym tytułem figurowała data 1693), tylekroć czuł się tak, jakby wędrował po świecie, którego władcami musieli być Merlin i Melisanda. Cóż to była za księga! Choćby ten drzeworyt na karcie tytułowej: nagi młodzieniec oparty łokciem o grecką kolumnę uśmiecha się nostalgicznie, mimo że jego skóra wisi obok na gałązkach kolczastego krzewu – niczym za duże, wiotkie palto! Więc nawet go nie musnęło skrzydło bólu? A wszystkie mięśnie – narysowane dokładnie, podobne do pięknych wrzecion – na wierzchu! Gdy Hanemann, wzruszony i rozśmieszony smutkiem nostalgicznego młodzieńca, przewracał pożółkłą kartę, na stronie następnej odnajdywał piękną panią o dużych smutnych oczach, otwartą jak muszla ostrygi, tak by można było sobie dokładnie obejrzeć zwoje jelit wtulone w miednicę. A obok smutnookiej piękności, która trzymała w palcach świetlistą różę, stał nagi brodaty mężczyzna, któremu wyjęto kilka żeber, tak by czytelnicy mogli zgłębiać do woli sekret serca oplecionego gałązkami tętnic. Cóż zaś mówić o drzeworytach z dzieł Ambroise'a Paré, sztychach z traktatów Harveya, rycinach ozdabiających rozprawy Boerhaave'a, Morgagniego, Vesaliusa czy Fallopio! Na wielkich stronach nagie postacie, z których zdjęto skórę, by odsłonić piękne sploty mięśni i ścięgien, przechadzały się parami po rozległej równinie Elizjum z gałązką palmową w palcach, a z góry na obnażone ciała, w których wszystko było bezwstydnie jawne, padał blask niebiańskich promieni, piękne anioły zaś, o łagodnych twarzach i smukłych dłoniach, przelatywały wśród chmur, powiewając wstęgą z łacińskimi nazwami chorób i leków.

Lecz ten obraz ciała, opromieniony światłem wzniosłych alegorii Czasu, Mądrości i Fortuny, który poruszał w dzieciństwie wyobraźnię i skłaniał do marzeń o boskim powinowactwie, zderzył się z twardym doświadczeniem w podziemnych salach kliniki Althof, gdzie pod nóż studentów i młodych lekarzy trafiały ciała w stanie upadku, odarte z majestatu śmierci i upokorzone. „Posłuchaj – powiedział pewnego dnia do Hanemanna August Pfütze, który miał już za sobą kurs anatomii. – Tu gdzie jesteśmy, stracisz Boga. Z twojej wiary nic nie zostanie, zobaczysz".

Profesor Ansen oburzyłby się z pewnością na takie słowa. Wiedział, że do podziemnych sal Althofu spływają z głębin miasta ciała zrozpaczonych i potępionych, którzy odrzucili nadzieję zbawienia, lecz przecież – jak wywodził w inauguracyjnym wykładzie – nie odbiera to im godności, bo wejrzenie w śmierć, nawet w śmierć w najgłębszym poniżeniu, zbliża nas do rozjaśnienia tajemnicy sił, trzymających nas przy życiu. Co nas naprawdę broni przed pokusą? Co zmusza do odrzucenia daru? Profesor Ansen, wieloletni rzeczoznawca berlińskich sądów, w rozjaśnieniu tego sekretu widział swoje powołanie. „Panowie – mówił w wielkiej auli

Althofu do studentów pierwszego roku, którzy zjechali do granitowego gmachu przy Winterstrasse z Monachium, Hamburga, Breslau, Danzig a nawet z Königsbergu – ileż to zdarzało się ubolewania godnych pomyłek, kiedy to na skutek niewiedzy, a także – niech to będzie powiedziane wyraźnie – niedbalstwa władz policyjnych, dochodziło do wydawania opinii, urągających prawdzie i przynoszących hańbę naszemu zawodowi. Lecz nie myślcie, że to tylko kwestia błędnych procedur. Nie możemy być tylko lekarzami. Musimy widzieć w człowieku cielesną duszę, która zawsze stoi na progu rozpaczy. Niech zatem wasze oko będzie uważne i cierpliwe jak diament, niech tropi przyczynę. Badajcie ciała zrozpaczonych i odrzuconych, którzy wybrali śmierć, lecz czyńcie to tak, by odkryć, co w nas wspiera boską energię życia, która nawet w najtrudniejszych chwilach, gdy zdaje się nam, że straciliśmy już wszystko, potrafi rozjaśnić mrok i przynieść ocalenie. Szukajcie medycznych przyczyn rozpaczy, które choć nie jedyne, często decydują o wszystkim. Ale nie zapominajcie, że człowiek jest czymś więcej..."

Myśląc o słowach Ansena, Hanemann uśmiechał się. Profesor Ansen musiał zapewne czytać wiele Nietzschego. Lecz ileż z tego uniesienia, które czuł w sercu wtedy, gdy słuchał Ansena, pozostało?... Bo przecież nie musiało wcale upłynąć tak wiele czasu, a mógł prowadzić skalpel z cierpliwą obojętnością kartografa, rysującego dobrze znane lądy. Stygnięcie serca... W podziemiach Althofu odsłaniała się przed nim ciemność ludzkiego życia, ta ciemność budziła jednak lęk tylko przy pierwszym zetknięciu, później zaś?... Groza samowolnej śmierci? Profesor Ansen, ubrany w biały fartuch z gumowanego płótna, unosił brezentową osłonę znad białej twarzy umarłego, którego posługacze ułożyli na marmurowym stole, lecz w jego głosie nie było drżenia.

„Nie sądźcie panowie – zwracał się do asystujących mu studentów – że śmierć z własnej ręki daje się łatwo odróżnić od śmierci zadanej ręką cudzą. Śmierć zawsze ukrywa się przed nami, nie tylko wówczas gdy ktoś, kto chce umrzeć, pozoruje zbrodnię. Ciało nas okłamuje, tak dzieje się zawsze. Musimy być nieufni, nawet gdy mamy zupełną pewność. Dla niewprawnego oka często nic prawie nie różni ciała samobójcy od ciała człowieka, któremu odebrano życie. Jakże chętnie nasza myśl ulega pozorom! Popatrzcie: komisarz Schinckel twierdzi, że ten oto młody człowiek, w którego ręku znaleziono nóż, sam pozbawił się daru życia. Lecz nie jest to prawdą. Samobójcza rana na szyi jest zwykle ukośna, biegnie od lewej do prawej, jest głębsza przy uchu i płytsza przy obojczyku, bo ręka nieszczęśnika słabnie w miarę jak zadaje cios. Cięcia próbne, dużo słabsze pojawiają się zwykle u szczytu rany głównej świadcząc o nerwowym rozstroju i lęku nieszczęśnika. Zbrodnicze cięcie inaczej: biegnie w poprzek szyi i kończy się zwykle głębiej – tak jak tu – bo zbrodniarz chce być pewien, że ofiara nie odzyska życia. A samobójczy strzał? – profesor Ansen przechodził do drugiego stołu, na którym spoczywało ciało starszego mężczyzny. – Niech was nie złudzi rewolwer w dłoni umarłego. Ten oto kupiec z Bremy, którego ciało dostarczono nam wczoraj, został znaleziony z mauzerem w ręku. Lecz samobójca, pamiętajcie o tym panowie, nigdy nie strzela przez ubranie, zawsze odsłania miejsce, w które pragnie ugodzić. Nigdy nie zapominajcie o tym, że śmierć jest zawsze dziełem duszy…"

„Wiesz – mówił August Pfütze, gdy po wykładzie Ansena wracali o zmierzchu na stancję pani Lenz – Ansen ma rację. Naprawdę ważne nie jest pytanie, dlaczego ludzie odbierają sobie życie. Naprawdę ważne jest pytanie: dlaczego większość ludzi życia sobie nie odbiera. Bo to prawdziwy cud. Przecież życie jest nie do zniesienia". Pamiętał te spory, które toczyli na poddaszu kliniki. „Przecież ciało niczego nam nie zdradzi. Ono milczy. Myślisz, że ciało

Kleista i tej Vogel cokolwiek mówiło?" Wzruszał ramionami: „Słuchaj, Auguście, przecież ona miała raka". „I to wyjaśnia wszystko, prawda?" – August zachłystywał się ironią. – Miliony mają raka, a była tylko jedna Vogel". Wiedział, że August co wieczór pogrąża się w pismach tego wiedeńskiego psychiatry, o którym mówiło się coraz więcej, więc podrzucał mu trop: „Libido i Thanatos?" „A żebyś wiedział – August odgarniał swoje jasne włosy. – Każda cząstka naszego ciała w równej mierze chce żyć, co umrzeć. Każda! I cały czas stoimy na granicy. Jak na moście z jednego włosa. Wystarczy powiew". Patrzył z sympatią na zaróżowioną twarz przyjaciela: „Przesadzasz. Jakoś wszystko przecież trwa. A my zaraz zejdziemy do Müllera i zamówimy sznycel". Nie było to mądre. August obrażał się, ale na szczęście nie na długo i już po paru minutach biegli razem Winterstrasse w stronę gasthausu, zaczepiając po drodze dziewczęta z białymi parasolkami...

Wtedy, podczas praktyki u Ansena, Hanemann nie lubił zaglądać do katolickich kościołów. Nie mógł znieść widoku nagiego Chrystusa. Mógł jeszcze patrzeć na średniowieczne obrazy męki, na wizje Grünewalda, chociaż go przerażały, ale tam ciało, spryskane krwią, było właściwie okryte płaszczem płynącej czerwieni. Nagość osłonięta purpurą. Kościelne posągi budziły odrazę. Szczególnie te, które wystawiano w polskich kościołach na Wielkanoc, gipsowe figury Boga złożonego do grobu; zbyt silnie przypominały to, co oglądał na marmurowym stole. Wszystko się w nim burzyło: Przecież tak nie wolno przedstawiać Boga! W zborach było inaczej. Prosty krzyż. Białe ściany. Ale teraz w Danzig zborów już nie było. Z tego wielkiego, przy koszarach na Hohenfriedberger Weg zrobiono kino, tak samo z tego mniejszego przy Jäschkentaler Weg.

Więc czasem zaglądał do Katedry, zresztą nie często, tak jak nie za często zaglądał dawniej do domu modlitwy przy

Pelonker Strasse na kazania pastora Knabbe. Kiedy po raz pierwszy wszedł do białej nawy, poczuł tylko obcość. Trafił na porę najgorszą, fioletowy adwent, wszystko się w nim wzbraniało przed tym, co zobaczył. W głębi, przed głównym ołtarzem, tłum powoli podchodził do leżącego krzyża, do którego była przybita naga figura Boga. Ustami dotykano poranionych nóg i rąk. Było to tak odpychające, że wyszedł z kościoła. Ale ten obraz w nim pozostał. Patrząc na ludzi z ulicy Grottgera, czuł, że łączy ich to pochylenie głowy nad białym jak kość słoniowa ciałem przebitym gwoździami, to dotknięcie wargami krwi namalowanej grubą czerwienią.

Raziło go to, choć przecież daleki był od potępień. W czerwcowe przedpołudnia, gdy ulica Grottgera, wyświeżona i wypachniona, ruszała w stronę Katedry, nie zostawał jednak w domu. Ulicą Wita Stwosza, potem koło pętli i przez park, dochodził do ulicy Cystersów w pobliże kaplicy św. Jakuba. Nie, nie przystawał na chodnikach, lecz raczej powoli spacerował i choć to, co widział dookoła, było mu obce, poddawał się pięknej barwie świątecznego dnia. Wilgotna, świeżo spryskana jezdnia, dziewczynki w długich sukienkach z batystu, błyszczące torebki, w rękach grube żółte świece z koronką, asparagus, niciane rękawiczki, ćwierkanie glinianych ptaszków... Mijał małe ołtarze, ozdobione świerkowymi gałęziami, tulipanami i narcyzami, przy których krzątały się kobiety w kretonowych sukienkach. Mężczyźni w białych koszulach z zawiniętymi rękawami ustawiali świeżo ścięte szeleszczące brzózki po obu stronach stołów nakrytych śnieżnym obrusem, podobnym do ministranckiej komży. Odprasowane marynarki leżały na trawniku.

Dzwon z wieży Katedry wybijał dziesiątą. Hanemann skręcał w ulicę Cystersów i zatrzymywał się pod kasztanami. Patrzył na wszystko z oddalenia, chociaż był na ciepłej czerwcowej ulicy pośród wyświeżonych ludzi, idących ku Katedrze. Wtedy, gdy po raz pierwszy wszedł do białej nawy, zraził go widok kobiet z policzkiem przyciśniętym do kratki, które zwierzały się obcemu mężczyźnie w czarnej szacie, a potem z pochyloną głową całowały fioletową stułę, którą spokojnym, zrównoważonym gestem podawała im biała dłoń, wynurzająca się z cienia. Kiedy na to patrzył, czuł, że rację miał wittenberski doktor… Ta bliskość twarzy przegrodzonych kratką, to mieszanie się oddechów… A kiedy w stallach ujrzał mężczyznę w infule z pastorałem w ręku – młodzi chłopcy w strojach alumnów, przyklękając, zaczęli dotykać ustami wyciągniętą dłoń z grubym pierścieniem – musiał odwrócić głowę i wyjść na plac. To było prawdziwie nie do zniesienia.

Ale teraz… Teraz na ulicy Cystersów, pod kasztanami o dużych liściach, przelatywały spłoszone wróble, w mosiężnych trąbach orkiestry odbijały się rozgrzane twarze muzyków, bęben powolutku postukiwał w głębi falującej melodii, która wzbijała się w niebo wraz z kadzidlaną wonią błękitnego dymku i nie wiadomo było, skąd napływa to ciepło, od którego drży powietrze – czy z nieba, bladego i bezchmurnego, czy może spod ziemi, która też odżywa, wysypując w ogrodach spod darni nakrapiane kielichy smolinosów i ciemne pędy lilii o słabym jeszcze wiosennym zapachu. W głębi ulicy, pod liśćmi kasztanów, płynęła ozdobiona złotym haftem Arka białego baldachimu, uginała się i unosiła na czterech drążkach, a w niej sunęło metalowe słońce, promieniste słońce z białą źrenicą Hostii, niesione w dłoniach owiniętych kapą.

Tego widoku na pewno nie zniósłby wittenberski doktor – ale teraz? Teraz słońce nad dachami ulicy Cystersów miało swoje drugie słoneczne odbicie, którego środek nie żarzył się oślepiająco, lecz dotykał oka miękką bielą. W to słońce można było patrzeć bez obawy, to nie było słońce, które wypala zboża i wysusza rzeki, jego środek był dotykalnie żywy…

Hanemann patrzył na złotą rozgwiazdę niesioną pod baldachimem, ozdobionym grubymi haftami przez szwedzką kró-

lową, a wielkie słońce, rozżarzone białe słońce, stojące już
wysoko nad Wrzeszczem (zbliżała się jedenasta), może łagodniało na widok tego małego słońca w koronie metalo-
wych promieni, płynącego nad pochylonymi głowami. Bo
w tej świetlistej przeźroczystości czerwcowego przedpołudnia
zdawało się łagodnieć wszystko. Lodowe spojenia rozluźniały
się w głębi serca. Hanemann mrużył oczy, broniąc się ironią
przed ciepłym tchnieniem, które dotykało włosów jak ręka
matki, mówił sobie, że to wiosenne powietrze tak go rozbie-
ra, ale wolniutko szedł pod kasztanami wśród ludzi, których
rozgrzane ciała parowały leciutką mgiełką, szedł po bruku
skropionym świeżą wodą, na którym, niczym strącone moty-
le, leżały płatki polnych i ogrodowych kwiatów, rzucane gestem podobnym do gestu siewcy przez dziewczynki w sukienkach z szeleszczącej gazy. I teraz mu się zupełnie nie
chciało toczyć sporów z papistami, teraz to, co widział dookoła, złączyło się w jakąś całość; w tej całości splatały się nie
tylko głosy z podwórza przy Grottgera 17, szelest kamiennej
posadzki przy całowaniu krzyża, dziwne dziecięce śpiewanie
o maku i babie, długie wysiadywanie w oknach o zmierzchu,
niedbałe przekopywanie grządek, lecz i nawet sam sposób,
w jaki pan Wierzbołowski wracał wieczorami z panem D. do
domu, wędrując falistą linią wzdłuż żywopłotów, gdy razem,
objęci ramionami, wpływali w ciemną sień pod czternastką;
nawet to wydawało mu się teraz nie tylko najnaturalniejsze
w świecie, lecz i najgłębiej słuszne.

Uśmiechał się do siebie. O doktorze wittenberski... Ko-
biece ramiona przysłonięte batystem, na których skrzyły się
drobniutkie kropelki potu, ramiona kobiet idących przy bal-
dachimie, były tak piękne, że nawet dreptanie dzieci w wia-
nuszkach ze stokrotek, lśniące czoła ocierane chusteczką,
wygolone karki mężczyzn dotknięte już brązowym płomieniem czerwca, szelest kroków, tłok, zmęczenie – nawet to
wszystko nie mąciło dobrego światła, napełniającego duszę.

A jednak po powrocie na Grottgera 17, gdy siadał w fotelu, by trochę odetchnąć, oczy z ulgą odnajdywały na ścianie *Krzyż w górach* – barwną litografię w brązowych ramkach, zrobioną według obrazu Caspara Davida Friedricha.

Na ciemnym wzgórzu porośniętym świerkami stał czarny znak Boga i nie było tam żadnego człowieka.

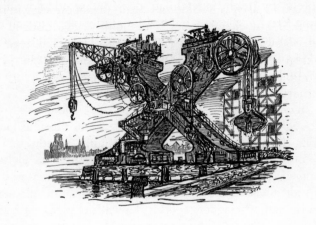

Powrót

Mama wprowadziła ją do bramy ostrożnie, trzymając za łokieć, ale Hanka uwolniła rękę z uścisku. Patrzyłem zza firanki jak idzie przez ogród szybko, z uniesioną głową. Chyba czuła, że zza firanek, tak jak ja, patrzą na nią wszyscy.

Potępienie? Nie było żadnego potępienia. Ani wtedy, ani później. Może gdyby to zrobił ktoś inny?... Ale ona? Obowiązywała raczej niepisana umowa, żeby nie dać po sobie znać, że się wie. Tylko czy to się mogło udać? Kiedy minęły szpaler tui, pan Wierzbołowski przestał przycinać nożycami krzewy przy ogrodzeniu: „Dzień dobry paniom". Hanka spojrzała spod przymrużonych powiek: „Dzień dobry". Ale powiedziała to jakby odrobinę za twardo, z niepotrzebnym przyciskiem, jakby chciała pana Wierzbołowskiego obrazić. Pan Wierzbołowski, w którego głosie nie wyczułem niczego niezwykłego, popatrzył za nią trochę dłużej niż zazwyczaj i dopiero po chwili znów wziął się do przycinania żywopłotu pod czternastką.

„Trzymała fason" – powiedział później. Ale ja zza firanki dostrzegłem, że tuż przed samymi drzwiami do sieni Hanka zrobiła dłuższy krok, żeby szybciej zniknąć z widoku.

Potem trzask otwieranych drzwi. Odetchnęła głęboko, jak pływak, który wynurza się z wody. Weszła do swego pokoju, ale nie zamknęła za sobą drzwi. Prędkim, niecierpliwym ruchem wyciągnęła spod łóżka walizkę plecioną z wikliny, sięgnęła po ręczniki uprane przez Mamę i rozwieszone na niklowanej poręczy. Jeden ruch, mocny, niespokojny, ściągnęła z poręczy tamten ręcznik – biały, z czerwonym obszyciem – wepchnęła go do walizki, na dno, pod bluzki i sukienki. Mama stanęła w progu: „Zostań, musisz jeszcze dojść do siebie". Lecz ona nawet nie podniosła głowy: „Nie". „To chociaż zdejmij płaszcz. I coś zjedz". Machinalnie rzuciła płaszcz na łóżko i poszła do kuchni.

Jedliśmy w milczeniu, tylko Ojciec, cicho śmiejąc się, opowiadał o panu Wierzbołowskim, który wczoraj kupił starą warszawę od Mierzejewskich, a dzisiaj już musiał ją naprawiać. Hanka w milczeniu kroiła chleb, postukiwała nożem na deseczce siekając czosnek, nakładała do porcelanowej łódki wiśniowe konfitury. Mama w pierwszej chwili posadziła ją przy stole i sama wzięła się do robienia kanapek, ale ona – dostrzegając w ruchach Mamy ostrożną czułość i obawę przed zranieniem – aż się żachnęła i wyjęła jej nóż z rąk. Kroiła chleb szybkimi, mocnymi pociągnięciami. „Pewnie gadają…" – nóż zatrzymał się na chwilę. „Nie, wcale nie…" – Mama powiedziała szybko. „Gadają, gadają, już ja wiem…" – Hanka nie podnosiła oczu. A potem poprawiając na sobie bluzkę i prostując się, dorzuciła: „A zresztą, niech gadają. A ty – spojrzała na mnie – co się tak przyglądasz? Pierwszy raz widzisz?" – i leciutko, trochę wolniejszym niż zazwyczaj ruchem, potargała mi włosy. Starałem się uśmiechnąć, ale nic z tego nie wyszło. Talerze pobrzękiwały. „Chodź, usiądź z nami" – Mama zaprosiła ją gestem ręki do stołu. Ale Hanka pokręciła tylko głową. „Nie chce mi się jeść". I znów zaczęła kroić chleb, choć wcale nie było to potrzebne, bo kiedy ułożyła kromki w koszyku, nikt po nie nie sięgnął.

Potem opłukała naczynia i ustawiła na drucianej kratce, by obeschły. „No, to…" – powiedziała, wycierając ręce. „Zaczekaj – Mama nie ruszyła się z miejsca. – Gdzie teraz pójdziesz?" Hanka zawiesiła ręcznik na haczyku: „A bo to mało miejsca…" „Daj spokój, gdzie będziesz mieszkać?"

Ale Hanka tylko się odwróciła. Przytrzymałem ją za rękę. „Hanka, nie idź nigdzie. Zostań z nami". „Nie". „Dlaczego?…" Wzruszyła ramionami.

Weszła do swojego pokoju, otworzyła szafę, rzuciła wieszaki z sukienkami na łóżko i wzięła się do pakowania. Unosiła każdą sukienkę pod światło, jakby chciała sprawdzić, czy cała i dopiero po chwili zwiniętą kładła do walizki. Ojciec chodził po kuchni. Mama siedziała przy stole i patrzyła w okno. Z przedpokoju widziałem pochylone plecy Hanki w kretonowej sukience i łóżko zarzucone kolorowymi bluzkami. Za oknem szelest listków brzozy.

„Przecież to nie ma sensu – Ojciec podszedł bliżej. – Myślisz, że tu ktoś jest przeciwko tobie? Zostań chociaż do jutra. Teraz niczego nie znajdziesz. Ludzie nie mają nic do ciebie". Przerwała pakowanie: „Litują się?…" Ojciec się żachnął. „Tam, litują się. Myślisz, że mało mają na głowie swoich spraw?" Popatrzyła na niego uważnie. „Ja nie chcę, żeby ktoś się nade mną litował". Ojciec włożył ręce do kieszeni. „Więc co chcesz teraz robić?" Odgarnęła włosy z czoła. „Nic".

Walizka była już pełna. Hanka przycisnęła wiklinową pokrywę, założyła mosiężną kłódeczkę i przekręciła klucz. Przez chwilę nad czymś się zastanawiała, potem sięgnęła po poduszkę i zdjęła poszwę. Mama podeszła do niej. „Daj spokój, ja to zrobię". Ale Hanka nic na to nie odpowiedziała, tylko przewróciła poszwę na lewą stronę i złożyła w kostkę. Potem to samo zrobiła z poszwą kołdry. Kiedy strzepnęła dużą płachtę z blaszanymi guzikami, kilka piórek uniosło się w powietrzu. Jedno usiadło na jej włosach. Ściągnęła prześcieradło z materaca. Kołdrę i poduszkę położyła w nogach łóżka. Goły materac, leżący na sprężynach, był obciągnięty szarym płótnem w niebieskie pasy.

„To nie ma sensu – Ojciec nie dawał za wygraną. – Zobaczysz – w jego głosie zabrzmiało zniecierpliwienie – minie trochę czasu i nikt nie będzie pamiętał". Rozejrzała się po pokoju, czy czegoś jeszcze nie zostawiła, zajrzała do szafy, sięgnęła po walizkę. W płaszczu podeszła do Mamy. „Przepraszam, że to wszystko tak…" Mama objęła ją i pogłaskała po plecach, ale ona cała zesztywniała i odsunęła jej rękę. Potem podeszła do Ojca. „Narobiłam tylko kłopotu…" „Jaki tam kłopot – Ojciec ujął jej dłoń. – A jakby coś nie wyszło, pamiętaj, że zawsze możesz do nas wrócić". Udała, że tego nie słyszy. Podeszła do mnie. „No, Piotrze – przypatrywała mi się przez chwilę – nie będziesz źle myślał o Hance?" Pokręciłem tylko głową. Potargała mi włosy. „A będziesz dużo jadł? Przyrzeknij mi". Kiwnąłem głową, czując chłód w piersiach. „A gdzie teraz będziesz mieszkać?". Nie odpowiedziała. Zapięła płaszcz i podniosła walizkę. Ojciec coś sobie przypomniał: „Powinnaś pożegnać się z Hanemannem". Zatrzymała się w pół kroku. „Tak, rzeczywiście, zapomniałam…" Ale nie poszła od razu na górę, tylko wróciła do swego pokoju i zamknęła za sobą drzwi.

Siedzieliśmy w kuchni w milczeniu. Ojciec wyjął tytoń i zwinął w bibułce, ale brunatne listki rozsypały się w palcach, więc zmiął bibułkę i rzucił na stół. Patrzyłem na zielone linoleum. Mama poprawiła włosy. Z pokoju Hanki nie dobiegał żaden odgłos. Za oknem słychać było ćwierkanie wróbli w gałęziach brzozy. Wiatr poruszył firanką.

Skrzypnęły drzwi i Hanka wyszła z pokoju. Nie miała na sobie płaszcza, tylko ciemną sukienkę z kretonu w żółte i czerwone kwiaty. Dopiero gdy stanęła w kolumnie światła, zobaczyłem jej twarz. Czerwone usta, pomalowane grubo szminką, brwi i rzęsy uczernione, oczy przedłużone czarną kreską, na policzkach – bielidło i róż. Nigdy jej takiej jeszcze nie widziałem. Wydawała się wyższa niż zwykle. Miała na nogach wysokie koturny z korka. Ciasny naszyjnik z czerwonych koralików dzielił szyję na pół jak wąziutkie, głębokie cięcie.

Mama aż wstała od stołu, ale Hanka szybko przeszła przez przedpokój i już za chwilę usłyszeliśmy jej kroki na schodach. Szła na górę powoli, potem stukot koturnów umilkł i rozległo się pukanie do drzwi.

Nikt nie odpowiadał, Hanka zapukała raz jeszcze, uderzyła niecierpliwie, jakby dawała znać, że nie ma czasu na długie czekanie, szczęknął zamek, drzwi otwarły się, usłyszałem głos Hanemanna, ale niewyraźne słowa przerwało... Hanka mówiła coś szybko, urywane zdania, niczego nie mogłem zrozumieć, potem krzyk, Mama i Ojciec spojrzeli na siebie, Ojciec zerwał się z krzesła, pobiegł na górę, coś zaszamotało się, znów krzyk...

Gdy wspiął się na piętro, chwycił Hankę za rękę i odciągnął od drzwi Hanemanna. Miała potargane włosy, na uróżowanych policzkach rozmazało się czernidło zmieszane ze łzami. Chwycił ją za ramiona i potrząsnął mocno, ale wciąż krzyczała: „Ty... ty szwabie... ty... kto cię prosił... po co się pchałeś... żebyś..." Potem zaniosła się duszącym kaszlem, jakby nie mogła złapać powietrza. „Ja nie chcę żyć... dajcie mi spokój... ja nie chcę żyć... żebyście wszyscy..." Ojciec wykręcił jej ręce, ale z zaciśniętymi powiekami targała głową, usta zmieniły się w purpurową plamę o postrzępionych boleśnie brzegach...

W drzwiach stał Hanemann, przykładając palce do policzka.

Obok ust cieniutka sina kreska.

Niedoczekanie!

A jednak Hanka została z nami. Po tym, jak „pożegnała się" z Hanemannem, było jasne, że rodzice nie wypuszczą jej z domu przez co najmniej parę dni, co będzie dalej, zobaczymy. Gdy Ojciec sprowadził ją z góry, rzuciła się na łóżko wstrząsana płaczem. Uciekłem do swojego pokoju, zatykając uszy – tak było to straszne. Potem Mama zasłała łóżko świeżą pościelą, sztywno nakrochmaloną, z zapachem suchych płatków dzikiej róży, i zmusiła, by Hanka się położyła.

Spała całe przedpołudnie, całą noc i jeszcze całe rano. Mama zachodziła do niej parę razy, by sprawdzić, czy nic się nie stało, bo Hanka z głową wtuloną w poduszkę, zaczerwieniona, z opuchłymi ustami, oddychała tak, jakby z trudem przebijała się przez duszące warstwy snu. Włosy zlepione, poduszka poplamiona szminką, purpurowe plamki rozmazane na policzku, jak ślady zadrapań cierniem. Obudzona prosiła o coś do picia, więc Mama dawała jej herbaty z kwiatu lipowego sądząc, że to gorączka, chciała nawet, by Ojciec sprowadził doktora Badowskiego, ale Hanka – jak później powiedziała – tak właśnie pozbywała się Złego. Wszystko wychodziło z niej przez skórę. Musiała dwa razy zmieniać nocną koszulę, ciemną od potu.

Kiedy jednak wstała koło południa, od razu spojrzała w lustro. „Boże, jak ja wyglądam". Zaczęła przygładzać włosy, ale wszystko na nic, wilgotne kosmyki wymykały się spod palców. Mama napełniła wannę, widziałem, jak przeszły powoli do łazienki, potem Hanka z zamkniętymi oczami, z głową odrzuconą do tyłu, prawie godzinę przeleżała w gorącej wodzie, oddychając ostrożnie, jakby bała się, że bicie serca słychać w całym domu. Potem mocno wytarła się szorstkim ręcznikiem, związała wstążką mokre włosy, włożyła szlafrok. Kiedy wszedłem po niej do łazienki, woda w wannie była całkiem szara. Stuknęły drzwi, zamknęła się w swoim pokoju, byliśmy niespokojni, bo chyba przez pół godziny za drzwiami było zupełnie cicho. Dopiero potem usłyszałem tamto słowo. Rozczesując mokre włosy, Hanka powiedziała głośno do siebie: „Niedoczekanie!"

Ile razy myślę o domu na Grottgera 17, tyle razy słyszę tamto piękne, mocne słowo, które po długiej ciszy dobiegło zza białych drzwi jej pokoju. Byliśmy już w otchłani, w ciemnym dole życia (byliśmy – ja i Hanka), patrząc na jej płacz. Gdy Ojciec sprowadzał ją z góry, czułem, że wali się wszystko, a teraz – jakby zboże podnosiło się po deszczu. Nie potrafiłem tego pojąć.

Bo już następnego dnia wyszła na ulicę, do sklepu Puskarczyków na rogu Derdowskiego, i to w porze, kiedy było tam pełno ludzi. Kobiety mówiły z nią o rzeczach błahych, domowych, sąsiedzkich, nawet drgnieniem rzęsy nie zdradzając, że wiedzą o wszystkim. Pewnie w domu mówiły co innego – ale tu, teraz? Kupiła drożdże, dwanaście jaj, śmietanę, torebkę cukru pudru, olejek waniliowy i po powrocie od razu przetarła płótnem wielką stolnicę. Zabrzęczały blachy smarowane grudką masła, strzelał ogień pod piekarnikiem, pachniało mąką i rozgrzanym masłem, pluskały żółtka spadające jedno po drugim do fajansowej miseczki, piana rosła pod szybkimi uderzeniami widelca, a ja siedziałem przy stole z kromką ciepłego chleba w palcach i tylko patrzyłem. Jeszcze nie nuciła tak jak dawniej, jeszcze nie odrzucała włosów tak jak kiedyś, ale w każdym ruchu wyczuwało się już to drżące, złociste słowo, które później tyle razy miało mi pomagać. „Niedoczekanie!" I nie wiadomo było, do kogo Hanka je kieruje, czułem jednak, że każdym przegięciem ciała, każdym ruchem ramion zadaje komuś (czy czemuś) cios za ciosem, tak jakby tu, w kuchni, otaczały ją jakieś przeźroczyste, złe figury, z którymi musi się policzyć. To właśnie im dokładała łokciem, mocno, raz za razem, ugniatając na stolnicy kulę żółtego ciasta, to im waliła w pysk, ucierając mocnymi ruchami żółtka z cukrem w glinianej makutrze. Ale kto to byli ci oni? My wszyscy z ulicy Grottgera?

A potem nawet Ojciec musiał skosztować trochę drożdżowego ciasta z kruszonką (choć wolał zawijane makowce z lukrem, które Hanka robiła czasem w soboty), my zaś z Mamą zostaliśmy zaproszeni do stołu, na którym żółcił się parujący, świeżo wyjęty z piekarnika placek z jabłkami, chociaż do Bożego Narodzenia było jeszcze daleko, a takie właśnie placki zdobiły stół tylko podczas wigilijnej wieczerzy. I choć wszyscy cieszyliśmy się z tej odmiany, Mama podejrzewała, że za drożdżowo-lukrową radością rąk ubielonych mąką, które rozświetliły kuchnię błyskami blach do pieczenia, kryje się wciąż coś niedobrego, co lada chwila może znów wybuchnąć.

Ale powoli Hanka dochodziła do siebie. W sobotę, gdy Ojciec z Mamą wychodzili do państwa Falkiewiczów na Kwietną, by wrócić dopiero koło północy, odwiedzały ją w kuchni kobiety z sąsiedztwa – pani Bożena i pani Janina z dawnego domu Bierensteinów – i gdy zza drzwi pokoju, w którym zasypiałem, dobiegał ciepły pomruk obgadywania całej ulicy Grottgera – dom po domu! znajomi bliżsi i dalsi! – łowiłem każde słowo, każdy śmiech, tak jakbym w ciemności łapał rzucane mi przez kogoś błyszczące monety. Głos Hanki, wciąż jeszcze trochę przygaszony, chwilami odzyskiwał dawną ostrość, a śmiech drżał prawie tak jak dawniej – czysty, rzeźwy i trochę zaczepny, jak śmiech mądrego dziecka, które ze zdwojoną siłą chce się zanurzyć w pustej radości, bo wciąż w kąciku ust czuje słony smak łez. Z policzkiem przytulonym do poduszki, przymykając oczy, zapadałem się w tę mgłę to cichnących, to mocniejszych kobiecych głosów, które zachłannie, bezlitośnie zagarniały w siebie całą ulicę Grottgera – bo nie przepuszczano nikomu, każdy musiał być obgadany, przerobiony na zabawną opowieść – i cieszyłem się, że wszystko idzie ku dobremu.

A jednak od tamtego dnia, gdy pani W. nie wpuściła mnie do mieszkania, karcąco-ponaglającymi gestami odpędzając od drzwi z numerem 17, nie potrafiłem już patrzeć na Hankę tak jak kiedyś. I jeśli nawet swoim dawnym ruchem, który tak lubiłem, tarmosiła mi czasem włosy, zawsze mi serce zamierało, gdy unosiła rękę ku mojej czuprynie. Coś zmieniło się w niej czy we mnie? Oczy, wbrew sercu – bo jakże mocno chciałem, by wszystko było tak jak dawniej – same wypatrywały ledwie uchwytnych zmian w potrząsaniu głową, w sposobie poruszania dłońmi przy rozmowie? Cień na dnie źrenic? Matowiejący blask? Napięcie ust? Mimowol-

ne dotykanie skroni? Czy po tym wszystkim ona miała jeszcze śmiejące się ciało? Po tym wszystkim?

A Hanemann? W domu się o nim nie mówiło, tak jak nie
mówiło się o tamtym dniu. Gdy Hanka mijała go na ścieżce
albo na schodach, odpowiadała na powitanie niby tak jak
zawsze, ale nie, to nie było to samo. Dawniej trochę ją śmieszył ten nazbyt może poważny mężczyzna z pierwszego pię-
tra, uczący niemieckiego chłopców z ulicy Grottgera, Kwietnej, Obrońców Westerplatte, który powoli schodził do ogrodu, by naciąć trochę irysów pod tujami, więc powstrzymując
śmiech, z niedbałą, nieco zaczepną ironią, trochę jakby zbyt
głośno, mówiła pierwsza: „Dzień dobry panu, panie Hanemann". Teraz mijała go przyśpieszając kroku.

A wieczorami? Wieczorami, gdy w domu nie było rodziców, Hanka dyrygowała czasem w kuchni panią Bożeną
i panią Janką, i wszystkie trzy razem, niczym triumfalny chór,
wystukiwały swoimi ładnymi głosami najpierw prawie szeptem: „Ha! Ne! Mann! Ha! Ne! Mann!" Potem szybciej: „Ha!
Ne! Mann!". A potem jeszcze raz, i jeszcze szybciej, i jeszcze
raz, głośniej. Bardzo się przy tym śmiały. Pani Bożena stawała pośrodku kuchni i z rękami wciśniętymi w kieszenie fartucha naśladowała kroki Hanemanna. Jej korkowe obcasy stukały na deskach podłogi jak uderzenia bębenka, przygrywa-
jącego wesołym tańcom – raz! raz! Było to tak obraźliwie
zabawne, że chowając głowę pod kołdrę krztusiłem się ze
śmiechu.

Odcień

Patrząc w lustro dotykał policzka. Cieniutka sinawa kreska obok ust. Śmieszne. Ten gwałtowny ruch, szamotanina. Nie mógł ochłonąć. Czego właściwie chciała? Przechylił flakon i watą przetarł zadraśnięcie. Ta gwałtowność, uniesiona ręka, oczy. Ból? Płacz? Patrzył w lustro. Co miał zrobić teraz? Zejść na dół? Po co? Nie rozumiał. Może zranił ją czymś dawniej? I dopiero teraz to wybuchło? Ale czym? Wyglądało przecież wszystko zwyczajnie. Mijali się na schodach. Na ścieżce w ogrodzie. Na ulicy. Mówiła:

„Dzień dobry panu". Czasem: „Dzień dobry, panie Hanemann". Ale mijali się jak ryby przepływające obok siebie w akwarium. On miał swoje sprawy, ona swoje. Nie wchodzić sobie w drogę. Obojętna uprzejmość. Przypadkowe sąsiedztwo. Obawa?

Ale teraz coś się rozdarło. Jakaś przesłona. Hanemann wzruszył ramionami. Pewnie przeszła niejedno. Ale ta gwałtowność? Sięgnęła ku twarzy szybkim ruchem. Rozstawione palce. I ten krzyk. Co krzyczała? Że nie chce? Ale co miał wtedy robić? Czekać? Na co? Nie ruszać drzwi? Nonsens.

Było jednak coś jeszcze. Oddech. Zapach. Kwiecisty materiał. Kiedy się szamotali. Ramię, zderzenie, biodro. Pchnęła go, aż się zachwiał. Potem z dołu nadbiegł pan C., odciągnął ją, krzyczała. Lecz dlaczego takie czerwone usta? Tak mocno podkreślone oczy? Tusz rozmazany na powiekach? W uszach kolczyki? Nigdy jej takiej nie widział. Wyczuła coś?

Ale teraz, gdy szła ścieżką do bramy, już nie odchodził od okna. Stał za firanką. Szybkie, mocne kroki. Jasna sukienka. W koszyku zielone liście sałaty, długa bułka, coś zawiniętego w papier. Udaje, że go nie widzi? Stukotanie korkowych obcasów na płytach chodnika. Inne niż zwykle? Właściwie chciał, żeby było inne niż zwykle. Żeby został w niej jakiś ślad – po tamtym. Ale nie wyglądało na to, żeby został. Więc zupełnie nic? Jak powietrze? I zaraz myśl: przecież to bez znaczenia. Szybko minęła bramę, ukłoniła się komuś, zniknęła za tujami. Nienawidzi? Śmieszne. Przecież wcale o niej wtedy nie myślał. Poczuł tylko na schodach tamten zapach, to wszystko. Dlatego wszedł…

Starał się sobie przypomnieć jej twarz, ramiona, włosy. Ale ta twarz pokryta różem i bielidłem, którą zobaczył w drzwiach, przesłoniła wszystko. Nic nie pamiętał. Mijali się. Była. Nic więcej. Urywkowe obrazy. Dłoń. Włosy. Stąpanie po schodach. Wołała z okna do chłopca. Mocny, dźwięczny głos. Kolor skóry? Ciemna opalenizna? Brązowozłoty odcień? Odsłonięte łokcie. Zawinięte rękawy. Usta? Nigdy ich chyba dotąd nie malowała.

Schodząc po schodach na parter, dostrzegł, że na odgłos jego kroków cofnęła się do mieszkania. Wstyd? Za tamto? Przeszedł powoli, czując, że stoi za drzwiami. Zapukać? Ale nie. Wyszedł przed dom. Patrzyła na niego zza zasłonki w oknie kuchni?

Spotkał mnie na ścieżce. „Co słychać, Piotrze?" Ukłoniłem się. „Dzień dobry, panie Hanemann. Hanka bardzo źle o panu mówi". Uśmiechnął się. „To ze zdenerwowania. Nie powinieneś tego słuchać". „Ja wiem – popatrzyłem na niego. – Ale ona chce od nas odejść". Hanemann uniósł brwi. „Jest aż tak źle? Może powinienen do was przyjść?" „E, nie – spuściłem wzrok. – Lepiej niech się pan nie pokazuje. Ona jest bardzo zła. Ale to jej przejdzie". „Myślisz?" „Potem będzie jak dawniej. Ona jest mądra".

Hanemann czuł, że traci spokój. To nawet nie było przebudzenie, to raczej samo ciało – poruszone piekącym dotknięciem – ocknęło się z odrętwienia. Nie chciał tego. We snach pojawiały się teraz kobiety, których nigdy nie widział – przechodząc przez pokój gubiły szminkę albo puderniczkę, a potem dotykały mu twarzy wachlarzem i było to tak rzeczywiste, że gdy budził się, szukał na dywanie przedmiotów, które wypadły z białych palców. Purpura? Cały świat kobiecych rzeczy, które – jak mu się zdawało – przestały dla niego istnieć, nagle wypłynął z cienia i nabrał męczącej widzialności. Za oknem Hanka w jasnej bluzce z zawiniętymi rękawami rozpinała na sznurze świeżo upraną bieliznę. Na wietrze kołysały się płócienne koszule nocne, stanik, bawełniane pończochy, chusta. Wszystko to teraz było drażniące i nieprzyzwoite – było zdjęte z niej. Kiedy unosiła ręce, by przypiąć do sznura białe prześcieradło z wyszytym w rogu monogramem Walmannów, przez batystową bluzkę przeświecały ramiączka sztywnego stanika. Stojąc przy oknie z książką w ręku, przerywał lekcję niemieckiego, Andrzej Ch. patrzył na niego pytająco, bo milczenie przedłużało się, ale on stał przy oknie i patrzył – na co? – na furkoczące prześcieradła, staniki i koszule!

Wzruszał ramionami. Boże, co za głupstwa. „Proszę pana, może ja dziś już sobie pójdę?" – pytał Andrzej. Hanemann odwracał się, jak przebudzony ze snu. „Nie, zostań. Mamy jeszcze trochę czasu. Czytaj". Andrzej wracał do swoich koniugacji, ale Hanemann patrzył na niego tak, jakby nie słyszał jego głosu.

Kiedy na chodniku rozlegało się stukotanie korkowych obcasów, postanawiał, że nie podejdzie do okna. Brał książkę, ale gdy zaczynał czytać, między rządkami liter pojawiała się migocząca sukienka z kretonu, w szeleście odwracanej kartki słyszał szelest ciepłego materiału w żółte kwiaty. Starał się śledzić sens fraz i zdań, ale ona, nic sobie z tego nie robiąc, szła ścieżkami szwabachy, roztrącała gotyckie inicjały, przeskakiwała przez kładki akapitów ze strony na stronę i śmiała się głośno. Przymykał oczy, za oknem dogasały szybkie kroki, szła ścieżką między tujami, wołając coś do pani Wierzbołowskiej. Wołała głośniej niż zwykle? Co za głupstwa. Wstawał, zamykał okno. Drażniło go to swobodne brzmienie głosu – nawet cienia wstydu czy niepokoju. Krzywił się: jak można być tak nieczułą, taką – szukał przez chwilę właściwego słowa – taką roślinną. Przecież nie zostało w niej nic po tamtym, jakby – pomyślał mściwie, co go od razu rozbawiło – jakby w ogóle nie miała duszy. Duszy? Przyłapywał się na tym, że przecież gniewa się na nią bez powodu. Dusza? Co chce od jej duszy? Chyba zwariował. Przeszła przez niejedno i pewnie właśnie tym śmiechem, który tak go drażnił, broni się przed wszystkim, co mogłoby ją zranić. Pretensje? Przecież nic od niej nie chce. Zresztą – patrzył zza szyby z nieukrywaną złośliwością – daleko jej… Znowu wracał do książki, ale po paru chwilach, gdy ze zdwojoną uwagą wczytywał się w list Kleista do Henrietty, książka znów zmieniała się w kamienny chodnik i znów słyszał, tym razem już cichsze, stłumione, oddalone, stukanie korkowych obcasów. I jeszcze to giętkie zakładanie palcem włosów za ucho...

Coś dawnego, przed czym się bronił z całych sił, coś bardzo, bardzo bolesnego, powoli wślizgiwało się na powrót do serca. Wspomnienie jakiejś innej twarzy, okolonej jasnymi włosami... A jednak na kartach książki, pokrytych rządkami gotyckich liter, przepływały wciąż brązowozłote gesty. Szelest kwiecistego kretonu. Ruch ręki. Różowe paznokcie. Rzęsy. Nie były to nawet przypomnienia, raczej delikatne, drażniące muśnięcia zapachu, lżejsze niż mgiełka oddechu. Gotycki tekst czernił się na stronach, oczy wędrowały z akapitu na akapit, ale myśli! Próbował to wszystko rozproszyć śmiechem. Przecież jeśli myślał o niej, to nie o niej w całości, lecz właśnie o wszystkim z osobna: zagłębienie nad obojczykiem, skroń oprószona blaskiem, odsłonięty łokieć, kolano, palce. Było to zabawne i jadowite, podbiegłe krwią...

Powracały słowa Anny, jej biały kapelusz, tamto piękne popołudnie, kiedy trzymała go za rękę, mówiąc: „Przecież tak nie można żyć". Więc to nienawiść, gniew, żal, że coś na powrót wciąga go w środek życia? Przecież powinien brać wszystko lekko, zupełnie tak jak ona. Widział przecież, że to, co jego – przyznał to z niechęcią – poruszyło do głębi, jej nawet nie musnęło. Chciał, by poczuła to samo leciutkie upokorzenie, tę samą gorycz. Miał prawo zranić ją. Pomyślał, że to wcale nie byłoby trudne.

A potem budził się z tych zachceń. Przecież wtedy, na schodach, tamto drżenie warg, krzyk, ręce... Gdzież tu mówić o chłodnej sile. Od dawna nosiła w sobie ból, nie chodziło wcale o niego. Niechęć? Serce nagle wykonywało obrót niczym tancerka w piruecie. Odnajdywał w sobie całe pokłady czułości, których istnienia nawet nie podejrzewał. Gotów był zejść na dół, by wszystko wyjaśnić. Widział już jak jej twarz łagodnieje: „Nie, nic się nie stało. To nerwy. Niech pan jeszcze chwilę zostanie". Ale natychmiast przypominał sobie prośbę Mamy, by na razie wstrzymać się z odwiedzinami, bo każda rozmowa tylko rozjątrzy rany, więc znów sięgał po książkę, sprawdzał zeszyt Andrzeja, podkreślał czerwonym ołówkiem błędy, chciał zatopić się w tej jałowej robocie... Ale ona znów pojawiała się w jego pokoju, przechodziła przez słoneczną smugę bijącą z okna, w jasnym powietrzu powoli otwierało się ciemne lśnienie zatoki, poprawiając włosy, z błyszczącą torebką, w kwiecistej sukni, szła brzegiem plaży w Glettkau ku przystani, Hanemann czuł wzbierający w sercu lęk, z przerażeniem patrzył, jak ona dochodzi do pustego mola, jak wchodzi na smołowane deski, a tam, przy pomoście, stoi ten biały statek z wysokim, pochyłym kominem, Hanemann chce ją chwycić za rękę, odciągnąć z powrotem na plażę koło gasthausu, ale ona nie widzi go, idzie po smołowanych deskach prosto w stronę białego statku, odrzuca do tyłu włosy tak rozświetlone słońcem, że prawie złote, statek jest pusty, jeszcze kilka kroków do trapu, Hanemann słyszy stukot korkowych obcasów na deskach pomostu, miarowy, coraz mocniejszy, serce wali mu w piersiach, chce się do niej przedrzeć przez warstwy powietrza, wyciąga dłoń, chwyta za rękaw, ale ręka Hanki pruje się jak smużka mgły, palce chwytają powietrze, biały statek ogromnieje, przechyla się, Hanemann zasłania głowę, bo czarna burta z napisem „Bernhoff" nachyla się nad nim jak ściana walącego się gmachu, zasłania głowę, bo z góry, z płonącego pokładu skaczą córki pani Walmann, spadają ciężko w czarną wodę, szeroka plama ognia rozlewa się wzdłuż burty, dym, płomienie, czyjaś wyciągnięta ręka, oczy, czyjeś wołanie, płacz, a on stoi w małej łódce, która może pomieścić tylko jednego człowieka...

Puste łóżko

„Pytasz, skąd ona go wzięła? – pan J. zamyślał się.
– Trochę o tym słyszałem, chociaż wiesz, jak to bywa, gdy
ktoś opowiada nam o sprawach dawnych, o których może
chciałby zapomnieć...

Mało kto wtedy zaglądał na wzgórza za dworcem, tam
gdzie w głębokich wykopach ciągnęły się ceglane kazamaty,
forty pruskie, porośnięte krzakami tarniny, piołunem
i perzem. Mówiono, że wszędzie są miny, a nawet że pod
ziemią wciąż siedzą Niemcy; trafiali się też i tacy, co przy-
sięgali, że ich widzieli na własne oczy. Ale w listopadzie

ktoś zobaczył między drzewami światło, ogieniek ćmiący w szczelinie muru, więc tych dwóch poszło tam z posterunku na Kartuskiej, ściągnęli broń z ramienia i po spadzistym stoku, łamiąc gałązki, zeszli pod samą ceglaną ścianę. Depcząc po rozbitym szkle, weszli do lochu z beczkowatym sklepieniem, ale ogieniek utonął w ciemności – wilgotnej, pachnącej rozmokniętym papierem i smołą – z głębi napłynęło tchnienie podziemnej ciszy, przez moment chcieli się cofnąć, bo przecież mógł to być tylko błysk świateł miasta odbitych w pękniętej szybie. Zatrzymali się przy żelaznych drzwiach do kazamat, stali tak chyba dwie, trzy minuty, bez ruchu, z lufami skierowanymi w mrok i gdy już chcieli zawrócić, bo nic nie rozpraszało ciszy, z głębi ceglanego korytarza doleciał szmer, potem kroki – spłoszone, prędkie – brzęknęła przewrócona puszka, coś potoczyło się po ceglanej posadzce, krzyknęli: „Stój", ale kroki ucichły, więc z zapaloną latarką weszli do ceglanego tunelu, światło latarki trafiło na ukośną ścianę, zakręt, wyminęli blaszane skrzynki, pod nogami potoczyła się artyleryjska łuska, w czarnych kałużach leżały parciane pasy, hełmy, brzęk, coś znów poruszyło się w głębi, krzyknęli: „Wychodzić!", ale głos utonął bez echa w ceglanym korytarzu, więc ostrożnie weszli do obszerniejszej komory ze śladami ognia na ścianach, sadza, unieśli broń, światło z latarki przepłynęło po stertach skrzyń, pod sufitem błysnęły martwo żarówki wiszące na drucie...

Dostrzegli go w zwałach wojskowych płaszczy. Leżał pod skłębionym suknem, w górze mundurowych kurtek, brezentowych pelerynek, toreb na maski gazowe. S. szarpnął połą płaszcza. „Dlaczego uciekałeś?" Ale chłopiec, zwinięty, z podkurczonymi pod brodę kolanami, drżał z zimna, więc S. narzucił na niego z powrotem uniesioną połę – wygrzaną, pachnącą wilgotnym suknem i długo nie mytym ciałem. „Nie możesz tu siedzieć. Tu mogą być miny". Chłopiec się jednak nie poruszył. S. potrząsnął nim: „Wstawaj". „Daj mu spokój"

– mruknął W. Usiedli na skrzyni, zapalili papierosa. Po paru minutach chłopiec odsunął dłonie od policzków: ciemna twarz, która w świetle latarki wydała im się trochę cygańska, policzki szare od węglowego pyłu, zmierzwione włosy. „No, wstawaj" – powiedział S., przydeptując niedopałek. Chłopiec znów zasłonił głowę, po czym, wypełznąwszy spod płaszczy, rzucił się w stronę żelaznych drzwi, ale W. był szybszy, chwycił za połę kurtki, przytrzymał, wierzgającego wynieśli z fortu na śnieg, ubrali w długi, wlekący się po ziemi płaszcz Wehrmachtu i oblodzoną ścieżką wśród tarnin poprowadzili ku miastu.

Nie wiedzieli, co z nim zrobić. Był już późny wieczór. S. chciał chłopca wziąć do siebie, na Orunię, na Wschodnią, ale w drodze na posterunek wyrwał im się z rąk, wbiegł w ruiny i zniknął między zburzonymi domami. Szybkie kroki, trzask gruzu, echo. To była jedna chwila. Szukali go do północy...

Czy jednak to właśnie jego Hanka zobaczyła parę dni później na małym placu koło dworca, między budynkiem kas a noclegownią drużyn konduktorskich, gdy idąc na peron, podeszła do paru ludzi grzejących się przy koksowniku? Mężczyzna w uszatce z żółtego futerka, ubrany w długi płaszcz i filcowe walonki, którego ujrzała po drugiej stronie ognia, palcami w wełnianych rękawiczkach przebiegał klawiaturę rosyjskiej harmonii, dobywając z falujących miechów melodię skoczną i jękliwą, to wyższą, to niższą, jak zawodzenie wiatru, łagodzącą i niepokojącą nerwy. „Rosła kalina z liściem szerokim, nad modrym rosła w gaju potokiem..." Przytupywano mu leniwie, bardziej chyba z zimna niż do taktu (bo chodnik był już oszroniony), on jednak nie zwracał na to żadnej uwagi, patrzył tylko w żar, jakby wokół nie było nikogo. Dopiero po chwili podniósł oczy, mocnym, rozkołysanym ruchem wydobył z harmonii akord podobny do fanfary i kiwnął do kogoś głową. Właśnie wtedy Hanka zobaczyła chłopca po raz pierwszy: w czarnej kurtce, z szarym szalikiem okręconym wokół szyi, wysunął się zza pleców starego.

Paroma krokami, powoli, jakby ociągając się, obszedł ogień i zatrzymał się w ciepłym kręgu światła. Harmonia urwała nagle. Hanka patrzyła uważnie na każdy ruch, na każde przechylenie głowy i od razu coś ją tknęło, bo niby wszystko wyglądało zwyczajnie, ale ruchy chłopca wydały się jej zbyt wyraźne, jakby rysował nimi w powietrzu ostrą, niewidzialną kreskę, której kapryśne sploty po chwili rozwiewały się w cieniach. W ręku stary kapelusz. Na dnie dwa zmięte, brudne banknoty.

Stanęła bliżej. Ze śmieszną, nieco wyzywającą ostrożnością położył kapelusz na ziemi, tuż przy nodze, jakby w obawie, że ktoś mu świśnie brudnoniebieskie papierki, i raz prawą, raz lewą dłonią, niedbale, bez pośpiechu, kreśląc przed sobą to krągłe, to kanciaste kształty, zaczął wyjmować palcami z powietrza jeden po drugim niewidzialne przedmioty, a ludzie stojący wokół ognia odgadywali, co ma na myśli. Ruchy sztywne, napięte policzki. Tylko oczy... Ukłonił się, zapalił niewidzialne cygaro, gasząc paroma strzepnięciami niewidzialną zapałkę, przeliczył niewidzialne banknoty, które sfrunęły z nieba, z pańską nonszalancją oparł się na niewidzialnej lasce... A wszystko to było i śmieszne, i trochę obraźliwe, i trochę nieprzyzwoite, lecz gdy kobiety zachichotały, przerwał na moment, obrzucając widzów karcącym spojrzeniem, po czym przytknął dłonie do policzków, przytrzymał parę chwil i szybkim ruchem odjął je od twarzy... Kobieta stojąca najbliżej aż zasłoniła sobie usta dłonią. Nawet Hanka poczuła lęk. Te oczy, coś niedobrego w uśmiechu – bolesny, napięty błysk oczu, a jednak rozbawiający... A harmonia przebudziła się, jęknęły miechy, zabrzmiała pieśń o gwieździe, co świeci marynarzom w morskiej toni, chłopiec powoli podniósł kapelusz, przechylił się w lewo, potem w prawo, tanecznym krokiem okrążył ogień, stuknął obcasami i nagle rozluźnił się w anielskim uśmiechu. Kobieta odetchnęła z ulgą, ktoś zaklął żartobliwie z uznaniem, ktoś sięgnął do portmonetki.

Od strony kas podchodzili do ognia coraz to nowi ludzie, podmiejski z Tczewa znów miał spóźnienie, wilgotne chorągwie na wieży dworca furkotały w zimnym wietrze od strony stoczni, zaglądano przez ramię, by lepiej zobaczyć, przepychano się, brzękęło parę monet.

Lecz Hanka przestała się śmiać. Chwilę jeszcze postała z dziwnym uczuciem w sercu i poszła na peron. W wagonie usłyszała, jak ktoś mówił, że to bardzo niedobrze, że dzieci w ten sposób zarabiają na życie i że trzeba to zakazać. Ktoś zamruczał: „Co pani chce, a co z takimi zrobić? Kradną, uciekają, mało to dzisiaj takich?". Za szybą dwóch strażników ze służby ochrony kolei leniwie szło w stronę koksownika. Przysunęła twarz do okna. Chłopca i mężczyzny z harmonią już tam jednak nie było.

Gdy po kilku dniach, wracając od pani K. z ulicy Szerokiej, zaszła do poczekalni dworcowej, znów zobaczyła chłopca i znowu powróciło to przykre uczucie. Spał na ławce w kącie sali, przy kaloryferze, z dłońmi wtulonymi pod kurtkę, zaróżowiony po końce uszu. Przy za dużych narciarkach ciągnęły się rozwiązane sznurowadła. Dotknęła jego ramienia. Obudzony natychmiast zasłonił się przed uderzeniem. Pokręciła karcąco głową. „Jesteś głodny?" Nie odpowiedział. Podeszła do bufetu, raz po raz oglądając się, by jej nie uciekł, kupiła bułkę z serem i szklankę herbaty. Kiedy usiedli przy stole, wysunął dłonie spod kurtki. Czarne paznokcie. Przyglądała mu się uważnie. „Gdzie mieszkasz?" Wzruszył ramionami. „Chcesz tu siedzieć?" Skrzywił się.

Gdy stanęli w drzwiach, Mama się trochę zdziwiła, ale, cóż, wiedziała, że nie można inaczej: zgodziła się, by chłopiec „na razie" przenocował w moim pokoju, w łóżku z jasnego drewna, które stało pod oknem, zawsze równo zasłane, w którym nikt nigdy nie sypiał. To było – jak mawiała Mama – łóżko dla gościa. Zasypiając na prawym boku, twarzą do okna, zawsze widziałem je w ciemności. Czułem wtedy niepokój oczekiwania, bo to łóżko przeznaczone dla gościa, było trochę podobne do pustego krzesła, które Mama zawsze zostawiała na Wigilię przy stole dla kogoś, kto kiedyś może zapuka do naszych drzwi i usiądzie z nami do wieczerzy.

Chłopiec był brudny, w pocerowanej kurtce z ni to wojskowego, ni to kolejarskiego czarnego sukna, stał pośrodku kuchni i Mama od razu zaczęła mu ściągać kurtkę: „Jak się nazywasz?" Ale Hanka dotknęła jej ręki prędkim łagodnym ruchem: „On nie mówi..." Mama była tym troszkę spłoszona, aż dłonią mimowolnie dotknęła ust. „A jak się nazywa?" Hanka tylko wzruszyła ramionami, ściągając chłopcu koszulę przez głowę.

Potem napełniły wannę ciepłą wodą i przez szparę w uchylonych drzwiach widziałem jak myły go gąbką. Poddawał się wszystkiemu cierpliwie, mrużąc tylko oczy przed światłem lampy zawieszonej nad lustrem.

A więc on nie mówi... Byłem zdziwiony, że ktoś taki znalazł się tak blisko, widywałem takich z daleka, ale teraz poczułem lęk zmieszany z ciekawością. Bałem się tej chwili, kiedy będę musiał do niego coś powiedzieć, a on będzie widział tylko moje nieme poruszające się usta.

Palce

Chłopiec nas jednak rozumiał (czytał chyba z ruchu warg), nie potrafił tylko wyrazić wszystkiego gestami. Mama dowiedziała się od pani Stein, że Hanemann może zrobić coś w tej sprawie, doradziła więc, by Hanka zwróciła się właśnie do niego.

Miała rację. Jeszcze na praktyce u Ansena, gdy wolne przedpołudnia pozwalały mu na odwiedzanie Kolegium Emaus w gmachu Akademii przy Winterstrasse 14, Hanemann zaglądał czasem – trochę za namową Augusta Pfütze, trochę z własnej chęci – na trzecie piętro, do niewielkiego audytorium ozdobionego posągami mitologicznych bóstw, gdzie profesor Petersen z Fryburga dla grupy młodszych lekarzy prowadził seminarium z teoretycznych podstaw języka migowego. Bardzo to Hanemanna zaciekawiło. Po tylu dniach spędzonych w podziemiach Althofu nabrał dziwnej pogardy dla tego, co mówione. Również to, co czytał w gazetach, wydało mu się tak przesycone kłamstwem, że od jakiegoś czasu przestał nawet przeglądać dzienniki. Słowa? Ufał tylko oczom i palcom. August upewniał go w tym przeświadczeniu. Gdy wieczorami w pensjonacie pani Rosen, w małym pokoju na piętrze, rozmawiali o twarzach samobójców, których ciała trafiały do Althofu na marmurowy stół, i August w przypływie nagłego entuzjazmu gotów był nawet tworzyć „tanatopsychologię" – taką to patetyczną nazwę nadawał trudnej i wielce ryzykownej sztuce czytania fizjonomii umarłych – Hanemannowi te plany wydały się bliskie, chociaż w głębi ducha nie bardzo wierzył, by taka psychologia była możliwa.

W jednym przyznawał Augustowi rację. Bo jeśli profesor Ansen wnioskował o przyczynach śmierci z ułożenia ciał, z układu rąk i kształtu ran, August nie potrafił mu wybaczyć, że w swoich dociekaniach zupełnie pomija to, co najważniejsze – to znaczy twarze. A przecież gdyby tak kiedyś udało się dociec, co mówią milczące powieki umarłego, usta oczyszczone z mylącej purpury, zmarszczki i bruzdy, zastygłe w chwili, gdy kończyło się życie! Czyż to nie tu właśnie należało szukać przyczyny, która sprawia, że czasem nie potrafimy oprzeć się pokusie i odrzucamy dar?

Któregoś wieczoru, wracając z Kolegium Emaus, Hanemann z Augustem zaszli do kawiarni „Elephant" na Wilhelmstrasse, gdzie – jak głosił wielki afisz z napisem „Mr Outline", który dostrzegli za ciemną szybą – występował od paru dni mim z Londynu. August był w świetnym humorze, myśl, że zabawią się jarmarczną – jak to nazwał – rozrywką, rozweseliła go jeszcze bardziej, zeszli więc ze śmiechem po schodkach do okrągłej sali pogrążonej w czerwonawym półmroku i zajęli miejsce tuż przy estradzie z luster. Gdy jednak na estradzie ujrzeli wysokiego mężczyznę we fraku, którego twarz przyprószona śnieżnym pudrem wydała im się uderzająco podobna do twarzy, które oglądali w podziemiach Althofu, Hanemann poczuł lęk. Mr Outline zbliżył się, jakby wyczuł tę krótką jak mgnienie chwilę, w której serce Hanemanna uderzyło mocniej, i dłonie w białych rękawiczkach położył na jego ramionach. Muzyka przycichła. Twarz przyprószona pudrem nachyliła się, Hanemann poczuł zapach bielidła, cofnął głowę, ale twarz, w której świeciły czarne źrenice, nie drgnęła. Mr Outline patrzył w oczy Hanemanna. Miał wielkie, podobne do meduzy, ciepłokrwiste usta, białe policzki i grubą czerń na powiekach. Mimowie, których Hanemann pamiętał z dzieciństwa, prześcigali się w grymasach, tańczyli i biegali po scenie, rysując w powietrzu pajęczynę niewidzialnych linii i przegięć, w którą chcieli złowić dusze widzów – tu jednak, pod pokrywą bielidła, czaiło się coś nieruchomego. Cała sala patrzyła na nich. Hanemann zaczerwienił się po same skronie, bo naraz wydało mu się, że ten nieruchomy człowiek wie. Wie, co on, Hanemann, robi w piwnicach Althofu.

Potem Mr Outline powrócił na estradę i w nienagannej niemczyźnie poprosił widzów, by zgłaszali swoje życzenia. Rozpoczęło się przedstawienie. Piękna pani w etoli ze srebrnych lisów, siedząca w loży po prawej stronie sceny, wymieniła nazwisko Chamberlaina i już po chwili na lustrzanej estradzie pojawił się brytyjski premier, ogłaszając całemu światu, że przynosi pokój. Oficer, któremu towarzyszyła smukła brunetka, zażyczył sobie ujrzeć wodza Rosji i na lustrzany parkiet wmaszerował wąsaty mężczyzna z fajką. Rozległy się brawa. Podobieństwo było rzeczywiście uderzające. Ale to, co Hanemanna poruszyło najbardziej, zdarzyło się na końcu przedstawienia. Mr Outline usiadł na krześle pośrodku estrady, rozejrzał się po sali, i zaczął naśladować gości. Było to bardzo zabawne. Po każdym numerze wybuchały salwy ciepłego śmiechu, bo żywe odbicia kobiet i mężczyzn siedzących w lożach i przy stolikach spowijało światło pogodnego żartu i nikt nie poczuł się dotknięty. Bawiono się świetnie. Ostatnią twarzą, którą ujrzano na estradzie, była twarz Hanemanna.

Wracając do pensjonatu pani Rosen szli brzegiem Szprewy w stronę mostu Siegfrieda. Z kawiarni i kabaretów przy Siegfriedstrasse dolatywał gwar niecierpliwej, beztroskiej muzyki, w ogrodach pachniało rezedą, na białym niebie przelatywały jaskółki, lecz gdy znaleźli się nad wodą, która teraz, w godzinie zmierzchu, stała się szaroblękitna, zraniona pośrodku rzeki rozbłyskami gasnącego słońca, Hanemann powiedział do Augusta: „Czy zauważyłeś, że czasem lubimy udawać umarłych? Kiedy mówimy, chcemy, by wystarczyły tylko słowa. Pamiętasz, co powtarzają wszystkie matki: Mów wyraźnie, nie machaj rękami, nie pokazuj palcem! Całe ciało ma milczeć jak zabite, wtedy dopiero dziecko dobrze się spisuje". August zdziwił się, bo zawsze mówił dużo, przekonany, że kipi życiem.

W audytorium na trzecim piętrze Kolegium Emaus, do którego Hanemann zachodził przedpołudniami, profesor Petersen mówił o dawnych i nowych alfabetach migowych, ale nie tylko to przyciągało Hanemanna do ciemnej sali, ozdobionej dębowymi posągami mitologicznych bóstw. Oto gdy Petersen mówił, bacznie strzegł swojej patetycznej nieruchomości na katedrze, tylko z rzadka podkreślając sens słów mocniejszymi ruchami lewej dłoni, kiedy jednak zaczynał pokazywać daktylogramy, nagle zmieniało się wszystko! Cóż za przemiana! Hanemann słyszał o Isadorze Duncan, tancerce z Anglii, która – widzowie w kinie „Palladium" mogli się o tym przekonać na własne oczy – tańczyła boso, wionąc wokół siebie szalami z muślinu, i wcale go nie zdziwiło, gdy podczas jednego z wykładów ktoś złośliwy z tyłu szepnął: „Czy ten Petersen nie ma przypadkiem na drugie Duncan?" Bo rzeczywiście, cóż to był za teatr! Kto wie, może właśnie dlatego na sali było tak wielu słuchaczy. Petersen unosił dłonie, odczekiwał chwilę, aż w sali ucichną najdrobniejsze nawet szmery, po czym w zupełnej ciszy te białe, uniesione nad pulpitem dłonie zaczynały trzepotać jak para gołębi, twarz rozjaśniało światło odzyskanego życia. Cóż tam zresztą dłonie! Profesor Petersen, członek Berlińskiej Akademii, dwukrotnie odznaczony przez cesarza za zasługi na polu nauki i dobroczynności, przy każdym daktylogramie cieszył się giętkością swoich przegubów – jak człowiek, który raduje się sprawnością ręki po zdjęciu gipsowego opatrunku! W audytorium na trzecim piętrze, gdzie słońce oświetlało ciepłym blaskiem dębową figurę Chronosa, ozdabiającą pulpit katedry, Hanemann dowiadywał się, że obok daktylogramów są także ideogramy, znaki całych wyrazów i zdań, ale Petersen chciał stworzyć alfabet „chirogramów" – mowę sylab, polegającą na przykładaniu palców do podbródka, policzka, nosa, skroni, piersi, ramion. Chciał by mówiło, śmiało się i płakało całe ciało. I wszystko to pokazywał! W ruchu! W biegu! Na podium obok dębowej katedry z rzeźbioną głową Meduzy! Delikatne muśnięcia. Przechylenia. Zwijanie dłoni. Stulanie. Rozkwitanie palców. Trzepotanie. Dotykanie ust. Mrużenie powiek. Jakże to wszystko odbiegało od wykładów Ansena, od jego twarzy ściągniętej powagą i czarnej muszki pod brodą!

Kiedy zaś z Augustem trafili na przedstawienie teatru japońskiego w Amers-Theater, Hanemannowi wydało się, że znaleźli się – jak to określił – po drugiej stronie. Twarze japońskich aktorów, sunących po scenie w czarnych i białych kimonach, były podobne do gipsowych masek, ciszę czystych barw jedwabiu przerywały tylko jękliwe dźwięki cytar i fletów – ale ciała! Cała opowieść była utkana z poruszeń dłoni, lekkich stąpnięć, przegięć tułowia! Prawdziwy hymn żyjących ramion, bioder, rąk i stóp! Po tej wizycie w klasycystycznym gmachu przy Goethestrasse Hanemann nie mógł już patrzeć na pary tańczące one-stepa czy charlestona, kołyszące się w złotawym świetle lampionów za szybami kawiarni. Cóż za kukły! Manekiny! Nakręcone figury woskowe z panoptikum podrzucane rytmicznie mechanicznymi wstrząsami! Taniec japońskich aktorów był wibrowaniem życia. Ciało spowite w czarny i biały jedwab wyrażało lęk, nadzieję, miłość, chwiało się w podmuchach niewidzialnego wiatru, prostowało się jak trawa po deszczu. Na cóż tu słowa! W jasnym świetle sceny upudrowane dłonie rysowały każdy znak z cudowną wyrazistością. Długie palce, falujące jak gałązki ukwiału, tkały bez trudu pajęczą linię cieni i rozbłysków. Japońscy aktorzy! Któż oprócz nich potrafił tak mówić ciałem?

Właśnie wtedy, wracając Friedrichstrasse na stację metra, Hanemann pomyślał po raz pierwszy o ludziach niemych. Trochę go to zdziwiło, ale przecież – tak! – ilekroć widział w kawiarni, na dworcu, w pociągu dziewczynę czy chłopca, którzy bezgłośnie rozprawiali ruchami rąk, tylekroć podziwiał precyzyjne trzepotanie mówiących dłoni, które – tak mu się zdawało – potrafiły wyrazić wszystko. Mógł na to patrzeć i patrzeć, choć udawał – tak jak wszyscy – że nie patrzy, bo przecież nie wypadało. I ta sprzeczność: Przecież wiedział, że świat, w którym żyją, jest ubogi, sprowadzony do kilku prostych pojęć, a jednak nie mógł się uwolnić od wrażenia, że Bóg obdarował ich czymś, co jemu zostało odjęte. Jakże to tak? Jak pogodzić ciasnotę ciszy, w której są zamknięci, z dziwnym otwarciem? Bezbronność i bezradność z błyskotliwą precyzją ruchu? Raz wydawali mu się żałośni w swojej nędzy, raz górowali nad hałaśliwym tłumem idącym pod lampionami wielkiej ulicy – milczący, a jednak pełni rozgwaru niesłyszalnych słów. Chodził na wykłady Petersena, chciał nauczyć się wszystkich tych stuleń, zwinięć, rozkwitnięć palców, by zajrzeć na „ich" stronę. A potem? Wciąż pamiętał wrześniowy wieczór, kiedy to wracając z Kolegium Emaus, na stacji metra Bellevue podszedł do dwóch dziewcząt i po raz pierwszy coś „powiedział" paroma ruchami dłoni, a one mu odpowiedziały szybkim migowaniem. To było zabawne i bardzo piękne, tak podejść z odrobiną lęku, czy się uda, „powiedzieć" coś, zrozumieć odpowiedź i widzieć te wszystkie ukradkowe, spłoszone spojrzenia przechodniów, którzy rzucali okiem zza gazet, spod kapeluszy, udając, że nie patrzą. Pewnie wzięli go – pochwalił się nazajutrz Augustowi z żartobliwą dumą – za jednego z „tamtych". I bardzo dobrze!

Kiedy Hanka wprowadziła Adama do pokoju na piętrze, chłopiec ukłonił się niedbale, jakby powstrzymywał się przed zrobieniem nieprzyzwoitego gestu, ale ona patrzyła na niego z zachwytem. Hanemann uśmiechnął się. Byli nawet trochę podobni do siebie. Posadził chłopca przy biurku, rozłożył dużą kartkę z wzorami układu palców dla wszystkich liter (Mama przyniosła ją z Akademii od doktora Michejdy), na biurku ustawił małe lustro, usiadł koło Adama i tak siedząc obok siebie zaczęli układać palce według tego, co było na rysunkach. Hanka usiadła pod oknem i nie spuszczała z nich oczu. Adam powtarzał znaki z ironicznym, trochę obraźliwym uśmieszkiem i już po paru chwilach cieszył się samym ruchem palców, które z łatwością lepiły w powietrzu dowolną literę. Hanemann zaczął od imienia „Adam". Poszło to tak szybko, że zapytał: „Uczyłeś się tego?" Adam tylko się skrzywił. Przy niektórych literach tracił jednak płynność, musiał patrzeć na rysunkowy wzór, ale wtedy, zniecierpliwiony, od razu zaczynał własnymi gestami malować całą opowieść. A przy tym to podrzucanie ramion, wyginanie warg, mrużenie oczu – taniec twarzy, śpiew rąk – było tak niewymuszone i zaraźliwe, że siedząc na otomanie – ja i Hanka – mimowolnie dołączaliśmy do trzepotania drobnych dłoni. Gdy zaś Hanemann wychodził na chwilę z pokoju, Adam wysunąwszy się zza biurka, paroma gestami, przechyleniem głowy, przegięciem szyi, uniesieniem brwi, stwarzał sylwetkę swego nauczyciela. Hanka zrywała się z otomany oburzona: „Adam, nie małpuj!". Ale oburzenie rozpływało się natychmiast w uśmiechu, takie to wszystko było zabawne i dobrze podpatrzone. Każdy ruch. Udawanie zamyślenia. Podpieranie czoła. Zakładanie nogi za nogę. Przygładzanie włosów. Hanka trzepała go po grzbiecie, ale wymknąwszy się spod uniesionej ręki uciekał za biurko, zastawiając się fotelem. A potem porywał z wieszaka kapelusz Hanemanna, nasadzał krzywo na głowę i rzucał się na fotel, by zastygnąć w pozie myśliciela. Hanemann stawał w drzwiach, wołając: „Panie Hanemann, w kapeluszu nie siedzi się przy stole!" Adam oddawał mu kapelusz, skłoniwszy się nisko, a Hanemann tarmosił mu włosy – lekkim, łagodnym, łobuzerskim gestem.

Dopiero później zauważyłem, że takim samym gestem Hanka zwykle wzburzała nam czuprynę. Ona też chyba to spostrzegła, bo oczy jej się zmrużyły w drwiącym uśmiechu. Teraz lubiła patrzeć na tego wysokiego mężczyznę o dużych jasnych dłoniach, który pochylał się nad chłopcem, ostrożnie i czule pomagając mu ułożyć palce przy trudniejszych literach. Był tak niepodobny do tamtego poważnego mężczyzny, którego tyle razy mijała na ścieżce. Trochę się nawet wstydziła, że wtedy, na schodach, podniosła rękę i głupio krzyczała. Lecz kiedy Hanemann powiedział: „Pani Hanko, niechże pani usiądzie tu bliżej. Będzie pani łatwiej", usiadła obok Adama i zaczęła robić to samo, co oni, choć troszkę ją to krępowało – takie wyginanie rąk i przyglądanie się sobie w lustrze. Mówiła, patrząc na własne odbicie: „No zupełnie nie wiem, jak ułożyć te palce". Hanemann brał ją za rękę i układał dłoń w kształt litery „R". Zginał palec serdeczny, potem mały, dopełniał pochylonym kciukiem, ale mały palec nie chciał się trzymać, odskakiwał od dłoni, więc cierpliwie

powtarzali wszystko od początku: „Niech pani teraz popatrzy w lustro. O, to powinno wyglądać tak. Widzi pani?"
Pewnie, że widziała, tylko co z tego? Palec wciąż nie chciał siedzieć tam, gdzie powinien. Przygryzając wargę dociskała go do dłoni. „Tak może być?" Hanemann zaglądał w lustro: „Tylko niech pani nie puszcza kciuka". Adam krztusił się ze śmiechu, ja też nie mogłem wytrzymać. Och, ci głupi dorośli!

Potem lustro było już mniej potrzebne. Hanemann siadał naprzeciw Adama i „mówili" do siebie szybkim palcowaniem. Adam czytał bez trudu z ruchu warg, ale Hanka nie bardzo, Hanemann sadzał ją więc przed sobą i powolutku, bezgłośnym szeptem, starannie układając usta przy każdej głosce, mówił: „Niech pani nie wstaje". Hanka odpowiadała palcami, dokładnie rysując w powietrzu każdą kolejną literę: „D-o-b-r-z-e". I wybuchała śmiechem. A ich kolana stykały się na moment. Adam wtórował spod okna tej grze odbić, jak lustro powtarzając ruchy dłoni, którymi Hanka chciała złowić słowa i przerzucić je z powrotem do Hanemanna.

Ale z Adamem były też i zmartwienia. Potrafił wybiec na deszcz i spacerując po ścieżce z niewidzialnym parasolem w wyciągniętej ręce, przemoknięty do nitki, kołysał biodrami tak, jak to robiła pani W., naśladował niedzielne maszerowanie pana Borunia do kościoła Cystersów, wyjmował z ust niewidzialne gwoździe tak, jak to robił pan Orzechowski i giętkimi stuknięciami przybijał coś do niewidzialnej ściany z szumiących kropel, przejrzystej i lekkiej, która wyrosła pośrodku ogrodu, podświetlona tęczującym migotaniem popołudniowego słońca, a wszystkie te gesty, staranne i nonszalanckie, były tak dokładnym odbiciem gestów naszych sąsiadów...

Och, być kimś innym, niż się jest... Wybiegałem przed dom, dołączając do tej złej, zachwycającej gry, krzyczałem coś z twarzą uniesioną ku niebu, czułem, jak po powiekach spływają mi ciepłe krople sierpniowego deszczu, braliśmy się za ramiona i tańczyliśmy w kałużach, rozpryskując piętami brązową wodę – mocno, i jeszcze raz, i jeszcze raz! – aż okno w kuchni otwierało się i Hanka, grożąc umączoną pięścią, wołała: „Czy wy nie możecie przestać? Co za duch was opętał? Przecież wszyscy się na nas poobrażają!" Potem, gdy zdyszani i zmoczeni, zostawiając na zielonym linoleum wilgotne ślady sandałków, wbiegaliśmy do kuchni, wycierała nam głowy ręcznikiem i mówiła do Adama: „Jesteś mokry jak mysz. Łazisz po deszczu. Po co ci to wszystko?" Ale Adam zacinał się w sobie i nie odpowiadał nawet ruchem palca.

Gdy pod koniec sierpnia wrócił do domu z rozciętą wargą, z której ciekła krew, Hanka nie mogła wymówić słowa. „Boże, kto ci to zrobił? Mów! – przycisnęła go do siebie, zachłannym ptasim gestem, na kretonowej sukience zostało kilka czerwonych plamek. – Powiedz, kto ci to zrobił? Oczy im wydrapię!" Chyba wiedziałem, kto mu to zrobił. Adam lubił naśladować braci Stremskich spod dwunastki, to musiało się wcześniej czy później tak skończyć. Hanka wybiegła na ulicę, ale co mogła zrobić? Zalana łzami wróciła do domu. Tymczasem Mama przetarła Adamowi skaleczone usta watką: „Nic ci nie będzie. Ale lepiej na nich uważaj".

Co było z nim dawniej? Gdy wieczorem leżeliśmy w swoich łóżkach, Adam pod oknem, ja koło kaloryfera – wzburzony deszczową zabawą, rozkołysany tańcem nóg, rozpryskujących brązowożółtą wodę w ciepłych kałużach, spragniony przeniknięcia wszystkich tajemnic – ściszałem głos, tak by Mama, kręcąca się po przedpokoju i strzegąca domowej ciszy, nie usłyszała moich słów: „Adam, śpisz? Mieszkałeś w Gdańsku, czy tu przyjechałeś?" Ale Adam tylko pokazywał mi figę. Nie dawałem za wygraną: „Masz kogoś? Twoi rodzice żyją?" Ale tylko odwracał się do ściany i nakrywał głowę kołdrą. Patrzyłem na górkę pościeli, pod którą zniknął. Białe płótno wstrząsał ni to śmiech, ni to płacz. Serce mi zamierało. „Adam, co ty? Przestań, ja nie chciałem..."

Potem, leżąc na wznak, patrzyłem w sufit, po którym wędrowały cienie gałązek brzozy, rosnącej w kącie ogrodu, a pod oknem biała górka pościeli powoli nieruchomiała. Światła samochodu przepływały po szybach. Ulicą Grottgera przejeżdżała warszawa pana Wierzbołowskiego, który wracał z drugiej zmiany w „Anglasie", trzaskały samochodowe drzwi, stuknęła zamykana furtka.

Klosz ulicznej latarni kołysał się na wietrze.

Nie mogłem zasnąć.

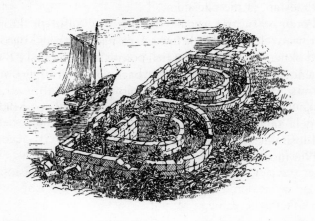

Brzytwa tamtego

O malarzu, który zabił się na wschodnich bagnach, pan J. wspominał jeszcze parę razy przy różnych okazjach, ale Hanemann słuchał go z roztargnieniem, choć starał się tego nie okazywać.

Pewnego jednak popołudnia, gdy w rozmowie, którą prowadzili przy szklance czerwonego wina, pan J. napomknął o Andrzeju Ch., jednym z uczniów gimnazjum na Topolowej, którego Hanemann czas jakiś temu uczył niemieckiej gramatyki i o którym miał jak najlepsze wyobrażenie, słowa pana J. wytrąciły go z tej uprzejmej, nieco melancholijnej obojętności. Chłopiec przeczytał niedawno dziwną książkę – powieść o najeździe żółtej rasy na Europę – stary egzemplarz z trzydziestego roku; była to powieść malarza, o którym tyle mówili; lecz zapytany przez pana J. o wrażenia z lektury odpowiedział z nieukrywanym rozdrażnieniem, tak jakby chciał pana J. urazić: „On miał rację. To nasze życie tutaj nie ma żadnego sensu".

Pan J. był tym poruszony do głębi. Sądził, że książka, którą chłopiec znalazł w bibliotece ojca, powinna właśnie dać mu tak potrzebny teraz dystans wobec wszystkiego, co działo się dokoła, a jednak chłopiec (którego ojciec, były oficer trzeciego pułku z Jazłowca, po krótkim procesie znalazł się w więzieniu w Barczewie) przeczytał rzecz opacznie, jako oskarżenie samego siebie!

Pan J. tłumaczył mu, że malarz popełnił błąd, że przeciął sobie żyły, bo uciekał od życia, a życie jest zawsze przeciwko nam, więc to żadna sztuka uciekać; że bał się więzień i obozów, a przecież przez obozy przeszło tylu ludzi i żyją. „Był więc tchórzem?" – zapytał chłopiec z ironią. Pan J. zawahał się. „Nie, nie był tchórzem. Tylko zbyt wiele chciał od życia". „To od życia trzeba chcieć niewiele? Tak w sam raz?" Pan J. nie potrafił ukryć zniecierpliwienia. „To nie o to chodzi". „Więc o co?"

„No, przecież – mówił pan J. do Hanemanna parę dni później – czy my nie żyjemy po tej drugiej stronie historii, przed którą on tak uciekał? Może to nie takie życie, jakbyśmy chcieli, ale życie. On sobie przeciął żyły, ale przecież miliony nie przecięły sobie żył. Całe miliony. Więc?"

„Więc co, powinien odłożyć brzytwę? I żyć tak jak my? Tu, w tej Polsce? – wołał chłopiec. – I to by pana zadowoliło?"

Hanemann słuchał tego wszystkiego z napiętą uwagą. Zauważył, że pan J., inaczej niż dawniej, mówi o sprawie malarza tak, jakby to nie była tylko prywatna sprawa starzejącego się mężczyzny, który w pierwszych dniach wojny przeciął sobie żyły, lecz sprawa całego narodu. Pan J., współczując malarzowi, współczuł bardziej samemu sobie i „biednej ojczyźnie".

Naprawdę jednak Hanemanna zainteresowało co innego. Pan J. powrócił niedawno z Warszawy z pogrzebu dawnego przyjaciela (tego, który znał się jeszcze z Czechowiczem), rzeczy zmarłego dostały się teraz w jego ręce i przewiózł je do Gdańska, do mieszkania na Jaśkowej Dolinie, koło dawnego zboru. Nie było tego wiele. Parę szkiców wykonanych ręką malarza, obraz Waliszewskiego, mała rzeźba Pronaszki, jakieś albumy fotografii oprawne w czarny półskórek, wycinki z gazet, dziwne druczki z wierszami futurystów… Pan J. chciał to wszystko oddać do muzeum przy kościele św. Trójcy., ale pani Lehr z działu opracowania zbiorów, którą poznał kiedyś u Steinów na Klonowej, doradziła, żeby się na razie wstrzymał. „Dziś inne czasy i inna sztuka…"

Najbardziej jednak zdumiały pana J. (i ucieszyły) fotografie, które znalazł w jednym z albumów i właśnie te fotografie przyniósł Hanemannowi do obejrzenia.

W pierwszej chwili Hanemann pomyślał, że to żart i już miał zapytać pana J., co to znaczy, ale pan J. tylko się uśmiechnął: „Tak! To jest malarz, o którym panu mówiłem!" Hanemann sięgnął po fotografie. Na każdym zdjęciu była inna twarz. Chociaż… Tak! Przyjrzał się oczom. Oczy wszędzie były podobne: spokojne i zimne. Ale twarze? Twarze, lepione przez kogoś okrutnego, nie miały właściwie żadnej stałej formy i przez chwilę Hanemann chciał nawet poprosić, żeby pan J. pokazał mu jakąś zwykłą fotografię, na której mógłby zobaczyć, jak naprawdę wyglądał malarz, o którym tyle mówili, ale wkrótce wyczuł, że prośba taka byłaby pozbawiona sensu, bo fotografii takiej pewnie nie ma.

Więc to jest… Ze starej fotografii patrzył na niego okrągły, rumiany gamoń z półotwartą gębą, w czapce ulicznika zsuniętej na tył głowy, lecz na zdjęciu następnym ten sam okrągły gamoń przeobrażał się nagle w arystokratycznego oficera w zapiętym pod szyję mundurze carskiej gwardii! A dalej? Bezbronny, kruchy i wiotki artysta? Przecież już za chwilę ten wrażliwy mężczyzna o bardzo ciemnych oczach z kocią łatwością przedzierzga się w żelaznego komisarza w skórzanej kurtce, a potem w jowialnego handlarza bronią, potem w grubego proboszcza... I te zmieniające się usta, oczy, policzki! Hanemann poczuł w sercu zamęt: Przecież zawsze giną ci, którzy są skazani na własną twarz, na własny język, na własne gesty. To właśnie im przykłada się pistolet do głowy. Wyznanie! Narodowość! Miejsce urodzenia! Przynależność! Przyjaciele! Wrogowie! Skąd uciekasz? Dokąd uciekasz? Pokaż ręce! Patrz prosto w oczy! Zdradził cię akcent! Kształt nosa! Rysunek powiek! Ale dla tej twarzy, którą widział teraz przed sobą, nie było rzeczy niemożliwych, kto ma taką twarz, może wybrać dowolny los – więc skąd ta śmierć?...

Poczuł, że wstrząsa nim śmiech, bo to, co malarz wyprawiał na fotografiach ze swoją twarzą, było naprawdę zabawne.

Ale potem zaczęła nudzić go ta gonitwa min, grymasów, wywróconych oczu... Oglądał fotografie obojętnie, uprzejmie wypytując, co na nich jest. Kobiety? Pan J. zmrużył znacząco oko. „O, gdyby pan wiedział. Cały harem!" Lecz jeśli nawet pojawiały się kobiety, to i tak z tej brązowoczarnej mgły, która kłębiła się na fotograficznym papierze...

Cóż to pan J. mówił wtedy o Kleiście?

Chłopiec w mundurze pruskiego oficera, o oczach, w których – żarzyło się szaleństwo? Zapewne, ale barwa tego szaleństwa była zupełnie inna, pełna powagi i mocy, chociaż i w niej czaiła się śmierć. Z fotografii rozłożonych na stole, przy którym siedzieli, patrzyły powykrzywiane twarze starzejącego się mężczyzny – któremu wszystko wymykało się z rąk i staczało w grymas? Może gdyby malarz był młodszy? Może wtedy byłoby to do zniesienia? Ale Hanemann pomyślał z niechęcią, że malarz przekroczył niewidzialną granicę, za którą jest już tylko rozkład. Kleist tego nie zrobił. Wiedział, że błąd tkwi w samej głębokości czasu, że po tamtej stronie traci się wszystko...

Obojętnie przyglądał się twarzy tańcującej na ciemnych fotografiach. Pomyślał, że starość jest straszna i że nic jej nie może zbawić, chociaż mężczyzna, na którego patrzył, wcale nie był taki stary. Ale w jakim momencie się to zaczyna? Pan J. mruczał: „To był świetny facet. Bajecznie uzdolniony, chociaż niektórzy mówili, że coś go wykręca, pcha w dziwactwo. Ale niech każdy z nich zrobi chociaż część z tego, co on..."

Lecz Hanemann, słuchając tych pochwał, nagle pomyślał o dziewczynie, która tam, na wschodnich bagnach, wygrzebywała palcami płytki grób. Pomyślał właśnie o niej, o drobnej, jasnowłosej dziewczynie, która wsiadła do pociągu jadącego na wschód, a potem szła razem z malarzem przez łąkę pod wielkie drzewo i łykała razem z nim te garście tabletek, krztusiła się, ale połykała, chociaż wcale nie chciała umierać. On ją w to wciągnął tą swoją twarzą klejoną z żywego wosku? Ale jak wyglądała jego twarz wtedy, w tamtej chwili, gdy podawał jej kubek z luminalem, a sam wyjmował brzytwę ze skórzanego etui?

„Nie zasypiaj przede mną, nie zostawiaj mnie samego"?

Pan J., śmiejąc się, opowiadał o swojej wizycie w mieszkaniu na Brackiej, ale Hanemann nagle zapytał: „Jak ona miała na imię?" Pan J. w pierwszej chwili nie zrozumiał. „Kto? Ach, ona..." Przecież wtedy, gdy obce armie zalewały Polskę, ważne było to, co stało się z malarzem, a nie ta kobieta...

Hanemann jednak powtórzył pytanie. Chciał wiedzieć, co się stało właśnie z nią, kim ona jest teraz, co robi, jak to

wszystko zniosła. Bo przecież – to było niespodziewane od-
krycie – oni, tu na Grottgera 17, w pokoju pełnym słońca,
rozmawiają sobie o malarzu, który zginął na wschodnich
bagnach, przerzucają jego zbrązowiałe fotografie, a ona jest
żywa, coś mówi, idzie gdzieś ulicą... Ale pan J. wiedział
niewiele. Trochę słyszał od różnych osób z Warszawy, trochę
widział na własne oczy, lecz ile z tego, co o niej mówiono,
było prawdą?

Po tym jak znaleziono ją pod wielkim drzewem, leżała
nieprzytomna parę dni. Z całej wsi zbiegli się ludzie. Krzyki,
nawoływania, kroki. „Pan, Poliak, smiert sobie zrobił". Byli
dobrzy, przynosili jajka i ser, ktoś dał jej nawet małą poduszk-
kę wyszywaną w zielone listki. Była młodsza od niego o sie-
demnaście lat. Mówili szeptem: „Dziwny ojciec, co córkę
chciał zabić". Gdy wróciła do miasta, zajęli się nią znajomi
malarza, pisała na maszynie, porządkowała papiery. Potem,
po powstaniu, trafiła do obozu w głębi Niemiec. Tam znalazła ją siostra. Kiedy weszła do baraku, zobaczyła ją na pryczy.
Siedziała na pryczy próbując kawałkiem szkła przeciąć sobie
żyły. Gdy wyrwała jej szkło z ręki, broniła się krzycząc: Jak
mógł wtedy tak ją zostawić! Przecież znał się na truciznach!
Przecież to nie był wcale przypadek, że ocalała! To on, to
była jego wina, kochał ją, więc dał tylko tyle, by zasnęła, by
mógł ze sobą spokojnie skończyć, by mu nie przeszkadzała.
Zostawił ją samą. Nie mogła mu tego darować. Przeklinała.
Musiały ją związać, żeby nic sobie nie zrobiła. Leżała na
pryczy z zamkniętymi oczami. Nie płakała. Tylko zaciśnięte
usta.

Przeżyła obóz, nie miała jednak dokąd wracać. W mieście spaliło się wszystko. Tułała się po cudzych mieszkaniach.
Pojechała do małego miasta w górach, gdzie było jeszcze
trochę ludzi, którzy go pamiętali. Była wciąż jeszcze młoda,
ale nie mogła patrzeć na mężczyzn. Potem zaczęły się bóle.
Odklejenie siatkówki. Głowa. Pracowała w sanatorium, mil-

cząca, obca, z nikim bliżej. Nikt nie wiedział, że to właśnie ona jest dziewczyną tamtego. Czasami tylko mówiła, że czeka, „aż się wypełni". Godzinami, do utraty sił, błądziła po górskich drogach. „Nie żyję" – szeptała do siebie. Kiedyś ktoś o niej powiedział: „Szuka śmierci, nie mogąc znaleźć życia". Nie znosiła ludzi. Nie mogła znieść ich widoku. Wybuchała gniewem z byle powodu, drażnił ją najmniejszy powiew wiatru. Jak otwarta rana, a powietrze – jak sól. I cały czas uważała się za jego żonę. Przecież wtedy, tam, pod tamtym drzewem, dali sobie ślub, księża takie rzeczy uznają. Swoje małe mieszkanie nazywała „grobowcem". Nawet gdy chorowała, nie kładła się do łóżka w dzień, tylko okryta kożuchem czuwała w fotelu. Bała się zasnąć, czuła się wtedy tak, jakby była w trumnie. Nie mogła sobie wybaczyć, że zgodziła się na tamto. Że nie potrafiła go powstrzymać. Ciągle myślała o tamtej chwili, kiedy obudziła się i upadła na niego, martwego, we krwi. Swoje listy podpisywała jego nazwiskiem. Dużymi literami. I jeszcze podkreślała. Drwiono z niej, ale chciała, żeby wszyscy wiedzieli, kim jest. Wszędzie przedstawiała się jako jego żona, choć przecież wiedziała, że jego prawdziwa żona wciąż jeszcze żyje. Pracowała w biurze, ale zaczęła się ubierać tak jak kobiety, którymi się otaczał. Dziwne powłóczyste suknie, naszyjniki, na głowie duży czarny beret, taki sam jak jego, na rękach bardzo szerokie srebrne bransolety. Śmiano się po cichu: „mankiety". Mówiono, że zakrywa nimi numery wytatuowane w obozie i blizny po brzytwie... Kiedy z kimś rozmawiała, zawsze mówiła „my". Znaczyło to: ja i on, ten, który zginął na bagnach...

Pan J. mówił o dziewczynie malarza z niechęcią. Pewnie, że wszystko to było bardzo smutne, bardzo bolesne, przygnębiające, ale mało to zdarza się podobnych historii? Prawdziwie ważny był malarz, ta kobieta wplątała się w coś, co ją przerastało, więc powinna pozostać w tle. Dla pana J. była tylko źródłem informacji o tamtej śmierci, niczym więcej.

Oczywiście współczuł jej, ale drażniła go swoją natarczywą nerwowością, niepokojem, nagłymi wybuchami. Czy można się dziwić, że z ulgą opuszczał tamto małe mieszkanie zastawione kartonowymi portretami drobnej, uczesanej na pazia, jasnowłosej dziewczyny o dużych oczach?

Lecz Hanemann nie mógł zebrać myśli. Pamiętał ostatnie słowa malarza, teraz jednak nie mógł się uwolnić od obrazu dziewczyny, przecinającej sobie żyły kawałkiem szkła, która przeklinała malarza za to, że ją oszukał i odszedł sam. I jeszcze te „mankiety", ludzki śmiech, drwiny...

Lęk – jakby dotknął czegoś...

Przychylność i nieprzychylność losu. Wspólna śmierć Kleista i Henrietty nad Wannsee wydała mu się darem, który ominął tych dwoje, umierających tam, na wschodnich bagnach. I że to spada samo. Niezasłużone. Niesprawiedliwe. Bo jaki miało sens to, że ona przeżyła? Że teraz żyje? Czy mogła być większa krzywda? Spłoszony, pełen gorzkiej wrogości, zanurzał się w świetliste obrazy, które łagodziły niepokój serca, choć kryły w sobie ból: sine jezioro, czerwone klony, łąka, biały obrus na trawie, dwa pistolety przy kieliszkach z winem i złota ścieżka, wspinająca się na obłoki... Jakby oglądał litografię z Caspara Davida Friedricha.

Lecz tak było dawniej, bo teraz serce podążało już innymi drogami, teraz cieszyły go wizyty tego niemego chłopca i tej młodej ciemnowłosej kobiety, która chciała sobie zrobić coś niedobrego, lecz na szczęście nic z tego nie wyszło. Cieszyło go to wspólne układanie palców, wspólne trzepotanie dłoni, śmieszne ptasie migowanie słów błahych i szkolnych, tak jakby w każdym geście powracały dalekie echa berlińskich lat – seminarium Petersena, spory z Augustem na poddaszu kliniki, mansarda pani Lenz, dziwne spotkanie z Mr Outline'em i tamto wzruszenie, gdy po raz pierwszy „powiedział" coś do dwóch dziewczyn na stacji metra Bellevue, a one mu odpowiedziały tak, że zrozumiał każde „słowo".

Chciał ją teraz odgrodzić?... Chciał zmazać winę? Powinien zrobić wszystko, by nie stało się z nią to, co stało się z tamtą, którą odratowano na wschodnich bagnach? Zmazać winę? Że wepchnął ją na powrót w życie? Winę?

Hanemann odkładał fotografie.

A pan J.? Pan J. wracał do domu Jaśkową Doliną, rozmyślając nad słowami pana B., sąsiada spod dziesiątki, który przed paroma dniami zatrzymał go przy furtce do ogrodu: „Po co pan tam chodzi? Niech się pan nie łudzi. On nami gardzi jak każdy Szwab. Teraz się nienawidzą, ale jak się dogadają z Rosją, to Rosja odda im Gdańsk. I rzuci im nas na pożarcie. Pan się śmieje? Że to niewykonalne? Pan jest z Wolnego Miasta, to pan nic nie wie. Ja widziałem. Wagonami będą nas wywozić. Możemy tylko czekać. Bo albo jedni, albo drudzy. A pan jeszcze do niego chodzi. Po co?"

„Ciekawe – myśli pan J. – Przecież on powinien powiedzieć, że jedynym wyjściem jest brzytwa tamtego.

Więc dlaczego tego nie mówi?

Dlaczego mówi tylko o wagonach?"

Bielidło i purpura

Pod koniec września, gdy dzikie wino na murze domu parafialnego ściemniało czerwienią, a ogromne dynie zażółciły się wśród łopianów, ksiądz Roman stał przed nami w kolumnie słonecznego światła i – mrużąc oczy – mówił o gniewie Pana i o niegodnych kupcach z jerozolimskiej świątyni.

Jego dłonie, to wędrując w górę gołębim trzepotem, to ostro spadając w dół, wzburzały w powietrzu złoty kurz, ja jednak, mimo starań, nie potrafiłem skupić się na słowach, dobiegających spod tablicy i tylko chwilami, gdy głos księdza Romana potężniał to groźbą, to przestrogą, myślałem, jak pogodzić obraz Pańskiego gniewu, tak pięknie malowany tańcem białych rąk, z opowieścią o nadstawianiu policzka, którą w tej samej sali usłyszeliśmy przed tygodniem. Wiedziałem, że tamci już czekają na „tego niemowę", by się z nim policzyć i choć nie miałem pojęcia, co im takiego zrobił, wszystko się we mnie gotowało na myśl, że mogą go tknąć. Więc niecierpliwie licząc minuty, rzucałem okiem to na Adama, to na swoje wilgotniejące dłonie – niechże wreszcie zegar z wieży kościoła Cystersów wydzwoni trzecią!

A potem, gdy drzwi domu parafialnego otwarły się z trzaskiem i wybiegliśmy na ulicę, tam, za zakrętem, przy żywopłocie, na ścieżce prowadzącej do kościoła, zobaczyłem tamtych. Lecz Adam ich nie dostrzegł, szedł spokojnie w stronę żywopłotu – więc popędziłem, więc musiałem popędzić, by go wyprzedzić!

O, jakże niosło mnie natchnienie – mocne, czyste, dobre natchnienie – to samo natchnienie, które Jemu kazało wyrzucać kupców z jerozolimskiej świątyni, a Ojcu (pamiętałem dobrze opowieść Mamy o pierwszym dniu na Grottgera 17) kazało wyrzucać obcych z pokoju Hanemanna. Czułem w sobie ten sam święty rozpęd, ten rozpęd – mocny i czysty – kazał mi zacisnąć pięści, i gdy tak pędząc doskoczyłem do tamtych, gdy oburzenie rumieńcem pogardy objęło mi twarz, nagle – druzgot! pieczenie! – jakaś siła wpiła mi się w kark, coś pociągnęło mnie do tyłu i głos, którego w oszołomieniu nie potrafiłem rozpoznać, zagrzmiał tuż przy prawym uchu: „Bić słabszych od siebie?! Po lekcji religii?!"

W głosie księdza Romana płonął ściszony gniew starotestamentowych proroków. Zadrżałem. Dookoła zaroiło się. Znajome i nieznajome twarze, zmrużone oczy, warkocze, kolorowe koszule. Przepychali się, chcieli zobaczyć z bliska, nareszcie działo się coś ciekawego, wyciągali szyje, syczący śmieszek nieszczerych potępień sparzył mi policzki żywym ogniem. A ksiądz Roman zatargał mną raz i drugi, i tylko przez moment gdzieś między głowami mignęły mi fałszywie spokorniałe twarze tamtych, których chciałem wypędzić ze świątyni Pana, a którzy teraz przyoblekli się w szatę znieważonej niewinności. Bronić się? Wyjaśniać? Teraz? Nieomylnie wyczułem, że mój okrzyk: „Przecież to oni, nie ja, to oni grozili, ja tylko broniłem!!!" byłby dla księdza Romana prawdziwym darem niebios. Czyż nie widzicie oto grzesznika niezdolnego do skruchy, tchórzliwie zwalającego winę na innych! Więc właściwie serce powinno mi pęknąć z tego wszystkiego...

Bo Adam boleśnie wykrzywiając twarz, zaczął w panicznym tempie wyjaśniać, jak rzeczy miały się naprawdę. Wyciągniętą ręką celował w Stemskich – to w Mentena, to w Butrego – groził kułakiem, wskazywał oczami na niebo, odsłaniając z nadmiarem niebieskawe białka. Ksiądz Roman przerwał targanie, zmrużył oczy, i naraz wszystko w nim wezbrało: „Więc i niemowę?! Więc i – poprawił się w ostatniej chwili – ułomnego? Jak ci nie wstyd?" Poczułem, że ziemia ucieka mi spod stóp, spróbowałem szarpnięciem uwolnić się z piekącego uścisku, ale ksiądz Roman... Tak, teraz czułem, teraz już byłem pewien, że piękny obraz gotyckiej świątyni zastawionej bluźnierczymi straganami, świątyni, w której ręka Pana spadała na bezbożne karki izraelickich kupców, rozpostarł się przed oczami księdza Romana, że brał go w posiadanie, bo grzmiący głos ścichł, ściemniał, przeszedł w szept, co zawsze napełniało nas prawdziwą trwogą: „Niech matka z ojcem przyjdą na plebanię jutro po mszy o szóstej!" – po czym chłodne palce księdza Romana skręciły mi ucho w parzącą muszelkę: „A teraz posiedzisz w sali parafialnej, by przemyśleć, coś uczynił". Ból, wstyd, upokorzenie. W milczeniu szumiąca sutanna poprowadziła mnie w stronę domu parafialnego i tylko przez chwilę raz jeszcze mignęły gdzieś nad głowami z lekka przestraszone, szydercze twarze moich „ofiar".

Dom parafialny kościoła Cystersów, niegdyś ewangelicki dom modlitwy... Żadnych tam barokowych złoceń, gipsowych obłoków, promieni, palm, rokokowych wstążek, puttów, całego tego cudowno-buduarowego wystroju, w którym co niedzielę przed głównym ołtarzem Katedry gotowaliśmy się na spotkanie z Panem. Ksiądz Roman wprowadził mnie do pustej prostokątnej sali o ścianach białych jak wapno, w której stały czarne ławki z gotyckimi cyframi na pulpicie, a potem, wskazawszy palcem krucyfiks z czarnego drewna zawieszony nad tablicą, zamknął za sobą dwuskrzydłowe drzwi i przekręcił w zamku gruby klucz.

Tak właśnie w białej sali, w której – poczułem to – zasiadły obok mnie bezimienne i zupełnie przeźroczyste, pełne powagi, zamyślone cienie współwyznawców pastora Knabbe, które opuszczały to miejsce tylko na czas papistowskich homilii księdza Romana, rozwarła się przede mną otchłań, do której nigdy jeszcze nie zaglądałem. Byłem skłonny zrozumieć i wybaczyć wszystko, to jednak, co zdarzyło się przy żywopłocie, to, w czym braliśmy udział ja i ksiądz Roman, nie miało przecież żadnego pierwowzoru ani w Nowym, ani w Starym Przymierzu. Czy Pan słowami proroków i apostołów mówił gdziekolwiek o podobnym zdarzeniu? Rozumiałem, czy raczej przeczuwałem spłoszonymi drgnieniami serca cierpienie św. Szczepana, św. Pawła, św. Cecylii, piękne cierpienie ukamienowania, ukrzyżowania, torturowania, gdy nad głową męczenników zapala się małe słońce, a z obłoków, przy dźwiękach anielskich fanfar, spływają palmowe gałązki, by uwieńczyć skronie zroszone krwią – ale ten ból? Pismo, do którego zaglądaliśmy co niedzielę, to Pismo, któremu ufałem, delikatnie odwracając kartki przełożone czerwoną wstążeczką, porzuciło mnie na wielkiej drodze, nie mówiło nic, jak dusza powinna zachować się wobec takiego splątania, w którym płacz mieszał się z gorzkim, piekącym chichotem, ze złymi błyskami czyichś oczu; byłem zupełnie sam, opuszczony, upokorzony, zraniony; klęcząc na protestanckim klęczniku, bezgłośnie poruszałem wargami: „Dlaczego?" Nie rozumiałem. Nienawiść? Nie, wcale nie czułem nienawiści do księdza Romana (może trochę na początku...), bo przecież czy tylko mnie dotknęło to coś, co drwiło z nas obu, bawiąc się moją bezsilnością i jego niewiedzą? Obaj byliśmy niewinni, a jednak obaj zostaliśmy ukarani; czyż nie wiedziałem, że gdy tylko ksiądz Roman dowie się, jak rzeczy wyglądały naprawdę, po tym wszystkim, co ze mną wyprawiał, poczuje się bardzo głupio?

Lecz gdy fala żalu i goryczy wezbrała mgłą łez, które przesłoniły mi na moment surowy zarys krzyża z maleńką tabliczką „INRI", uderzeniem pięścią w pulpit klęcznika przywołałem stare, dobre zaklęcie. „O, nie! Niedoczekanie!" Nie, nie myślałem o zemście (bo na kim właściwie?), raczej zdumiała mnie linia samego zdarzenia, w którym nie mogłem dopatrzyć się żadnego sensu, a cóż dopiero wyraźnej logiki winy, kary i nagrody (przez moment usłyszałem w sobie złe pytanie: „A jeśli ten święty impet, który cię tak poniósł przeciw tamtym, wziął się właśnie stąd, że oni naprawdę byli słabsi?" – ale oddaliłem tę myśl jako niedorzeczną). Nie mogłem się pozbierać. Patrząc na czarny krzyż, szukałem podobieństw, które włączałyby moją przygodę w rozumny świat dorosłych, mądry świat św. Szczepana, jeziora Genezaret, ucieczki do Egiptu, płonącej Sodomy, i coś się we mnie otwierało, powoli, opornie, coś jeszcze niejasnego, kruchego i bolesnego, co nakazywało, bym patrzył inaczej niż dotąd na dziwną – jak myślałem – ostrożność, z jaką Hanemann układał morskie muszle z dalekiej Japonii, na czułą ostrożność, z jaką polerował srebro, na uważne prowadzenie pióra po kartce papieru czy mycie listków geranium płócienną szmatką umoczoną w wodzie. Wszystkie te gesty – które dotąd wydawały mi się zawstydzająco niemęskie i trochę niedorzeczne – naraz nabrały niepokojącej powagi, o której pomyślałem z lękiem.

Potem brzęk, stuknięcie, spojrzałem w okno...

Adam? Tutaj? Zwariował! A ksiądz Roman? – ale nie! za szybą zmrużone oczy, usta wykrzywione w niewinnym uśmiechu, ciemne od słońca policzki. Wspiął się na parapet po kratce porośniętej dzikim winem, które pod ścianą domu parafialnego zasadziła jeszcze żona pastora Knabbe i z policzkiem przyciśniętym do szyby daje mi jakieś znaki!

Odczekałem, aż zniknął za szybą, otworzyłem okno, zawahałem się, lecz już po chwili, ostrożnie – by nie porwać gałązek dzikiego wina, na które zawsze lubiłem patrzeć, gdy wracaliśmy co niedzielę od Cystersów – zsunąłem się za nim do ogrodu.

Krztusząc się ze śmiechu pognaliśmy przez agresty i porzeczki w stronę drucianego ogrodzenia, pod którym leżały ogromne dynie, jeden skok, drut zabrzęczał i już pędziliśmy łąką koło liceum, zostawiając za sobą kościół Cystersów, którego szpiczasta wieża rzucała długi cień na łąkę, a potem przez podwórze pod siódemką, przez grządki i po piaszczystej skarpie wypłukanej przez deszcze wbiegliśmy do lasu między bukowe pnie. Zdyszani, objęci ramionami, szczęśliwi, że wszystko już za nami, potoczyliśmy się po ziemi, ni to walcząc ze sobą, ni to tarzając się w suchych liściach.

A potem, roztrącając butami liście, ruszyliśmy przez wzgórza za pierwszym dworem, potem w lewo, przez las, pod górę, między wysokie buki i sosny, tak by nie natrafić po drodze ani na pościg z plebanii, ani na Mentena i Butrego, którzy – wiedzieliśmy dobrze – nie darują nam tego, co nie mogło być darowane. Adam pochylił głowę, spojrzał na mnie burzowym wzrokiem księdza Romana, policzki mu wezbrały, ściemniały piękną purpurą i wreszcie po paru chwilach z warg wybuchło bezgłośne oburzenie: „Bić ułomnego?! U-ło-mne-go?!" Cały lęk nagle rozwiewał się, śmiałem się do

utraty tchu, tak było to wszystko dzikie i boleśnie zabawne... Gdy zaś nasze serca uspokoiły się, a kroki wyrównały, Adam ruchami palców i dłoni, lekkimi jak rysunek japońskim piórkiem, zaczął kreślić w powietrzu obraz tego, co się nam przydarzyło przed godziną tam, pod żywopłotem. Znów więc jastrzębia dłoń księdza Romana uniosła mnie w stronę domu parafialnego – zimna i parząca, znów z przyciskiem posadziła w dębowej ławce z gotyckimi cyframi, a gdy tak znów siedziałem w czarnej ławce naprzeciwko krucyfiksu, nagle czerwony ze wstydu rzucałem się na Adama z pięściami – bo w jego naśladowaniu moich gestów... bo on, naśladując moje gesty, składał ręce w żarliwej modlitwie! Tłukłem go zaciśniętymi pięściami, uszy paliły, bo wtedy tam, w pustej sali parafialnej, nie tylko dumnie syczałem: „O, niedoczekanie!", wtedy tam, w jakiejś chwili, z pochyloną głową zacząłem szeptać: „...któryś jest w niebie jako i na ziemi, chleba naszego powszedniego daj nam dzisiaj... i nie wódź nas na pokuszenie teraz i w godzinę śmierci naszej... i odpuść nam nasze winy..."
Więc on wyczuł to we mnie, więc wypatrzył zza szyby? Jego ciemna od słońca twarz, lepiąca delikatnymi drgnieniami ścięgien obrazy mojego bólu, lęku i radości, układała opowieść o modlącym się chłopcu, którego oczy pokornie wpatrzone w czarny krzyż... O, tortury!
O, jak dobrze, że ta opowieść już się kończyła! Zdyszany, rozgrzany szamotaniną, ze świeżymi zadrapaniami na ramionach i z piekącą skórą na kolanach – bo walcząc potoczyliśmy się w jałowce – czułem w sobie pustkę lekką i krzepiącą, która wypełniła mnie jak oddech – rzeźwy i odurzający. Pewnie nie było to dobre, ale chyba lepsze od tego, co miałem za sobą. On zaś zatrzymał się na ścieżce, pokrytej ciepłym igliwiem, i może po to, by odwlec jeszcze choćby na parę chwil nasz powrót na ulicę Grottgera, której domy prześwitywały już w dole za drzewami, zaczął po kolei rysować w powietrzu przeźroczyste sylwetki znajomych i sąsiadów, jedną po dru-

giej, bawiąc się przy tym samą zręcznością palców! Więc najpierw strzyżenie żywopłotu pod czternastką przez pana W., potem trzepanie puchowej kołdry przez panią Wardoń, potem wchodzenie pana J. na piętro do Hanemanna... Parę ruchów ciemnych dłoni, przechylenie szyi i oto synowie pana S. z rozmachem rzucają żelaznym prętem, krzesząc na kamiennej jezdni niebieskawe iskry... Potem cofnięcie podbródka, uniesienie brwi, zgarbienie karku – i już pan C. spod dwunastki powoli wychodzi o siódmej do pracy w fabryce „Daol", ostrożnie domykając za sobą furtkę. Aż mi się ręce same podrywały do tego bezgłośnego tańca dłoni z taką niedbałą łatwością obrysowujących w powietrzu kontur cudzego życia. I powtarzałem, i starałem się powtórzyć każdy jego ruch, by wychwycić ten jeden jedyny, w którym streszczało się całe podobieństwo! Och, żeby tak mówić setką języków, mieć sto dusz, sto głosów – ptasich, ludzkich, młodych, starych, dawnych, nowych, męskich i kobiecych! I tak, zatracając się w naśladowaniu, rozbestwieni bezkarnością udawania dorosłych, którzy nie mogli się bronić, rozbawieni ucieczką z pułapki, w którą nas coś wtrąciło przed godziną, rozradowani grą przeistoczeń, która obdarowywała nas złą, ciemną radością, wolni, z głowami zadartymi w niebo, jakbyśmy stając się kimś, kim nie jesteśmy, czuli na sobie karcące spojrzenie Boga, spoglądającego z wysoka na bukowe lasy za Katedrą, na Oliwę, na plażę i zatokę, zataczaliśmy się wśród drzew, a z nami, ścieżką pod ruchliwym, szumiącym listowiem buków i sosen, wędrowały cienie ludzi, których znaliśmy; kruche, utkane z wiatru, bezbronne cienie, które wyginały się w przesadnych ukłonach, witały uniesieniem kapelusza, podawały sobie rękę, groziły palcem, dziesiątki cieni z ulicy Grottgera szły z nami po suchych bukowych liściach, mieszając się z naszymi cieniami, tak jakby chciały być bardziej żywe od naszych ciał. Z jaką zapamiętałą giętkością tańczyły na ścieżce, umykając nam spod stóp! I chwilami już nie bardzo wiedziałem, kto jest prawdziwszy: czy my, żywi, cieleśni, wspinający się ze wzgórza na wzgórze, czy ci tutaj – wyłowieni palcami ze słonecznego światła, sprowadzeni do jednego gestu, do jednego grymasu, który ich na moment obdarzał chwiejnym istnieniem, a potem z lekką, obojętną radością rozwiewał w nicość, bo może już wtedy, tam, na wzgórzach, było wiadome, było już przesądzone, że pamięć – jeśli w ogóle zostanie jakaś pamięć po ulicy Grottgera – przechowa ich tylko takimi, jakimi ich widzę teraz, tu, przed nami, na ścieżce zasypanej ciepłym rudym igliwiem, w słońcu przesianym przez ruchliwe liście, w szumie sosen i buków. Więc zachwycony i oburzony, poddawałem się tej grze przeistoczeń – może trochę mściwej, może raniącej – która cieszyła mnie i trochę przerażała, a on z miękkim okrucieństwem szminkował każdą twarz, którą wyłowił z powietrza, pokrywał policzki bielidłem, purpurowił usta, czernił brwi, a potem paroma niedbałymi pociągnięciami rysował wiotką łzę pod okiem, by na czyichś wąskich wargach zawiesić wieczny grymas bolesnego uśmiechu, w którym odnajdywaliśmy się ze złą, radosną, łapczywą, nieufną ciekawością cudzego życia…

Lecz w tym tańcowaniu, które niosło nas nad ziemią, płosząc lęki i rozgrzewając serca, w tym lepieniu z wiatru ulicy Grottgera, Adam nie ruszał nigdy Hanemanna i Hanki.

Zbocze

Głosy dobiegały z przedpokoju. Przyciszone. Pośpieszne. Nie rozumiałem słów. Kto mówił? O czym mówił? Noc. Dlaczego tak późno? I szepty. Gasnące. Twarde. Twarze. Czyje? Zza szyby nie mogłem dostrzec. Obudzony w środku nocy, z oczami zmrużonymi, drżący, wsłuchany w dziwny ruch w głębi mieszkania. Nie, to nie był środek nocy. Wieczór? Obudzono mnie z płytkiego snu. Oczy mi się zamykały, walczyłem z sennością. Nie, to nie był wcale wieczór. Rano? Za oknem szarzejące niebo. Firanka podobna do mgły. Ale nie słychać ptaków. Kołysałem się na krawędzi światła i snu.

Adam spał pod oknem, z głową wtuloną w poduszkę. Zaróżowiony policzek. Włosy zmierzwione. Opalony kark. Ucho. Kto mówił? Dlaczego w kuchni, a nie w pokoju?

Wejść. Jeden krok. Drugi. Drzwi otwierają się. „O Boże, obudziliśmy dzieci". To Mama. Podbiega, bierze mnie za rękę. Prowadzi do łazienki. Żółta smużka moczu, piana na dnie muszli. Powrót do pokoju. Kładzie mnie do łóżka, otula kołdrą. Lecz moje serce stuka mocno. Oczy otwarte. Patrzę na drzwi. Kto to był w kuchni? Mężczyzna? W płaszczu? Pan J.? Teraz? Tak wcześnie? Krok do drzwi. Ręka na klamce. Ustępują miękko, bez żadnego skrzypnięcia. Ciemny przedpokój. Policzek przy chłodnym tynku. Serce nie może się uspokoić. Co się stało? Ojciec i Mama w kuchni. Już ubrani? Nie, tylko płaszcze narzucone na ramiona. Hanka? Nie, chyba jest w swoim pokoju. Głos. Kto mówi? Słowa urywane. Szumi czajnik z gotującą się wodą. Brzęk szklanek. „Niech pan usiądzie". Pośpiech? Dlaczego? „Obudźcie Hanemanna". „Teraz?" Szczęk otwieranych drzwi. Miękkie kroki na schodach. Schodzą. Powoli. Najpierw Hanemann. Za nim Ojciec. „Dzień dobry". Przesunięcie krzesła. „Dzień dobry, niech pan siada". „Co się stało?" Szept. Pan J.? Spokojne słowa. Mieszanie herbaty. Dzwonienie łyżeczki. „Czytał pan «Trybunę»? „Wczorajszą?" „Tak". „Czytałem. Ale co się stało?" Mama podchodzi do drzwi. Wygląda, czy nie ma nikogo na korytarzu. Wraca do kuchni. „Panie Hanemann, niech pan nie będzie dzieckiem. Chodzi o pana". Ojciec przy oknie. „To pewne?" „Panie Józefie, nic nie jest pewne. Ale słyszałem…" Znów szept. Głos Hanemanna spokojny. „Przesada. Niech się pan o mnie nie martwi. To jeszcze nic nie znaczy". Głos pana J. „Niech się pan weźmie w garść. Będzie nowy proces. Kontakty z Werwolfem i z zachodnią strefą. Wśród tych, którzy zostali…" Ojciec. Stoi przy oknie. „Skąd pan to wie?" „Słyszałem w gabinecie Chrząstowskiego. Był u niego jakiś cywil. Pytał o pana. Chrząstowski powiedział, że może pana zatrudni po moim przejściu na emeryturę. On na to: «Hanemann? Niech pan sobie da z tym spokój. To niedobra sprawa. Nici biegną na zachód. Niech pan w tym palców nie macza. Dobrze panu po partyjnemu radzę»". Głos Hanemanna. Zniecierpliwiony, cierpki. „To nic nie znaczy. Dlaczego niby ja?" Głos pana J. Westchnienie. „Panie Józefie, niech pan mu wytłumaczy, bo ja nie mam siły". Głos Ojca: „Panie Hanemann, ja widziałem, jak się wywozi w jedną noc całe miasto. Tu nie ma żartów". Głos Hanemanna: „Więc co? Uciekać? Dokąd?" Pan J.: „Wie pan dobrze, jakie były wyroki w sprawie Kaczmarka". „Nigdzie nie będę uciekał".

Cisza. Serce szamoce się w piersiach. Kler? Werwolf? Pan Hanemann? Ale głosy. Barwa słów. Lęk. Ciągle cisza. Siedzą przy stole. Nad herbatą. Patrzą na siebie. Milczą. Pan J. podnosi głowę. „Jest jeszcze jedna sprawa. Chcą zabrać chłopca Hance". Zimno przenika mi piersi. Patrzę na drzwi pokoju. Adam śpi. Usłyszał? Chcę domknąć drzwi. A jeśli stoi za nimi? Nie ruszam się. W kuchni cisza. Głos Hanemanna, cichy. „Jak to zabrać? Kto?" „Niech pan głupio nie pyta. Byli tu już". „Ale dlaczego?" „Chyba mają coś na nią. Jeszcze z Tarnowa. Albo i wcześniej. Może leśne sprawy…" Mama z dłonią przytkniętą do ust. „Boże…" Niecierpliwy ruch Ojca. „Skąd pan wie?" Wzruszenie ramionami. „Żona słyszała w kuratorium. Papiery są już gotowe. Pójdzie do ośrodka w Szczecinku. Podobno obecna opiekunka nie spełnia wymagań. Także warunki materialne. Czy coś podpisywaliście?" „Nic". „To przyjdą do was, żebyście podpisali. Że macie ciężkie warunki". „Ale to bzdura!" – prawie krzyk Mamy. „Nie krzycz – szept Ojca – obudzisz chłopców".

Ciemność przed oczami. Coś ściska za gardło. Jeszcze chwila. Nie, to niemożliwe. Jak to zabrać? Adama? Nam? Dokąd? Przecież tamten wieczór. Czarna kolejowa kurtka. Nauka palcowania. Bójki na wzgórzach. Ucieczka z sali parafialnej. Wszystko to nagle powróciło. Każdy gest. Wszystko. Zabrać go? Dlaczego? Co zrobiliśmy? Przecież Hanka tak go kocha. Przecież mu z nami chyba dobrze. Co zrobiła? Mają coś na nią? Co to znaczy? Skrzypnięcie drzwi. Smużka światła na podłodze. Parę kroków od moich stóp. Przywrzeć do ściany. Nie oddychać. Bose nogi Hanki. Przechodzi obok. Kroki chwiejne. Szlafrok przytrzymywany na piersiach. Oczy zmrużone. Włosy związane czerwoną wstążką. Wchodzi do kuchni. „Stało się coś?" Cofa się na widok pana J. i Hanemanna. „O, przepraszam... nie wiedziałam..." Mama odsuwa krzesło. „Usiądź". Nalewanie herbaty. Brzęk łyżeczki odstawianej na spodeczek. Szczęknięcie wieczka cukiernicy. Mruknięcie Hanki: „Za gorąca". Pochylają się ku niej. Najpierw szept Ojca, potem szybszy Mamy. Szarpnięcie krzesła. Kroki. Hanka przebiega przez przedpokój. „Nie!" – krzyczy. Wpada do pokoju. Adam zrywa się przerażony. Hanka obejmuje go. Adam przyciska ją, niczego nie rozumie. Podchodzę do nich. Objęci drżą. Hanka płacze. W drzwiach Mama, za nią Ojciec. W kuchni pan J. Patrzy w okno. Hanemann w przedpokoju. Pan J. wstaje. „Wyjdę przez ogród. Tak będzie lepiej". Hanemann kiwa głową, podaje rękę. „Dziękuję". Pan J. odwraca się. „Niech pan nic nie mówi. Lepiej nic nie wiedzieć". Hanemann raz jeszcze kiwa głową. Pan J. wychodzi. Po chwili znika za szpalerem tui.

Hanka głaszcze włosy Adama. Całuje go w czoło, w oczy, w policzki. Szepce. „Nikomu ciebie nie oddam, rozumiesz?" Adam patrzy na nią, wciąż nie rozumiejąc. „Będziesz ze mną zawsze". Adam dotyka delikatnie jej twarzy i palcem rysuje na policzku mały krzyżyk. Chyba już wie. Hanka z całej siły przygarnia go do siebie. „Nic nam nie zrobią, rozumiesz?" Adam tylko daje znak powiekami. Potem układa dłoń w znak: „Kocham cię". Hanka chwyta go za ręce. Patrzy na nią suchymi oczami.

Odwracam głowę. Nie mogę na to patrzeć. Łzy? Hanka układa Adama na poduszce. „Co chcesz zrobić?" – pyta Mama. „Nie wiem". „Masz gdzieś kogoś?" „Kiedyś może. Ale teraz…" „Chodź do kuchni, zastanowimy się…" Hanka uśmiecha się do Adama i raz jeszcze całuje go w czoło. „Zaraz wrócę". Przechodzą do kuchni. Szepty. Urwany krzyk protestu. Znowu szepty. Syknięcie. Rozpoznaję dwa słowa. „Wrocław"… „Może Zofia…". Przecież ciocia Zofia mieszka w Cieplicach… Jak to? Więc aż tak daleko? „Panie Hanemann, niech ją pan przekona. To tylko na jakiś czas…"

Podchodzę do Adama. Palcuje uniesioną ręką. „Nigdzie nie wyjadę". „Musisz". „Schowam się w lesie". „A Hanka?" „Razem z nią". Boże, chyba zwariował. Patrzę na jego włosy. Grzebie palcami. Czochra się. Stoję boso. Zimne deski podłogi. Z kuchni znów dolatują głosy. „Panie Hanemann, niech się pan zastanowi, to nie ma sensu. Nic nam nie zrobią". To Hanka. Znów głosy. Szepty. Niewyraźne słowa. Adam nasłuchuje. Wstaje. Sięga po koszulę. Zapina guziki. „Co chcesz zrobić?" Nie odpowiada. Wciąga skarpetki. Odgarnia włosy z czoła. Hanka wchodzi do pokoju. „Czemu wstajesz? Jeszcze wcześnie". Wskazuję go ruchem głowy. „Chce się schować w lesie". „Boże!…" Hanka chce go objąć, ale wymyka się z jej uścisku. „Zaczekaj, dokąd?!" Chwyta go za rękę. Adam chce się wyrwać, ale jest silniejsza. „Co to znaczy? Co to za humory?" Adam patrzy na nią z wrogością. Hanka rozpogadza się. „No wiesz? Co wyprawiasz? Nie możemy robić głupstw. Chyba na trochę wyjedziemy". W kuchni ojciec wyciąga z szafki rozkład jazdy. Pochylają się z Hanemannem nad stołem. „Dwunasta sześć w Tczewie, przesiadka na bydgoski, potem o trzeciej…" Głosy gasną.

Stoję pośrodku pokoju. Drżenie nóg. Jakbym za chwilę miał dokądś biec. Mama podchodzi. „Nie stój na zimnie. Ubierz się. Pomożesz Adamowi". Wciągam przez głowę koszulę. Potem spodnie. Sięgam po skórzane sandałki. Błyska klamerka. Zamykam oczy. To niemożliwe. To wszystko chyba mi się śni.

Byliśmy gotowi o dziewiątej. Mama wyszła przed dom, postała chwilę, potem skręciła w stronę sklepu, kupiła pieczywo, ser, mleko, przy bramie rozejrzała się, ale na ulicy nie było nikogo. W pokoju Hanka pakowała rzeczy Adama. Obwiązali wszystko skórzanym paskiem i włochatym sznurkiem, mocne supły, Adam dociągał kosmate końce. W kuchni Mama kroiła chleb postukując nożem na dębowej deseczce. Różowe płatki wędliny. Pomidory. Świeże ogórki. Przełożyła bułkę żółtym serem. Posypała pietruszką. Pergamin szeleścił. Okrągłe paczuszki włożyła do płóciennej torby. Butelkę z herbatą zawinęła w ręcznik.

Wyszli o wpół do dziesiątej – najpierw Hanka, po paru minutach Hanemann. Bez żadnych bagaży. Ona przez bramę, on przez ogród. Stuknęła zardzewiała furtka pod suchym chmielem, pisk żelaza, potem kroki na kamiennych schodkach. Hanemann minął klomb irysów, zatrzymał się na chwilę przy tujach, ale nie, nie odwrócił się. Stałem przy oknie. Włożył ręce do kieszeni. Popatrzył na drzewa. Za żelaznymi prętami ogrodzenia mignęła jeszcze jego głowa...

Mieli zaczekać na nas na Piastowskiej, koło wiaduktu, o tej porze mało kto tam chodził. Poszli osobno, powoli, po cóż zwracać na siebie uwagę pośpiechem, najpierw ulicą Kaprów, potem Grunwaldzką, potem Poczty Polskiej, potem – za rogiem Hołdu Pruskiego – w prawo na podjazd, stamtąd do dworca już tylko kilka kroków. Pociąg przyjeżdżał parę minut po jedenastej. Jedenasta siedem. Z Gdyni.

Znieśliśmy bagaż do sieni. Ojciec wyciągnął z piwnicy żelazny wózek, którym pani Walmann woziła jeszcze małą Marię, zanim u Juliusa Mehlersa na Ahornweg nie kupili nowego z blaszaną budką i owalnymi okienkami. Ten nowy tamtej nocy, gdy w Neufahrwasser czekali na „Bernhoffa", spalił się przed magazynami Schneidera – w mokrym śniegu przy rampie zostały tylko kawałki skręconej blachy. Ten stary, wysłużony wieloma jazdami z Lessingstrasse do parku i z powrotem, mocno już zardzewiały, został w piwnicy. Odkąd pamiętam, stał zawsze pod ścianą przy wodomierzu, oprószony kurzem i pajęczynami.

Sprężynowe resory, rączka długa, z giętego drzewa. Ojciec ciasno ułożył na ramie podwozia walizki Hanemanna i Hanki, dołożył plecak Adama, wsunął płócienną torbę z jedzeniem, a wszystko owinął prześcieradłem i związał sznurkiem. Po cóż świecić ludziom w oczy? Taki biały pakunek woziłem wiele razy wózkiem Walmannów na Derdowskiego, do pralni pod numerem 11, więc teraz, gdy poskrzypując wózkiem ruszyłem ulicą Grottgera w stronę kościoła Cystersów, nikogo nie mogło to zdziwić.

Ale to, co czułem… Adam szedł przy mnie, podpierając chybotliwy bagaż, wielka płócienna paczka okręcona sznurkami, przywiązana paskiem do niklowanych rurek, kolebała się ciężko pod dłonią, mylił krok, patrzył przed siebie – w koszuli zapiętej pod szyję, jak nigdy. Resory skrzypiały. W kieszeni miałem złożoną we czworo karteczkę, którą napisałem w ostatniej chwili zielonym atramentem, karteczkę, na której było te parę słów… A kiedy tak, mijając domy i ogrody, uchylone furtki i zamknięte bramy z blaszaną skrzynką z napisem „Briefe", doszliśmy do ulicy Derdowskiego, Adam spojrzał na mnie tym swoim słodko-złośliwym spojrzeniem, zgiął rękę w łokciu i przyłożył do przegubu pięść.

I to był znak początku – chociaż kończył wszystko. Znak, że zaraz się zacznie, że znowu zatańczą wokół nas cienie złowione w pułapkę ciemnych dłoni, rysowane w powietrzu cieniutką kreską, drobnym ruchem palców, przekrzywianiem głowy, ptasimi gestami. I ta ciekawość, co znów pokaże, to lekkie, niedbałe, a tak czułe wyłapywanie cudzego śmiechu i płaczu. Wózek poskrzypywał, biały pakunek kołysał się z boku na bok jak na śniegowej fali, jasne rozbłyski w gałęziach, przez mgnienie wydało mi się, że całą jezdnię przed nami oprószyła gołębia biel, puszysta, z wirującymi płatkami, ale nie, to przecież tylko słońce, przedzierając się przez chmury nad wzgórzami za kościołem Cystersów, oświetliło zakurzony bruk. Stuknął krawężnik, koła zgrzytnęły, przejechaliśmy na drugą stronę ulicy Derdowskiego, cienie gałęzi lip – ruchliwe jak trzepotanie ćmy – przepłynęły po koszulach, a Adam już zaczynał, już uniósł ręce, już obiegł dookoła wózek, aż wyrwało mi się: „Uważaj!", bo zaplątał się pod nogami, lecz tylko roześmiał się bezgłośnie, palcując coś do mnie w pośpiechu, nie mogłem odczytać tej mowy zaczepnej, niecierpliwej, a on – tak jak tam, na wzgórzach za kościołem Cystersów, tak jakby chciał powtórzyć tamtą chwilę, gdyśmy się zatrzymali na ścieżce – znów – żeby mnie rozbawić? żeby mi dokuczyć? – zaczął rysować palcami... najpierw pana J., potem panią S... I jeśli on odchodził, to one, te lekkie postacie, które z taką łatwością wyławiał przede mną z powietrza, odchodziły razem z nim – dokąd? Mógł je wyczarować w każdej chwili, miał je pod powiekami i w końcach palców, i w uniesieniu brwi. Jakże mu zazdrościłem! Miał nas wszystkich. I mnie też. I Mamę. I Ojca. Gdyby tylko zechciał, mógł być każdym...

Wjechaliśmy w ulicę Wita Stwosza, zadzwonił tramwaj, czerwone wagony przejechały z brzękiem ku pętli w Oliwie, błysnęły szyby, wózek podskoczył na szynach, skręt w lewo i już ulica Kaprów, chodnik pod strzyżonymi lipami, pnące się róże w ogrodach, wysokie naparstnice i dalie, sadzawki z zieloną wodą, a Adam – to splatając, to rozplatając dłonie – opowiadał krótkie dzieje naszego spotkania i rozstania. Z jego rąk i twarzy uleciała ironia? To lekkie szyderstwo, którym bronił się przed nami? Teraz ciepłymi poruszeniami palców lepił nasze ciała, tak jakby przebaczał nam? – i mnie? i nawet tamtym, którzy pobili go do krwi? Nie żałował tego, że był wśród nas? Mimo wszystko? Każdy ruch jego dłoni – tak to czułem – obiecywał, że o nas nie zapomni. Lecz na cóż te pożegnania! Przecież to tylko parę dni, miesiąc najwyżej! Więc skąd ta miękkość, ściśnięcie serca? Chciałem, żeby był taki jak zawsze? Ironicznie uważny? Przyczajony? Trochę okrutny? Bo jednak ten chłodny taniec gestów, które tam, na wzgórzach, tak go cieszyły, łagodził we mnie ukrytą obolałość i niechęć – zwróconą przeciw komu? Adam trącał mnie w plecy, patrzyłem przez ramię – i wszystko, co złe, na widok tych zwężonych oczu, w których taiła się zraniona radość, gasło we mnie jak zdmuchnięty płomień. Lipowe liście zaszeleściły nad głową, dzwon kościoła Cystersów, bliski, dźwięczny – gołębie, wydziobujące proso ze szpar w bruku, pofrunęły na czerwony dach, było tak uroczyście jak w jasne rano Bożego Ciała. Kroki się wyrównały, wózek terkotał rytmicznie i jeśli nawet ze sztuczną swobodą rzucałem: „Trzymaj się, nie daj się! Będę pamiętał i czekał" – nie było to wcale konieczne, bo rozumiało się samo przez się, tak jak rozumiało się samo przez się to, że na niebie jest coraz więcej słońca, tylko śpiewać i tańczyć, a chmury nad Katedrą są tak czyste i lekkie jak puch wielkiej gołębicy, która usnęła w kołysce powietrza nad morenowymi wzgórzami za Doliną Radości, za Doliną Czystej Wody.

Biegliśmy! Ulicą Grunwaldzką przejechała kremowa warszawa, w górze, nad barem „Biały Zdrój", piękna pani w papilotach układała w oknie różową pierzynę, przeskoczyliśmy jezdnię zaczekawszy, aż przejadą trzy ciężarówki z koszar na Słowackiego, żołnierze śpiewali pod furkoczącą plandeką: „Płynie, płynie Oka jak Wisła szeroka…", piosenka zgasła w warkocie motorów, bruk zadzwonił pod kołami wózka, wróble trzeszczały w gałązkach tarniny, a my biegliśmy pod kasztanami ulicą Poczty Polskiej, skręciliśmy w ulicę Hołdu Pruskiego, potem obok ceglanych domów zarządu kolei dojechaliśmy do rogu i – zdyszani, zgrzani – ruszyliśmy w górę, wyżej, wyżej, pochyłym podjazdem, wzdłuż szynowatej poręczy, po drobniutkiej islandzkiej kostce chodnika, pchając przed sobą kołyszący się pakunek. Są! Adam aż klasnął w dłonie. W głębi krzewów, pod żelazną kratownicą słupa wysokiego napięcia, obok ścieżki prowadzącej na dworzec, przy ławce, którą ktoś tu ściągnął z parku i wsunął pod gałęzie bzu, zobaczyłem Hanemanna i Hankę. Pomachali do nas. „No, nareszcie jesteście". Ściągnąłem prześcieradło z wózka. Wzięli swoje bagaże. Adam zarzucił na ramię brezentowy plecak.

Spod gałęzi bzu, przy którym stanęliśmy, widać było wiadukt nad Piastowską, nasyp ciągnący się w stronę Sopotu i kępę drzew przy moście nad Pomorską, skąd miał nadjechać osobowy z Gdyni. Ale na razie jeszcze mieliśmy parę minut. Hanemann chciał wejść na dworzec dopiero w ostatniej chwili, w tłumie wsiadających i wysiadających, więc mieliśmy jeszcze te kilka chwil. Adam patrzył ze ścieżki na tory, nad którymi przelatywały stada wróbli i szpaków z ogródków działkowych, na białe chmury, które wolniutko płynęły ku zatoce, a potem dalej ku Szwecji, na wielkie drzewa, za którymi miał się pojawić dym, gdy tylko parowóz wjedzie na most. Hanka podała mi rękę. „No, Piotrze, podziękuj mamie i ojcu za wszystko". Hanemann lekko potargał mi włosy, naśladując jej dawny gest, który tak lubiłem. „I nie zapomnij o nas".

Zapomnieć? Ją? Hankę? Adama? I tego wysokiego mężczyznę, który mieszkał nad nami? Przecież w jednej chwili ulica Grottgera zrobiła się zupełnie pusta. Jak to? Bez nich? Jakże to możliwe? Dlaczego? „Hanka – starałem się uśmiechnąć – to ty o nas nie zapomnij". Machnęła ręką. „Nie rozklejaj się. No, nie damy się, prawda?" „Hanka, napisz do nas czasem". Hanemann objął ją ramieniem. „Nie, na razie nie będzie listów. Może trochę później". Ale mówił to bez przekonania, patrząc na mnie, na niebo, na nasyp, jakby się jesz-

234

cze wahał. Staliśmy w milczeniu. Nie wiedziałem, co zrobić z rękami. Poprawiłem prześcieradło, leżące w głębi wózka. Wyjąłem chusteczkę, wytarłem dłonie z okruchów rdzy. Hanemann spojrzał na zegarek. „Powinien być za trzy minuty". Adam odwrócił się i wyciągniętą ręką pokazał kępę drzew za mostem. Jest! Wśród lip, piętrzących się nad Pomorską, kłęby dymu. Jeszcze nie było słychać stukotu kół, ale już czarny parowóz z płatami blachy po obu stronach kotła wysunął się zza zieleni i wjeżdżał na most. „Adam!" – krzyknąłem. Podbiegł do mnie, ścisnął mi rękę, a potem złożył dłoń w ciepły znak podobny do skulonego wróbla, drżącego na wietrze. To było bardzo śmieszne.

Poszli w stronę budynku stacji, najpierw Hanemann, parenaście kroków za nim Hanka z Adamem. Jakby się zupełnie nie znali. Patrzyłem na nich zza liści. Adam na moment odwrócił głowę, ale Hanka niespokojnym ruchem pociągnęła go za sobą. Weszli do tunelu, zniknęli za mlecznymi szybkami. Wiedziałem, że nie powinienem pokazywać się ani na peronie, ani koło dworca, że nie powinienem machać ręką ani wykrzykiwać słów pożegnania, a jednak nie odchodziłem stąd, z tego miejsca pod gałęziami bzu. Pociąg wciąż stał na peronie, wydało mi się, że stoi dłużej niż zwykle, w jednej chwili wymyśliłem setkę powodów, które mogłyby sprawić, że nigdy stąd nie odjedzie, ale zza budynku stacyjnego wzbił się dym, szczęknęły złącza między wagonami, po chwili budka strażnika na ostatnim wagonie zniknęła za białą ścianą dworca.

Patrzyłem na oszklone zejście do tunelu, na białą ścianę budynku stacyjnego, na kiosk, w którym sprzedawano papierosy i cukierki, ilekroć jednak wracałem do tamtej chwili, naprawdę miałem przed oczami inny obraz: widziałem bukowe wzgórze, z którego ku otwartej przestrzeni schodzą kobieta, mężczyzna i dziecko i – zostawiając za sobą Katedrę, park, Dolinę Radości i Dolinę Czystej Wody – wychodzą na drugą stronę oliwskich lasów, na jasną przestrzeń pól, a przed nimi, nad dalekim horyzontem, żarzy się miękką czerwienią wielkie, łagodne słońce, w które można patrzeć bez obawy, bo takie słońce na pewno nie spali ani źrenicy, ani świata.

Szron

Od zachodu płynęły chmury. Ziemia obracała się wolno, starannie odmierzając godziny i minuty. Mgły wstawały nad Morzem Północnym, wilgotne, podrywane wiatrem wiejącym tuż przy ziemi; niosły się w stronę wschodzącego słońca nad równinami Dolnej Saksonii i Meklemburgii; o zmierzchu, gdy wiatr przygasał, dosięgały chłodną falą sosnowych lasów Rugii; wzbijane niespokojnymi porywami znad cieśnin duńskich, sunęły w stronę piaszczystych plaż Łeby i Rozewia, gdy zaś zorza otwierała się nad półwyspem, dosięgały wybrzeży zatoki, by wreszcie – rozrzedzone, ledwie widoczne –

rozpłynąć się nad bukowymi wzgórzami za Katedrą i nad dachami ulicy Grottgera. Rano, gdy wychodziliśmy z domu, na liściach brzozy w ogrodzie skrzyła się świeża wilgoć i trzeba było schylać głowę, by nie zaczepić włosami o gałązki, z których przy każdym powiewie osypywały się zimne krople.

Gdy niebo ciemniało nad parkiem, Mama ustawiała w oknie zapaloną gromnicę, chociaż na obrazie, który płonął turkusową zielenią obok lustra w dużym pokoju, piękny anioł przeprowadzał po wąskiej kładce chłopca i dziewczynkę, trzymających się za ręce. Pan K., którego Mama spotykała czasem na ulicy Bohaterów Westerplatte, ze śmiechem doradzał, by podczas podróży raczej unikać hotelowych pokoi z numerem trzynastym. Mama zbywała to machnięciem ręki – miała za sobą powstanie, przez które przeszła bez jednego zadraśnięcia – lecz i ona wolała nie witać się przez próg.

W domu Bierensteinów, w oknie na piętrze nie było już pani W. Jej wyszywaną poduszeczkę, którą tak lubiła – porzuconą teraz wśród suchych malw w ogrodzie pod czternastką – skubały wróble, wydziobując strzępki morskiej trawy spod spłowiałego aksamitu. Gdy tramwaj przejeżdżał z brzękiem ulicą Wita Stwosza, błyski odbitego słońca wspinały się na ścianę domu, aż mrużyliśmy oczy przed złotym światłem, które nagle wypełniało cały pokój, zapalając iskry w kryształowym wazonie z irysami, w lustrze, w kieliszkach za szkłem kredensu. Pod wieczór, gdy powietrze stygło po upalnym dniu, w ogrodach z drzew spadały jabłka o skórce nakrapianej żywą rdzą i w trawie ciemno było od dzikich pszczół, spijających sok z pękniętych owoców. Nasturcje i astry kwitły pod brzozą wśród zbrązowiałych od słońca ziół, na południowej ścianie werandy żółkło dzikie wino, którego listki, obrzeżone suchą czernią, drżały pajęczyną cieni, a wszystko było tak piękne, tak nasycone barwą, światłem, zapachem – któż mógł uwierzyć, że z tych kwiatów, liści, traw zostanie za parę tygodni tylko dym ogniska, dopalającego się w ogrodzie...

Pod lipami, przy dawnej Delbrück-Allee, powietrze drżało od gorąca. Robotnicy w koszulach z zawiniętymi rękawami ostrożnie wyjmowali z ziemi drewniane krzyże, na których nie było już blaszanych tabliczek, ostukiwali je o pień brzozy i odkładali na bok, na stertę spróchniałych żerdzi, która rosła powoli między żywopłotami. Granitowe płyty cierpliwie podważano końcem kilofa, unoszono jak wielkie okładki starych ksiąg, uważnie zdejmowano z kamiennych podmurówek. Ciężkie samochody: merzbach i star czekały już przy budynku Anatomii po drugiej stronie ulicy. Świeżo otwarte groby, podobne do szaf przewróconych na wznak, pełne kurzu, pajęczyn i różowych szczypawek, schły w słońcu. W górze, wysoko, przez smugi światła między gałęziami sosen przelatywały ćmy nagle zbudzone w środku dnia. Gdy koło południa albo później, ktoś przystawał nad głębokim dołem, przy którym żółciła się sterta mokrej ziemi, by odczytać napis na płycie ułożonej wśród bluszczy, robotnicy, wsparci łokciem na łopacie wbitej w dno, w milczeniu dopalali papierosa. Na płytach z szarego i czarnego marmuru, które ustawiano wzdłuż ścieżki – krawędź przy krawędzi, jak kostki domina – gasły w kurzu zatarte imiona „Friedrich", „Johann", „Aron". Cmentarz umierał powoli, nienatarczywie, w cichym szeleście przesypywanej ziemi, podobny do zachodzącego słońca, które deszczową porą niedostrzegalnie gaśnie w popiele mgły.

W niedzielę, w październikowym blasku przedpołudnia, gdy mgła przysłaniała jeszcze wieżę Ratusza, a woda Motławy połyskiwała wciąż chłodną jasnością świtu, zachodziliśmy na przystań koło Zielonej Bramy, by potem Długim Pobrzeżem, obok wypalonych domów Mariackiej i Szerokiej, obok straganów ze starymi książkami, które ustawiono na Fiszmarku, obok zburzonych bram i przedproży, iść aż do zakrętu kanału, a potem daleko, daleko, aż do samej wyspy Holm.

Kamienne nabrzeże schodziło tu płasko ku wodzie. Prom nadpływał powoli. Podziwiałem spokojny i pewny ruch rąk dwóch mężczyzn w czarnych czapkach z błyszczącym daszkiem, którzy – z papierosem przyklejonym do warg, pochyleni – w milczeniu, drewnianymi chwytakami przeciągali ciemną od smaru, stalową linę, która wysuwała się z wody, wolno wędrowała wzdłuż burty, drżała na żelaznych kółkach, pryskała kropelkami, by potem znów zniknąć w leniwej toni. Podłoga promu była z czarnych desek, pachniała smołą i naftą. Ciemnozielona woda z tęczującymi plamami benzyny głucho chlupotała przy burcie. Może dlatego, stojąc pod brezentowym daszkiem, ściszaliśmy zawsze głos. Wysocy mężczyźni przy wsiadaniu schylali głowę pod napiętą brezentową osłoną, w ciszy przygładzali włosy, otrzepywali mankiety spodni z drzewnego pyłu, tak jakby szykowali się do dalekiej drogi, z której nie zawsze się powraca, tylko kobiety, zbiegając szybko na pokład, by zająć najlepsze miejsca, stukały korkowymi obcasami głośno i niecierpliwie. A kiedy dopływaliśmy już do przystani koło elewatorów, gdy na nabrzeżu pojawiały się już żelazne rusztowania małego doku i zza mola wysuwały się dźwigi Starego Portu, podobne do wielkich ptaków szukających żeru, mijaliśmy spacerowy statek z wysokim pochyłym kominem, przycumowany obok kolejowej bocznicy, na którego białej burcie, spod świeżej farby, którą niedawno pomalowano nitowany kadłub, obok napisu „Zielona Brama – Westerplatte – Sopot", słabo przeświecały zarysy kilku czarnych gotyckich liter. Lecz nikt z nas nie potrafił odczytać dawnej nazwy.

W ogrodzie na Grottgera żółkły liście. Słońce co rano wynurzało się zza mierzei, w południe wspinało się nad bukowe wzgórza, o zmierzchu znikało za Katedrą. Chmury – jak co dzień, jak co roku, jak zawsze – szły ku nam znad równin niemieckich, znad saksońskich jezior, meklemburskich lasów i pomorskich plaż. Zorza o barwach ognia, których nie można było zliczyć, pyszna, spiętrzona wysoko o świcie, wstawała nad zatoką, topiąc w rtęciowych rozbłyskach kutry rybaków, wyruszających na otwarte morze. Molo, trafione tamtej nocy pociskami z baterii na Zigankenbergu, stało w odbitym blasku dwoma szeregami nadpalonych słupów, niczym rząd strzaskanych kolumn. Wieczorami, przy bezchmurnej pogodzie, gdy ciemność nad miastem napełniał spokój stygnącego powietrza, światło Gwiazdy Polarnej żarzyło się już zimną, listopadową iskrą. Dni były coraz krótsze.

A ja czekałem, czekałem na jakiś znak, przecież wsunąłem do kieszeni Adama, wtedy, tam, koło wiaduktu, tę złożoną we czworo kartkę wydartą z zeszytu w linie, na której z kaligraficzną starannością wypisałem nazwę ulicy Grottgera i podkreśliłem numer 17, i dopisałem numer mieszkania 1 – żeby nigdy nie zapomniał. Więc na pewno nie zapomniał.

I gdy z blaszanej skrzynki z napisem „Briefe" wyjmowałem listy, gdy już wyjąłem wszystkie listy, zawsze zaglądałem do ciemnego wnętrza, w którym na dnie było trochę pokruszonych płatków rdzy i ręką sprawdzałem, czy może do drzwiczek nie przylgnęła koperta.

Lecz listy nie nadchodziły.

W ogrodzie szumiały tuje. Wiatr szedł górą, nad dachami ulicy Grottgera, kołysząc zielenią buków i sosen. Pod brzozą Mama ścinała astry wielkimi krawieckimi nożycami.

Na listkach bukszpanu bielił się już pierwszy szron.

Klucz do miejsc

Adolf-Hitler-Strasse – Grunwaldzka; główny ciąg komunikacyjny dla wojsk pieszych, konnych i gąsienicowych od czasów Napoleona do grudnia 1981 roku. Wschodnia część od Bramy Oliwskiej do Ostseestrasse: Aleja Hindenburga.

Am Johannisberg – Sobótki.

Bischofsberg – Biskupia Górka.

Brabank – Stara Stocznia.

Breitgasse – Szeroka.

Breslau – Wrocław.

Bromberg – Bydgoszcz.

Brösen – Brzeźno.

Brösener Weg – Bolesława Chrobrego.

Danzig – Gdańsk.

Delbrück-Allee – Curie-Skłodowskiej; ulica biegnąca od dawnej Alei Hindenburga do Akademii Medycznej. Po zachodniej stronie jezdni, aż do Politechniki, ciągnęły się cmentarze ewangelickie i katolickie, po stronie wschodniej, u zbiegu Delbrück-Allee z Aleją Hindenburga, stał gmach „profesora Spannera", opisany później przez Zofię Nałkowską w *Medalionach*.

Dirschau – Tczew.

Elbing – Elbląg.

Emaus – zachodnia dzielnica Gdańska na wzgórzach sąsiadujących z Siedlcami.

Frauengasse – Mariacka.

Friedrich-Allee – Wojska Polskiego.

Glettkau – Jelitkowo.

Gotenhafen – Gdynia.

„Gustloff" („Wilhelm Gustloff") – statek pasażerski wiozący uchodźców z Gotenhafen do Kilonii, storpedowany przez radziecką łódź podwodną w styczniu 1945 roku na otwartym morzu między Łebą a Stolpmünde.

Gutenberg-Hain – Las Gutenberga – las po zachodniej stronie Jaśkowej Doliny. Na północnym krańcu Altana Gutenberga (dawniej z pomnikiem Gutenberga).

Hochstriess – Słowackiego.

Hohenfriedberger Weg – Szymanowskiego.

Hundegasse – Ogarna.

Jäschkentaler Weg – Jaśkowa Dolina.

Johannistal – Matejki.

Jopengasse – Piwna.

Karlsberg – Pachołek; wzgórze w Lasach Oliwskich niedaleko Katedry. Dawniej u podnóża, nad brzegiem stawu – hotel.

Karrenwall – Okopowa.

Klostergasse – Cystersów.

Kohlenmarkt – Targ Węglowy.

Kokoschken – Kokoszki.

Königsberg – Królewiec.

Köslin – Koszalin.

Krantor – Żuraw.

Kronprinzenallee – najpierw Aleja Sprzymierzonych, później Wita Stwosza.

Lange Brücke – Długie Pobrzeże.

Langer Markt – Długi Targ.
Langfuhr – Wrzeszcz.
Langgasse – Długa.
Lessingstrasse – Grottgera.
Magdeburger Strasse – Kościuszki.
Marienburg – Malbork.
Marienkirche – Kościół Mariacki w Gdańsku.
Marienstrasse – Wajdeloty.
Marienwerder – Kwidzyn.
Max-Halbe-Platz – plac Komorowskiego.
Mirchauer Weg – Partyzantów.
Müggau – wzgórza na południe od Wrzeszcza na przedłużeniu Jaśkowej Doliny.
Neu Schottland – Nowe Szkoty.
Neufahrwasser – Nowy Port.
Ostseestrasse – najpierw Aleja Prezydenta Roosevelta, potem Aleja Karola Marksa, później Aleja Generała Hallera.
Pelonker Strasse – Polanki. Równoległa do Lessingstrasse i Kronprinzenallee.
Pietzkendorf – Piecki, Morena.
Posen – Poznań.
Rathaus duży – Ratusz Głównego Miasta przy Długim Targu.
Rathaus mały – Ratusz Staromiejski przy Korzennej.
Schaeflerstrasse – Hołdu Pruskiego.
Seestrasse – Pomorska.
Schichau, warsztaty – warsztaty stoczni gdańskiej.
Schidlitz – Siedlce.
Schwabental – Dolina Radości.
Schwarzer Weg – najpierw Czarna, potem Montwiłła Mireckiego.
Speicherinsel – Wyspa Spichrzów.
St. Katharinenkirche – Kościół św. Katarzyny.

St. Marienkirche – Kościół Najświętszej Marii Panny (Kościół Mariacki).

St. Trinitatiskirche – Kościół św. Trójcy.

Steffensweg – Stefana Batorego.

Stettin – Szczecin.

„Steuben" („General von Steuben") – statek z uchodźcami z terenu Gdańska, Prus Wschodnich i Kurlandii storpedowany w lutym 1945 roku przez radziecką łódź podwodną na Stolpe-Bank.

Szpital św. Łazarza – średniowieczny przytułek w Oliwie obok pętli tramwajowej przy dawnej Adolf-Hitler-Strasse. Zburzony w latach sześćdziesiątych podczas poszerzania jezdni.

Thorn – Toruń.

Weichsel – Wisła.

Weichselmünde – Wisłoujście; dzielnica Gdańska przy ujściu Wisły do zatoki, w pobliżu Westerplatte. Barokowa twierdza przy kanale portowym. Po drugiej stronie kanału nabrzeża Nowego Portu, elewatory, przystań promu.

Zigankenberg – Cyganki, Cygańska Górka.

Zoppot – Sopot; dawniej Copoty.

Opracowała *Krystyna Chwin*

Książki Stefana Chwina

Krótka historia pewnego żartu

Chwilami nostalgiczna, chwilami żartobliwa opowieść o spotkaniu kilkuletniego chłopca z demonami XX wieku, rozgrywająca się w scenerii powojennego Gdańska. Życie w poniemieckim „mieście wrogów" staje się dla bohatera duchowym wyzwaniem, spotkaniem z niepokojącą zagadką piękna i zła, wtajemniczeniem w urodę rzeczy naznaczonych piętnem obcości, przygodą młodej duszy uwodzonej przez nowoczesne ideologie.

Lektura ważna nie tylko dla tych, którzy są ciekawi, w jakich okolicznościach duchowych i historycznych zrodził się artystyczny zamysł *Hanemanna*.

Hanemann

Powieść o gdańskim profesorze anatomii, który po śmierci narzeczonej w katastrofie statku przeżywa głęboki kryzys egzystencjalny, jest świadkiem wojennej zagłady Gdańska, po której – inaczej niż większość niemieckich mieszkańców – zostaje w zburzonym mieście zajętym przez Polaków i Rosjan. Przejmujący obraz dawnego Gdańska jest w tej powieści nie tylko tłem dla ludzkich losów. Obok ludzi jej bohaterami są miasto i rzeczy.

Życie głównego bohatera splata się z losami dwóch słynnych samobójców – Heinricha von Kleist oraz Stanisława Ignacego Witkiewicza. Ta powieść o miłości, śmierci i samobójstwie daleka jest jednak od pesymizmu. Prześwietlona światłem odradzającej się woli życia łączy w sobie ducha melancholii z fascynacją materialnym pięknem świata. Talent literacki autora współgra z malarską wyobraźnią, dając niezapomnianą opowieść o trudnych tajemnicach ludzkiego życia.

Esther

Koniec wieku dziewiętnastego. W mieszczańskiej rodzinie warszawskiej pojawia się piękna guwernantka z Gdańska, Esther Simmel, jedna z dawnych studentek Friedricha Nietzschego. Jej nagła choroba pociąga za sobą dramatyczne konsekwencje. Kobieta zapada w stan śpiączki. Lekarze są bezradni. Zakochany w niej młody mężczyzna robi wszystko, by ją uratować. Co jakiś czas jednak dopadają go „niedobre myśli" o życiu i śmierci. Waha się między postawą caritas a twardym światem idei Nietzschego, zapowiadających „racjonalne" podejście do chorych i umierających, typowe dla niektórych nurtów myśli nowoczesnej, szczególnie tych, które podejmują kwestię eutanazji.

Ta piękna opowieść o miłości, umieraniu i nadziei ma w sobie barwę dawnego czasu i ostrość pytań najzupełniej współczesnych.

Złoty pelikan

Jakub, wykładowca jednego z uniwersytetów, dowiaduje się, że dziewczyna, którą oblał na egzaminie, prawdopodobnie popełniła samobójstwo. Okoliczności sprawy pozwalają mu nie poczuwać się do żadnej winy. Jakub jednak przeżywa głębokie załamanie. Traci wszystko. Z sali uniwersyteckiej i eleganckiego mieszkania trafia na dworzec kolejowy, gdzie zaczyna żyć jak bezdomny.

Ta utrzymana w konwencji moralitetu „powieść idei", nawiązująca do średniowiecznej legendy o św. Aleksym, mówi o poszukiwaniu duchowego oczyszczenia w cywilizacji nowoczesnej, w której rytuały utraciły swoją oczyszczającą moc a słowo ma rozchwiane znaczenia, nie dając nam oparcia w sytuacjach kryzysowych. Jej finał – utrzymany w ironiczno-melodramatycznym duchu – zostawia czytelnika przed otwartymi pytaniami o naturę prawdy, dobra i zła.

Kartki z dziennika

Burzliwie przyjęta przez krytykę i publiczność autobiograficzna opowieść, łącząca narrację o życiu autora z refleksją filozoficzno-moralną. Sugestywne portrety osób ważnych w biografii duchowej Stefana Chwina, obrazy z historii Polski drugiej połowy XX wieku przepuszczone przez pryzmat osobistych doświadczeń, sceny z życia prywatnego, wielość sprzecznych tonacji i stylów, zmienność nastrojów, kontrowersyjne opinie – wszystko to czyni tę książkę daleką od konwencji „dziennika uczuć i myśli ze wszechmiar słusznych".

Kartki z dziennika – przyjmowane przez jednych z entuzjazmem, przez innych z zaciekłą wrogością – nikogo nie pozostawią obojętnym. Zachęcają do sporu, niezgody, żywej wymiany myśli.

Żona Prezydenta

Krystyna, żona prezydenta, zdradzona przez męża, ucieka z pałacu prezydenckiego. W miejscowości, gdzie się ukrywa, poznaje Mistrza, przywódcę grupy religijnej, dążącej do naprawy świata. Mistrz, który w oczach jednych jest przestępcą, w oczach innych Wysłannikiem z „tamtej strony", chce dość dwuznacznymi metodami uzdrowić sytuację na świecie. Gdy zostaje aresztowany, Krystyna, związana z nim uczuciowo, decyduje się zrobić wszystko, by go ocalić…

W tej utrzymanej w konwencji thrillera powieści *political fiction* z filozoficzno-religijnym podtekstem akcji współczesnej towarzyszy apokryficzna przypowieść o jednym z uczniów Jezusa, który wbrew woli apostołów ratuje swego Mistrza od ukrzyżowania. Jego metody są równie dwuznaczne…

Dolina Radości

Eryk Stamelmann, bohater *Doliny Radości*, to tajemniczy makijażysta gwiazd filmowych i polityków. Przychodzi na świat na początku XX wieku w starym Gdańsku, Jego pełne zaskakujących zdarzeń życie biegnie dalej przez Monachium, Berlin, wojenną Warszawę, Moskwę, po czym zataczając wielki krąg na mapie Europy, powraca znowu do Gdańska. Stamelmann - trochę łgarz, trochę przestępca, trochę czarownik - dzięki swojej niezwykłej profesji spotyka sławnych ludzi ubiegłego stulecia, pojawia się w ważnych miejscach historii, z łatwością zmienia swoją tożsamość, a podczas tej niepokojącej podróży poprzez cały niemal ubiegły wiek rozmyśla nad tajemnicami piękna, wierności i zdrady, pyta też o istotę dobra i zła. W jego historii można ujrzeć metaforyczny obraz sytuacji człowieka w nieprzejrzystym świecie XX wieku.